Cosmopolite 2

Méthode de français **A2**

Cahier d'activités

Anaïs Dorey-Mater

Émilie Mathieu-Benoit

Nelly Mous

hachette
FRANÇAIS LANGUE ÉTRANGÈRE

Crédits photographiques et droits de reproduction

Photo de couverture : Vienne, Autriche, Nicolas Piroux

Remerciements :
Nous remercions Anne Veillon-Leroux pour les activités de phonétique et la transcription phonétique des pages « Lexique » du livret.
L'éditeur remercie également Héloïse Reitter pour sa collaboration sur cet ouvrage.

Photos et documents de l'intérieur du manuel :
p.16 : © InSitu French School - Apprentissage du français & exploration locale à Montpellier, www.bonjourinsitu.com (contact@bonjourinsitu.com) ; p.51 : © Les Films de Tournelles – 2009 ; p.54 : © Gallimard, Marguerite Abouet & Clément Oubrerie, Aya de Yopougon (tome 1) (Collection « Bayou ») ; p.80 : © Mayanne Trias ; p.86 : © L'Atelier des Sens ; p.88 : Francois Cheng / Photo © Louis Monier / Bridgeman Images

Autres : © Shutterstock

Couverture : Nicolas Piroux

Conception graphique : Anne-Danielle Naname

Mise en page : Valérie Goussot

Illustrations :
Félix Blondel : pages 22, 26, 64, 81, 93, 104, 113
Corinne Tarcelin : pages 12, 41, 48, 60, 68, 97, 108

Enregistrements audio, montage et mixage : Studio Quali'sons : David Hassici

Maîtrise d'œuvre : Joëlle Bonenfant

Nous avons fait tout notre possible pour obtenir les autorisations de reproduction des documents publiés dans cet ouvrage. Dans le cas où des omissions ou des erreurs se seraient glissées dans nos références, nous y remédierons dans les éditions à venir.

ISBN : 978-2-01-513534-2

© HACHETTE LIVRE, 2017
58, rue Jean Bleuzen, 92178 Vanves
http://www.hachettefle.fr

SOMMAIRE

Le **cahier d'activités** *Cosmopolite 2* vous accompagne tout au long de votre apprentissage et vous permet d'approfondir les **compétences** et les **savoir-faire** acquis en classe selon une approche pédagogique actionnelle. Vous pourrez l'utiliser de manière autonome grâce aux exemples, au **CD audio** et au livret des **corrigés et transcriptions**. Cet ouvrage propose une double page d'activités pour chacune des leçons, en trois temps :

- **Nous nous évaluons** : à partir d'un **document sonore ou écrit**, vous pourrez évaluer votre progression, leçon par leçon, en 10 points.
- **Nous pratiquons** : toujours en contexte, vous reprendrez de manière systématique les focus **langue**, **communication** et **phonétique** de chaque leçon.
- **Nous agissons** : résolument actionnelle, cette dernière partie vous propose de réagir à des **situations authentiques**, à l'écrit et à l'oral ; vous y trouverez également des activités pour mieux comprendre **la langue** et **la culture** en contexte **interculturel**.

Les bilans scénarisés, le portfolio et l'épreuve DELF vous permettent d'évaluer votre apprentissage.

Avec le **cahier d'activités de *Cosmopolite 2***, renforcez et pratiquez votre français en France et ailleurs, pour communiquer et agir en autonomie dans les situations de la vie quotidienne.

Bonne pratique !

Les auteurs

LEÇON 1 On y va ?

Nous nous évaluons

Comparer des séjours linguistiques

1. Faites les activités **a** et **b**. Vérifiez votre score p. 1 du livret.

a. ∩▸2 Vrai ou faux ? Écoutez le témoignage de Deborah. Cochez et justifiez votre réponse.

1. Deborah a étudié le français en France seulement. ☐ Vrai ☐ Faux

Justification : ....

2. Elle préfère les grandes villes. ☐ Vrai ☐ Faux

Justification : ....

3. Elle voulait pratiquer son français autant que son anglais. ☐ Vrai ☐ Faux

Justification : ....

4. À Tours, elle pratiquait plus le français qu'à Edimbourg. ☐ Vrai ☐ Faux

Justification : ....

b. ∩▸2 Réécoutez et entourez les propositions correctes.

Deborah voulait faire moins de / autant de / plus de grammaire et voulait communiquer avec moins de / autant de / plus de francophones. Vivre en famille d'accueil était moins / aussi / plus sympa que vivre avec sa famille. Son professeur en France était moins bon / aussi bon / meilleur que dans son pays. Maintenant, elle fait moins d' / autant d' / plus d' erreurs qu'avant. Elle connaît moins / autant / mieux les habitudes des Français qu'avant.

Mon score ....../10

Nous pratiquons

➤ Les types de séjour

2. ∩▸3 Écoutez et associez chaque témoignage à un critère d'un séjour linguistique.

Type d'école ou d'apprentissage : *exemple*, ...   Activités culturelles et sportives : ....

Ville choisie : ....   Hébergement : ....

➤ Les structures pour comparer

3. ∩▸3 Réécoutez les phrases de l'activité 2.

a. Indiquez s'il s'agit d'une comparaison de supériorité (+), d'égalité (=) ou d'infériorité (−).

+ : *exemple*, ...   = : ....   − : ....

b. Écrivez le contraire des phrases 1, 2, 4 et 6.

Exemple : *Je suis <u>plus</u> intéressé par une université que par une école de langues.*

→ *Je suis <u>moins</u> intéressé par une université que par une école de langues.*

1. ....

2. ....

4. ....

6. ....

4. Par deux. Faites la liste de vos activités (culturelles, artistiques, sportives). Comparez à l'oral.

Exemple : *Je fais moins de musique que toi, mais tu es plus sportif/sportive que moi.*

5. Écrivez 6 comparaisons de supériorité (+), d'égalité (=) et d'infériorité (−)
pour Ayoub et Rezlane.

Ayoub   Rezlane

	Ayoub	Rezlane
Langues parlées :	2	3
Communique avec des Français :	3-4 fois par semaine	3-4 fois par mois
Étudie le français :	depuis 2 ans, 2 fois par semaine	depuis 1 an, 3 fois par semaine
Voyage en France :	une fois	jamais
Intérêt pour la culture française :	☺	☹
Intérêt pour le sport français :	☺	☹

Exemple : *Ayoub parle français plus souvent que Rezlane.*

1. ....
2. ....
3. ....
4. ....
5. ....
6. ....

➤ Sons du français La prononciation du mot *plus*

6. 🎧⋈4 Écoutez et cochez quand vous entendez [ply], [plys] ou [plyz] dans la comparaison.

Exemple : *Je pars en vacances plus longtemps que toi.*

	Exemple	1	2	3	4	5	6
[ply]	x						
[plys]							
[plyz]							

Nous agissons

7. Votre ville veut organiser un week-end francophone pour tous les étudiants de français de votre pays.
Sur le site officiel, comparez votre ville avec d'autres villes : les avantages, les activités à faire,
les possibilités d'hébergement, etc.

Ma ville à l'heure française
SOUTENEZ NOTRE CANDIDATURE !

8. 🎧⋈5 Écoutez le journaliste et répondez.

9. En France, les étudiants peuvent passer plusieurs mois à l'étranger pendant leurs études.
Est-ce qu'il existe des séjours linguistiques pour les étudiants de votre pays ?

LEÇON 2 Avant le départ

Comprendre une démarche administrative

1. Faites les activités **a**, **b** et **c**. Vérifiez votre score p. 1 du livret.

a. 🎧»6 Écoutez l'interview de la personne du service de l'immigration du Québec.
Mettez dans l'ordre la procédure (de 1 à 4).

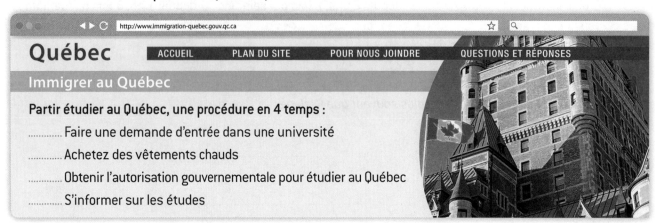

Québec ACCUEIL   PLAN DU SITE   POUR NOUS JOINDRE   QUESTIONS ET RÉPONSES

Immigrer au Québec

Partir étudier au Québec, une procédure en 4 temps :

............Faire une demande d'entrée dans une université

............Achetez des vêtements chauds

............Obtenir l'autorisation gouvernementale pour étudier au Québec

............S'informer sur les études

b. 🎧»6 **Réécoutez. Répondez aux questions du site immigration-quebec.gouv.**

1. Les études sont-elles gratuites ? ....

2. Qu'est-ce que le CAQ ? ....

3. Quels vêtements dois-je emmener au Québec ? ....

4. Quelles informations pourrais-je trouver en plus sur le site immigration-quebec.gouv ?
....

c. Entourez les mots qui sont remplacés par *en* et *y* dans les phrases.

Exemple : *Delphine habite* (au Québec) *Elle nous* **en** *parle.*

1. Partir étudier au Québec, vous **en** rêvez ?

2. Enfin, il faut vous préparer avant le départ pour le Québec. Vous **y** découvrirez une culture très différente.

3. Il est nécessaire d'aller sur le site immigration-quebec.gouv. Vous **y** trouverez toutes les informations nécessaires.

4. Je fais une demande d'aides financières, car les étudiants peuvent **en** obtenir.

Mon score ...... /10

❧ Faire une démarche administrative

2. Associez les définitions au(x) mot(s) correspondant(s).

a. C'est un document nécessaire pour entrer dans certains pays. •

b. C'est un pays ou un espace terrestre limité. •

c. Il peut être court ou long et correspond à une durée passée dans un pays. •

d. Ces lieux représentent un pays à l'étranger. •

e. C'est une procédure administrative. •

• **1.** une ambassade

• **2.** une démarche

• **3.** un consulat

• **4.** *un visa*

• **5.** un territoire

• **6.** un séjour

3. 🎧₇ Écoutez et mettez dans l'ordre.

   1. S'inscrire en ligne pour obtenir un rendez-vous à l'ambassade.
   2. Envoyer un dossier complet pour la demande de visa.
   3. Répondre aux questions d'un employé de l'ambassade.
   4. Se renseigner sur le site de l'ambassade.
   Ordre : ...., ..., ..., ...

Les pronoms indirects *en* et *y* pour remplacer une chose, un lieu ou une idée

4. 🎧₈ À l'oral. Écoutez les questions et répondez avec *en* ou *y*. Écoutez pour vérifier.

   Exemple : *On a besoin d'un visa pour entrer dans votre pays ? Oui, on **en** a besoin./Non, on n'**en** a pas besoin.*

5. Remplacez les parties soulignées par *y* ou *en*.

── Vivre en Belgique ──

Vous désirez vous installer en Belgique, pour travailler en Belgique ou pour étudier en Belgique ?
pour y travailler
Vous rêvez de vous installer en Belgique depuis longtemps ? Savez-vous quelles sont les démarches à faire

pour entrer en Belgique ? Renseignez-vous sur le site de l'ambassade de Belgique. Vous obtiendrez toutes

les informations nécessaires sur le site de l'ambassade de Belgique. Bon à savoir : pour entrer en Belgique,

vous devez avoir un visa, mais si vous êtes Européen, vous n'avez pas besoin de visa.

Sons du français   Les voyelles nasales [ã] et [ɛ̃]

6. a. 🎧₉ Écoutez les mots et cochez si vous entendez [ã].
   Exemple : *présentation* ☒   1. ☐   2. ☐   3. ☐   4. ☐   5. ☐   6. ☐

   b. 🎧₁₀ Écoutez les mots et cochez si vous entendez [ɛ̃].
   Exemple : *intérêt* ☒   1. ☐   2. ☐   3. ☐   4. ☐   5. ☐   6. ☐

Nous agissons

7. Lisez le message de Louise et répondez.

| routard.com | Forum | Partir à l'étranger |

Bonjour !
Je suis française et je veux passer 6 mois dans votre pays pour apprendre la langue. Quelles sont les démarches administratives à faire ? Où est-ce que je peux me renseigner ? Dans quelle école est-ce que je peux prendre des cours de langue ? Merci pour votre aide.
Louise

8. 🎧₁₁ Vous participez à une enquête sur le profil des étudiants de français. Écoutez et répondez.

9. Pour voyager en France depuis votre pays, quel(s) document(s) devez-vous fournir : une carte d'identité, un passeport, un visa ?

Nous nous évaluons

Organiser un circuit

1. Lisez le circuit de Paola et faites les activités **a** et **b**. Vérifiez votre score p. 2 du livret.

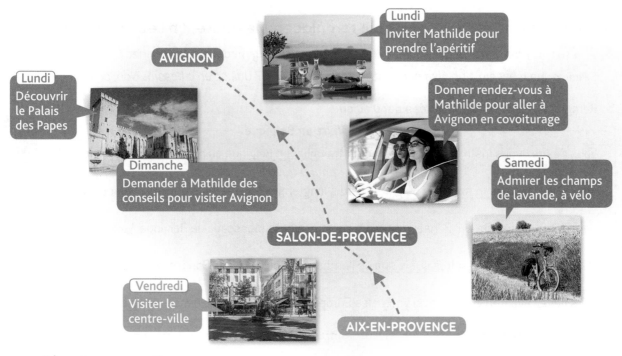

AVIGNON

Lundi
Inviter Mathilde pour prendre l'apéritif

Lundi
Découvrir le Palais des Papes

Donner rendez-vous à Mathilde pour aller à Avignon en covoiturage

Dimanche
Demander à Mathilde des conseils pour visiter Avignon

Samedi
Admirer les champs de lavande, à vélo

SALON-DE-PROVENCE

Vendredi
Visiter le centre-ville

AIX-EN-PROVENCE

a. Répondez aux questions.

1. Quelles sont les villes que Paola visite dans son circuit ? ....

2. Combien de jours dure son circuit ? ....

3. Quels sont les moyens de transport qu'elle utilise ? ....

4. Paola rencontre qui à Salon-de-Provence ? ....

b. Présentez à l'écrit les activités de Paola (lieu, jour, moyen de transport).

1. Exemple : Mathilde : **a.** *Paola lui donne rendez-vous à Salon-de-Provence pour aller à Avignon en covoiturage.*

   b. ....

   c. ....

2. Le centre-ville d'Aix-en-Provence : ....

3. Les champs de lavande : ....

4. Le Palais des Papes : ....

Mon score ...... /10

Nous pratiquons

❯ Parler de ses voyages

2. Barrez l'intrus.

Exemple : *un circuit – un itinéraire – ~~une carte~~*

1. une application – un site – un guide

2. le covoiturage – le bus – le train

3. les embouteillages – la pollution – le vélo

4. l'histoire – la détente – les arts

5. un château – une église – un parc

6. un théâtre – une randonnée – un musée

3. 🎧 #12 **Écoutez et associez les préférences à chaque personne.**

1. voyager moins cher – **2.** loger chez l'habitant – **3.** rencontrer des gens – **4.** organiser seul son voyage –
5. faire du covoiturage – **6.** découvrir la gastronomie française – **7.** faire des activités culturelles –
8. faire des activités sportives

Jose : *1*, ...   Caterina : ....

Les pronoms COD/COI pour ne pas répéter

4. **Classez les verbes suivants :** *donner*, **détester, rencontrer, prendre, avoir, conseiller, voir, choisir, téléphoner, écrire et expliquer. Attention, certains verbes peuvent être dans les deux catégories !**

Construction directe (COD) : *donner quelque chose*, ...

Construction indirecte (COI) : *donner à quelqu'un*, ...

5. 🔊 **À l'oral. À tour de rôle, posez 4 questions à votre camarade sur ses habitudes en voyage avec les verbes de l'activité 4. Répondez avec les pronoms COD et COI (le/la/lui/leur).**

Exemple : ***A.*** *Tu choisis le train quand tu voyages ?* → ***B.*** *Oui, je le choisis.*
       B. *Tu écris à tes amis ?* → ***A.*** *Non, je ne leur écris pas.*

6. **Sandra et Charles préparent leur voyage. Complétez le dialogue avec les pronoms l'/le/la/lui/leur.**

– Sandra, tu as l'application de covoiturage sur ton téléphone ?

– Oui, je .... ai. (1)

– Tu téléphones à notre premier conducteur demain ?

– Non, je .... téléphonerai ce soir ! Je lui donne ton numéro de téléphone aussi ? (2)

– Oui, donne- .... mon numéro et mon adresse ! (3)

– Et c'est toi qui prends les cartes pour le trajet ?

– Oui, je .... prends tout de suite pour les mettre dans mon sac. Tu vois mon sac à dos ? (4)

– Oui, je .... vois : il est sur la chaise. (5) J'envoie un mail à Lise et Damien pour leur expliquer notre voyage ?

– Non, Facebook c'est mieux pour prévenir tout le monde. Écris un message.

– D'accord, je .... écris et tu téléphones à tes parents. (6)

– Tu as raison, je .... téléphone parce qu'ils n'ont pas Facebook. (7)

Nous agissons

7. **Répondez à cette demande sur Internet.**

VOYAGE

Micha

Bonjour, je recherche une idée de circuit touristique dans votre pays pour une semaine. Pouvez-vous me recommander des villes, avec leurs caractéristiques ? Et quels moyens de transport choisir ? Où loger ?

8. 🎧 #13 **Écoutez votre ami et répondez.**

LEÇON 4 Séjour linguistique

S'informer sur un hébergement

1. Lisez le document et faites les activités a et b. Vérifiez votre score p. 2 du livret.

www.hifrance.org

HI france

Adhérez | Presse | Newsletter | Contact

Services | Activités | Groupe

Auberge de jeunesse de Reims

Hébergement
Chambre simple : 38 € la nuit
Chambre à 4 lits : 19 € la nuit par personne
Restauration
Formule demi-pension possible le midi – 17 € par jour

Services disponibles à l'Auberge de jeunesse
Connexion Wi-fi gratuite
Sanitaires et cuisine à partager
Location de draps (8 €) et de serviettes (5 €) pour toute la durée du séjour
Important : animaux interdits ; parking gratuit

a. Vrai ou faux ? Cochez et justifiez votre réponse.

Exemple : *C'est un logement en famille d'accueil. Vrai ☐ Faux ☒ : C'est une auberge de jeunesse.*

1. On peut cuisiner. Vrai ☐ Faux ☐ ....

2. La salle de bains est dans la chambre. Vrai ☐ Faux ☐ ....

3. Les draps et les serviettes sont inclus dans le prix. Vrai ☐ Faux ☐ ....

4. Si on ne veut pas partager la chambre, c'est plus cher. Vrai ☐ Faux ☐ ....

5. Les chiens sont acceptés dans l'auberge. Vrai ☐ Faux ☐ ....

6. Il faut payer pour avoir Internet. Vrai ☐ Faux ☐ ....

b. Lisez les mails. Indiquez quel prix va payer chaque voyageur.

À : auberge-de-reims
De : Chloe99@gmail.com

G I S Aa A² ✐ ☰ ☰ ☰ ☰ ∞ ☺

Bonjour,
Je veux réserver une chambre partagée pour 2 nuits du 17 au 19 mai. Je cuisinerai moi-même. J'aurai mon linge de toilette mais pas mes draps. Pouvez-vous me dire combien je devrai payer ? Merci. Chloé

À : auberge-de-reims
De : Loic_dubois@hotmail.fr

G I S Aa A² ✐ ☰ ☰ ☰ ☰ ∞ ☺

Bonjour,
Je souhaite réserver une chambre simple pour 3 nuits du 22 au 25 avril, en demi-pension. Je viendrai avec mes draps et mon linge de toilette. Combien cela va me coûter ? Merci beaucoup. Loïc

Prix à payer : ....

Prix à payer : ....

Mon score ...... /10

❯ L'hébergement

2. Complétez avec *simple ou double*, demi-pension, connexion Wi-fi gratuite, toilettes et salle de bains séparés dans chaque chambre, draps et serviettes fournis.

CHEZ ALICE Hébergement, Chambre d'hôtes 🔊

1. Chambre : *simple ou double*
2. Repas : ....
3. Linge : ....
4. Sanitaires : ....
5. Internet : ....

3. 🎧▸14 Écoutez les personnes parler de leur hébergement et complétez le tableau.

Hébergement	Famille d'accueil	Hôtel	Résidence universitaire	Appartement à partager	Studio indépendant
Personne n°	*exemple*				

> ## Exprimer des règles et des recommandations

4. Lisez les règles de l'internat du lycée Pierre Rouge. Classez-les.

Lycée Pierre Rouge ➤ **RÈGLEMENT INTÉRIEUR**

1. Il faut éteindre les lumières à 22 heures.

2. Il n'est pas possible de sortir du lycée sans l'autorisation écrite des parents.

3. N'hésitez pas à nous signaler tout problème.

4. Vous pouvez travailler à la bibliothèque jusqu'à 21 h.

5. Il est impératif de faire son lit et de ranger sa chambre chaque jour.

6. Ne laissez jamais d'objets de valeur dans votre chambre.

Obligation(s) : n° ....   Possibilité(s) : n° ....

Interdiction(s) : n° ....   Recommandation(s) : n° ....

5. À l'oral. **Formulez les obligations, interdictions, possibilités et recommandations du règlement intérieur de l'immeuble.**

Exemple : *Il faut bien fermer la porte d'entrée de l'immeuble.*

1. Obligations : *bien fermer la porte d'entrée de l'immeuble* ; sortir les poubelles le jeudi

2. Interdictions : ne pas faire de bruit la nuit ; ne pas laisser les enfants jouer sur le parking

3. Possibilités : utiliser le garage à vélo ; aller dans le jardin partagé

4. Recommandations : appeler le gardien pour tout problème ; laisser les clés à une personne de confiance en cas de longue absence.

> ## Sons du français   L'intonation pour exprimer l'obligation

6. 🎧▶15 **Écoutez les phrases et soulignez le mot qui est accentué.**

Exemple : *Il faut organiser son voyage.*

1. C'est très utile.

2. Je vais faire un super voyage.

3. C'est vraiment intéressant.

4. J'ai visité un magnifique musée.

5. Ils sont très sympas.

6. Ils m'ont beaucoup aidé.

Nous agissons

7. 🎧▶16 **Lisez l'annonce d'Olivier avec qui vous échangez vos maisons pour les vacances. Écoutez les questions de votre ami et répondez.**

Chez Olivier   🏠 Homelink

LES RÈGLES DE LA MAISON

Obligations : nourrir le chat, arroser les plantes, respecter les lieux

Interdictions : faire du bruit après 22 heures, fumer à l'intérieur

Les petits +

Possibilité d'utiliser les vélos

Possibilité de manger les légumes du jardin

---

8. **Lisez le mail d'Olivier et répondez.**

Bonjour,
Nous arrivons samedi prochain. Nous sommes très heureux ! Pouvez-vous me dire les choses importantes à faire ou à ne pas faire chez vous ? Avez-vous des recommandations particulières ? Merci.
Olivier

Bonjour Olivier,
....
....
....
....

LEÇON 5 Lieux insolites

Nous nous évaluons

Décrire un lieu

1. Faites les activités **a** et **b**. Vérifiez votre score p. 3 du livret.

a. 🎧 ▶17 **Écoutez le reportage. Soulignez la/les réponse(s) correcte(s).**

1. Le reportage annonce un événement touristique / présente une ville et sa région / *parle d'un nouveau type d'hébergement au milieu d'une région française*.

2. La péniche proposée est un bateau réservé à l'hébergement / un bateau pour voyager.

3. C'est un logement avec plusieurs pièces / avec une seule pièce / pour une personne / pour plusieurs personnes.

4. L'appartement décrit est près d'une ville / à l'intérieur d'une ville.

b. 🎧 ▶17 **Réécoutez. Complétez le dessin de la péniche avec les mots :** *en haut*, **sur, partout, au-dessus de/d', proche de/d', en bas, derrière.**

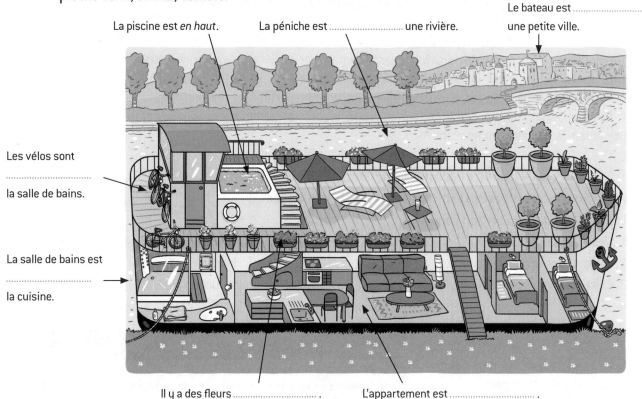

La piscine est *en haut*.

La péniche est .... une rivière.

Le bateau est ....
une petite ville.

Les vélos sont
....
la salle de bains.

La salle de bains est
....
la cuisine.

Il y a des fleurs ....

L'appartement est ....

Mon score ...... /10

Nous pratiquons

➤ Les lieux du tourisme

2. Classez les mots et les expressions du tourisme.

un gîte, des sanitaires, un coin cuisine, une piscine, un pied-à-terre, un lit double, faire livrer, une chaise longue, un repas de l'auberge, une cabane, une douche

- L'hébergement : *un gîte*, ...
- Les équipements : ....
- Les services : ....

3. Reformulez plus précisément le témoignage de Monica avec les mots de l'activité 2.

L'été dernier, j'ai loué une petite ~~maison~~ sur la plage en Grèce. C'était une petite maison très simple,
                une petite cabane
proche d'un café. Mon mari et moi pouvions faire venir les repas, surtout le soir.

Il y avait aussi un endroit pour préparer les repas, un lieu pour se laver et dans la chambre,

un lit où on peut dormir à deux. Nous avons passé nos soirées devant la mer,

sur des grands fauteuils pour s'allonger sur la plage : le rêve !

❯ Les adverbes et locutions adverbiales pour décrire un lieu

4. Remplacez les mots soulignés par : *au cœur de*, au-dessus de, au-dessous de, en haut, en bas, devant, derrière, à l'intérieur de, non loin de. Attention aux modifications !

La maison se trouve <u>dans</u> les Alpes, <u>près de</u> Chamonix. Laissez votre voiture <u>avant</u> la maison.
.............................*au cœur des Alpes*...

Le gîte que vous louerez est situé <u>au deuxième étage</u>, mais vous pourrez utiliser la cuisine qui est

....

<u>au premier étage</u>. <u>Dans</u> le gîte, l'équipement est moderne et la vue est magnifique. Le balcon est

....

<u>sur</u> le jardin et juste <u>sous</u> ce balcon, vous pourrez profiter de la table de ping-pong.

....

<u>Après</u> la maison, la piscine et les chaises longues vous attendent !

....

5. À l'oral. À tour de rôle, faites deviner à l'un de vos camarades 3 objets comme dans l'exemple.

Exemple : *A. C'est à l'intérieur de la classe, au-dessus du tableau. → B. C'est le vidéoprojecteur.*
B. C'est à l'extérieur de la classe, en bas, au milieu de la cafétéria. → A. C'est une table.

6. 🎧▶18 À l'oral. Écoutez les phrases et dites le contraire.

Exemple : *La terrasse est sous le toit. → La terrasse est sur le toit.*

Nous agissons

7. Répondez à cette demande sur un forum de vacances.

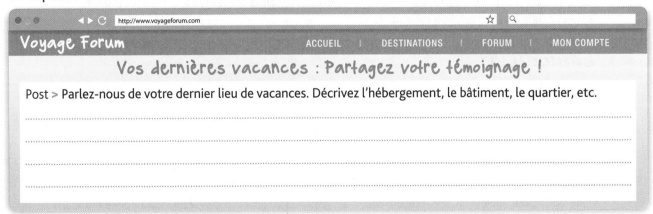

Voyage Forum   ACCUEIL | DESTINATIONS | FORUM | MON COMPTE

Vos dernières vacances : Partagez votre témoignage !

Post > Parlez-nous de votre dernier lieu de vacances. Décrivez l'hébergement, le bâtiment, le quartier, etc.

8. 🎧▶19 Écoutez votre ami et répondez.

9. Quels sont les lieux insolites dans votre pays ? Est-ce que ce sont les mêmes lieux qu'en France ?

Nous nous évaluons

Donner des précisions sur un programme

1. Faites les activités **a**, **b** et **c**. Vérifiez votre score p. 4 du livret.

a. 🎧 ▶20 Écoutez. Mettez dans l'ordre le programme de la visite.

Ordre du programme : ...., ..., ..., ...

b. Vrai ou faux ? Cochez et justifiez votre réponse.

1. La guide ne vient pas de Saint-Paul de Vence. Vrai ☐ Faux ☐ ....

2. Visiter la Fondation Maeght est une idée originale. Vrai ☐ Faux ☐ ....

3. Jacqueline peint les lieux de son village. Vrai ☐ Faux ☐ ....

4. Le Tilleul est un très bon restaurant. Vrai ☐ Faux ☐ ....

c. Complétez avec un pronom relatif : qui, à qui, que, chez qui.

L'artiste .... (1) nous irons nous fera visiter son atelier.

C'est une personne .... (2) vous pourrez poser toutes les questions que vous voudrez.

C'est un restaurant .... (3) je fréquente et .... (4) propose une cuisine locale.

Mon score ...... /10

Nous pratiquons

Découvrir une ville

2. Complétez l'article de journal avec : *quartier*, adresse, grands classiques, restos, comptoir, balade originale, bistrot, lieu inhabituel.

L'ami du 20ᵉ

Le 20ᵉ de Sarah

Australienne d'origine, j'habite depuis 10 ans à Paris dans le 20ᵉ arrondissement. J'adore ce *quartier* (1) de Paris. J'aime m'installer au .... (2) d'un .... (3) et parler avec les gens.

J'aime aussi aller dîner dans un des nombreux .... (4) de la rue de Bagnolet. Ne manquez pas l'Abribus Café, c'est vraiment une très bonne .... (5). On y mange les meilleurs couscous de Paris pour seulement 8 €. Envie d'une .... (6) ? Allez rues Irénée-Blanc et Jules Sigfried, c'est la campagne à Paris, un .... (7), vraiment ! Et si vous préférez les .... (8), alors direction le cimetière du Père Lachaise !

3. Barrez l'intrus.

Exemple : *insolite – ~~habituel~~ – atypique*

1. un café – un bistrot – un musée
2. un pays – un arrondissement – un quartier
3. un hébergement – un restaurant – un logement

4. traditionnel – original – classique
5. découvrir – vivre – visiter
6. animé – passionné – intéressé

Les pronoms relatifs *qui, que, à qui, avec qui* pour donner des précisions

4. 🎧 ▶21 Écoutez les devinettes et faites comme dans l'exemple.

Exemple : *C'est un lieu que je fréquente pour déjeuner ou dîner. → un restaurant*

1. ....
2. ....
3. ....

4. ....
5. ....
6. ....

5. À l'oral. À tour de rôle, faites deviner les mots suivants à l'un de vos camarades. Utilisez *qui, que, à qui, avec qui*.

Exemple : **A :** un guide → *C'est une personne que je paie, qui me fait visiter sa ville et à qui je peux poser des questions sur l'histoire ou la culture.* **B :** *un guide !*

A : un professeur   Notre-Dame de Paris   un acteur   un restaurant

B : un bistrot   un New Yorkais   une bibliothèque   un collègue

6. Utilisez un pronom relatif pour former une seule phrase.

Exemple : *J'aime voir des lieux différents. Les touristes ne visitent pas ces lieux d'habitude.*
→ J'aime voir des lieux différents que les touristes ne visitent pas d'habitude.

1. Je connais un bon guide. Ce guide fait découvrir des lieux inhabituels.

....

2. Ce sont des touristes. Vous devez parler en anglais à ces touristes.

....

3. Je vis dans le 20ᵉ arrondissement. Le 20ᵉ arrondissement est dans l'est de Paris.

....

4. C'est Myriam. J'ai visité Paris avec Myriam. ....

5. Je vous présente Louise et Sacha. J'irai au Louvre avec Louise et Sacha.

....

6. Je connais des bistrots sympas. Les Parisiens fréquentent ces bistrots.

....

Nous agissons

7. Rédigez votre profil de guide sur le site monguidefrancophone.

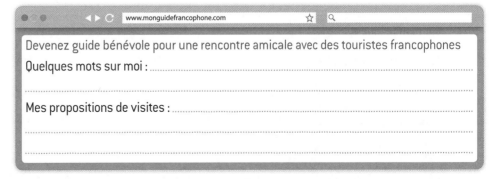

www.monguidefrancophone.com

Devenez guide bénévole pour une rencontre amicale avec des touristes francophones

Quelques mots sur moi : ....

Mes propositions de visites : ....

8. 🎧 ▶22 Vous rencontrez le directeur de monguidefrancophone.com. Écoutez ses questions et répondez.

Nous allons pratiquer notre français en France

Compréhension écrite

1 Vous aimeriez passer un mois à Montpellier dans une école de langues. Vous avez écrit à Stéphane, un de vos amis français, pour lui demander son avis. Il vous a répondu :

De : steph_ane1@gmail.com

Bonjour,

Comment vas-tu ? J'ai fait des recherches sur des écoles de français à Montpellier. J'ai repéré deux écoles qui sont dans le centre-ville : il y a l'école *Accent aigu*, elle existe depuis 16 ans. C'est une grande école qui comporte 23 salles de cours. Elle propose des cours variés de 10 étudiants maximum. Il y a aussi des cours individuels. L'école organise des activités culturelles dans la région. L'autre école est plus récente et plus petite. Elle s'appelle *InSitu*. L'école est installée dans une maison qui a plus de 100 ans ! Selon la météo, les cours se déroulent en classe, sur la terrasse ou dans le jardin. Les cours sont individuels ou en petits groupes. Les cours sont mis en pratique par des activités réalisées dans la région.

Dis-moi celle qui te plaît le plus !

À bientôt,

Stéphane

---

1. À Montpellier, où se trouvent les deux écoles présentées par Stéphane ?

....

2. L'école *Accent aigu* est…

    a. plus…

    b. moins…   … récente que l'école *InSitu*.

    c. aussi…

3. L'école *InSitu* est…

    a. plus…

    b. moins…   … grande que l'école *Accent aigu*.

    c. aussi…

4. Quels types de cours les écoles *InSitu* et *Accent aigu* proposent-elles toutes les deux ?

    Cochez les cases dans le tableau.

	INSITU	Accent aigu
Cours individuels		
Cours en petits groupes		
Cours en classe		
Cours en extérieur		
Activités culturelles		
Découvertes de la région		

5. Que devez-vous dire à Stéphane ?

....

....

....

....

Production écrite

2 Vous répondez à Stéphane et le remerciez des informations qu'il vous donne. Vous lui dites l'école que vous préférez. Vous lui demandez des informations complémentaires sur le prix des cours des deux écoles, le logement et les centres d'intérêt de la ville. Vous lui demandez de vous appeler un jour de la semaine prochaine pour vous donner ces précisions. (60 mots minimum)

De : steph_ane1@gmail.com

Compréhension orale

3 🎧▸23 **Vous écoutez votre messagerie téléphonique.**

1. Pour connaître les tarifs des cours des deux écoles, Stéphane vous conseille…
   a. de téléphoner aux écoles.
   b. d'envoyer un mail aux écoles.
   c. de consulter le site internet des écoles.

2. D'après Stéphane, quels types d'hébergement propose l'école *Accent aigu* ?
   ....

3. Qu'est-ce que la formule *French BnB* proposée par l'école *InSitu* ?
   ....

4. D'après Stéphane, comment est la ville de Montpellier ?
   ....

5. Quel est, d'après Stéphane, l'avantage d'être situé en centre-ville ?
   ....

Production orale

4 Vous rencontrez un de vos amis francophones. Vous lui annoncez que vous envisagez de partir un mois en France. Vous lui dites où et quand et vous lui expliquez quel type d'école vous avez choisi et pourquoi.

LEÇON **1** Balades insolites

Raconter une expérience, une balade

1. Lisez le blog de Katia et faites les activités a et b. Vérifiez votre score p. 5 du livret.

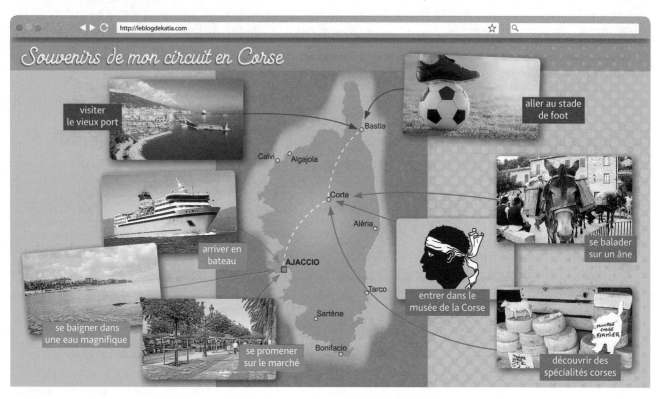

a. Écrivez les activités de Katia au passé composé. Utilisez les verbes du blog.

Exemple : *À Ajaccio, je suis arrivée en bateau, je* .... *et je* ....

À Corte, ...

À Bastia, ...

b. Complétez les commentaires de Katia avec les verbes : *se régaler*, se reposer, apprendre beaucoup
de choses, vivre un moment agréable.

Exemple : *Pendant mon voyage, je me suis régalée.*

À la plage, je ....

Au musée, j' ....

En Corse, je ....

Mon score ...... /10

Nous pratiquons

❱ Les expériences et les impressions

2. 🎧▶24 **Écoutez et indiquez si les personnes racontent une expérience (A) ou si elles donnent
leurs impressions sur une activité (B).**

A. Raconter une expérience : *exemple*, ...

B. Donner ses impressions : ....

❯ L'accord du participe passé

3. Complétez l'histoire au passé composé. Attention aux accords !

Hier soir, Louis *est rentré* (rentrer) plus tôt du travail. Il .... (sortir) et ....

(décider) de faire du jogging. Il .... (rencontrer) Isobel qui promenait son chien.

Il .... (ne pas voir) le chien et il .... (tomber). Elle ....

(s'excuser) et ils .... (s'asseoir) quelques minutes. À ce moment-là, elle ....

(découvrir) que c'était son amoureux d'enfance ! Elle .... (écrire) son numéro

de téléphone sur sa main et ils .... (se retrouver) le jour suivant.

4. Trouvez et corrigez les 6 autres erreurs dans les témoignages de Niko et Anet.

sommes allés	**Niko :** Avec Anet et des amis, nous ~~avons~~ allés à la montagne le week-end dernier. Samedi, nous sommes marché dans la neige et nous avons découvri des paysages magnifiques. Le soir, nous avons mangés une fondue, c'était très bon ! **Anet :** La randonnée a plaît à tout le monde, mais j'ai vécu une expérience désagréable au restaurant. Je m'ai assise sur une vieille chaise et je suis tombée ! Mes amis sont ri et moi je suis rentrée à l'hôtel.

5. À l'oral. À tour de rôle, posez des questions à votre camarade sur ses dernières vacances (lieu, moyens de transport, activités, découvertes…). Il répond.

Exemple : ***A.** Où es-tu allée pour tes dernières vacances, Maria ?* → ***B.** Je suis allée à la campagne.*

❯ Sons du français Les voyelles nasales [ɑ̃] – [ɔ̃]

6. a. 🎧▸25 **Écoutez les mots et cochez si vous entendez [ɑ̃].**

Exemple : *expér**ien**ce* ☒ 1.☐ 2.☐ 3.☐ 4.☐ 5.☐ 6.☐

b. 🎧▸26 **Écoutez les mots et cochez si vous entendez [ɔ̃].**

Exemple : *rac**on**ter* ☒ 1.☐ 2.☐ 3.☐ 4.☐ 5.☐ 6.☐

Nous agissons

7. Écrivez votre témoignage sur ce forum.

Voyager avec un groupe d'amis, un jour ou plus, vous avez déjà fait ça ? Partagez votre expérience !

Voyager entre amis.fr

8. 🎧▸27 Écoutez votre ami et répondez.

9. Les Français préfèrent souvent rester en France pour les vacances. Et chez vous, on préfère partir à l'étranger ? dans quel pays ? ou on préfère rester dans son pays ?

LEÇON **2** Safari gorilles

Nous nous évaluons

Exprimer des interdictions, des obligations et des conseils

1. Lisez la brochure et faites les activités a et b. Vérifiez vos réponses p. 5 du livret.

Authentik Canada

Safari baleines en bateau

Observez des baleines avec nos guides spécialistes de la mer

Départ : Quai Victoria, tous les jours à 10 h et 14 h, du 1er avril au 31 octobre

Interdictions : enfants de moins de 5 ans ; fumer sur le bateau

Obligations : être en bonne condition physique, porter la veste et le pantalon fournis par Authentik Canada

Conseils : réserver le bus gratuit de l'hôtel au Quai Victoria ; prendre un appareil photo

a. Vrai ou faux ? Cochez et justifiez votre réponse.

1. C'est une croisière pour observer des animaux. Vrai ☐ Faux ☐ ....

2. L'activité est proposée toute l'année. Vrai ☐ Faux ☐ ....

3. Il y a 2 sorties par jour. Vrai ☐ Faux ☐ ....

4. Les guides sont des étudiants. Vrai ☐ Faux ☐ ....

b. Complétez le texte avec : il faut que (x 2), il ne faut pas que, il est interdit de, devoir (à la forme correcte), l'impératif du verbe.

Attention, ... les enfants de moins de 5 ans participent à cette activité.

.... vous portiez la veste et le pantalon fournis par Authentik Canada

et vous .... être en bonne condition physique. Nous vous rappelons aussi

qu' .... fumer sur le bateau. .... vous preniez un appareil photo.

.... (Réserver) le bus gratuit de l'hôtel au Quai Victoria.

Mon score ...... /10

Nous pratiquons

❯ Les consignes de sécurité

2. Associez chaque pictogramme à une interdiction ou à une obligation.

- a. interdiction de se promener avec un chien
- b. interdiction de prendre des fleurs
- c. interdiction d'allumer un feu
- d. interdiction de se déplacer à vélo
- e. interdiction d'entrer dans le parc en voiture
- f. interdiction d'écouter de la musique
- g. interdiction de camper
- h. interdiction de jeter des détritus
- i. mettre les détritus à la poubelle
- j. apporter votre nourriture

3. 🎧▶28 Écoutez le guide du Parc National des Écrins et classez les phrases.

Obligations : *exemple*, ... Interdictions : ....

Possibilités : .... Conseils : ....

❯ Le subjonctif pour exprimer l'obligation, l'interdiction ou donner des conseils

4. À l'oral. Formulez les interdictions et les obligations de l'activité 2 avec *il (ne) faut (pas) que vous + subjonctif.*

Exemple : **1.** *Il ne faut pas que vous vous promeniez avec un chien.*

5. Complétez le dialogue avec les verbes au subjonctif.

– Caterina, il faut absolument que tu .... (1) (s'inscrire) à cette journée canyoning !

– D'accord, mais il faut que tu .... (2) (payer) pour moi, que tu .... (3)

(venir) avec moi et que le moniteur .... (4) (comprendre) l'italien.

– Il ne faut pas que tu .... (5) (être) si difficile ! Et pourquoi faut-il que nous

.... (6) (être) toujours ensemble ? Il faut que ton copain et toi y .... (7)

(participer) ensemble. Il faut qu'il te l' .... (8) (offrir) pour ton anniversaire !

Mais attention, il faut que vous .... (9) (être) en bonne condition physique tous les deux.

Nous agissons

6. 🎧▶29 Vous vous êtes inscrit(e) à cette randonnée.
Écoutez les questions de votre collègue et répondez.

Comité d'entreprise

La randonnée du mois de novembre

Inscrivez-vous à notre randonnée d'une journée dans le Parc National
du Mercantour.

Attention ! Randonnée difficile, chiens interdits, matériel non fourni,
températures très froides.

7. Choisissez un lieu de visite et donnez des conseils de sécurité aux touristes sur votre blog de voyage.

AUTOUR DU MONDE

Lieu : ....

Sécurité : ....

....

....

....

8. En France, il est interdit de fumer dans les lieux publics
(restaurants, cinémas, magasins, bars…).
Et dans votre pays ?

LEÇON 3 Rencontres

Nous nous évaluons

Parler d'événements passés, de ses souvenirs ou de ses sentiments

1. Faites les activités a et b. Vérifiez votre score p. 6 du livret.

a. 🎧▸30 Écoutez le témoignage de Florence. Soulignez les réponses correctes.

Exemple : *Avant, Florence <u>habitait</u> / a habité en France et elle était <u>contente</u> / triste.*

1. Elle travaillait dans un centre de langues, mais elle a voulu / voulait découvrir l'Asie.

2. Elle était contente parce que son travail s'est bien passé / se passait bien.

3. Elle n'a pas bien parlé / ne parlait pas bien chinois.

4. Quand Florence est arrivée à Hong Kong, elle était heureuse / étonnée.

5. Elle était surprise / inquiète car le travail était différent.

6. Elle était heureuse / nerveuse parce que la ville était dynamique.

b. 🎧▸30 Réécoutez. Classez les sentiments de Florence à Hong Kong dans l'ordre chronologique.

étonnement *1*, peur .... , nervosité .... , bonheur .... , inquiétude ....

> Mon score ...... /10

Nous pratiquons

❯ Exprimer des sentiments et des émotions

2. Associez chaque image à un sentiment.

la fierté •   la peur •   la surprise •

l'inquiétude •   la tristesse •

le bonheur •

A •

B •

C •   • D

E •

F •

3. Dans chaque phrase, écrivez le sentiment ou l'émotion à l'imparfait.

Exemple : *La fierté : Lucie, quand tu as réussi le test, tu <u>étais fière</u> ?*

1. L'étonnement : Pendant la visite de l'igloo, nous ....

2. La nervosité : Philippe, avant l'examen, vous .... ?

3. Le bonheur : Quand j'ai revu mon ami, j'.. !

4. L'inquiétude : Le train n'arrivait pas, Antoine ....

5. La peur : Devant le gorille, il ....

6. La tristesse : Quand elles sont parties, elles ....

Le passé composé et l'imparfait pour raconter des événements passés, des souvenirs

4. a. 🎧)31 À l'oral. Écoutez les 6 phrases de l'histoire. Transformez-les au passé.

Exemple : *Il est midi. → Il était midi.*

b. 🎧)31 Écoutez pour vérifier vos réponses.

5. Complétez le texte avec les verbes à l'imparfait ou au passé composé : *être*, rencontrer, se promener, avoir, devenir, étudier, habiter, décider, ne pas parler.

Erik *était* américain. Comme moi, il .... (1) à Bruxelles depuis huit mois.

Il .... (2) bien français. J'........................ (3) l'histoire et j'........................

(4) beaucoup d'amis internationaux. Quand j'........................ (5) Erik et tous ses amis américains,

nous .... (6) amis. J'........................ (7) de visiter les États-Unis pendant l'été

et avec Erik, nous .... (8) dans des villes et des grands parcs inoubliables !

Sons du français   La prononciation au passé composé et à l'imparfait

6. 🎧)32 Écoutez et complétez les phrases avec les verbes au passé composé ou à l'imparfait.

Exemple : *J'<u>ai été</u> très surpris.* (passé composé)   *J'<u>étais</u> très surpris.* (imparfait)

1. J'........................ heureuse.   J'........................ heureuse.

2. Il .... un peu français.   Il .... un peu français.

3. J'........................ ça bien.   Je .... ça bien.

4. J'........................ beaucoup.   J'........................ beaucoup.

Nous agissons

7. Répondez au jeu-concours.

Racontez votre rencontre avec votre meilleur(e) ami(e) : où ? quand ? comment ça s'est passé ? Quels étaient vos sentiments au début ? Les plus belles histoires seront dans le magazine cet été !

8. 🎧)33 Écoutez le recruteur et répondez.

LEÇON 4 Un peu de sport !

Comprendre la présentation d'une activité et mettre en relief un nom

1. Faites les activités a, b et c. Vérifiez votre score p. 6 du livret.

a. 🎧 ▶34 **Écoutez.**
Entourez les informations correctes sur le flyer.

SPORT ÉVASION
→ **Type d'activité :** Séance d'initiation /
Séance de perfectionnement
→ **Encadrement :** Moniteurs débutants /
Moniteurs expérimentés
→ **Durée de la plongée :** 20 minutes / 40 minutes
→ **Profondeur :** entre 0 et 5 mètres /
entre 15 et 30 mètres

b. **Associez.**

	• des moniteurs •		• fait la présentation de l'activité.
C'est •	• une activité de plongée •	• qui •	• Sport Évasion propose aux participants.
Ce sont •	• des sensations nouvelles •	• que •	• encadrent le groupe.
	• Laurent •		• les participants ne connaissent pas encore.

c. **Dans sa présentation, Laurent donne un conseil et exprime une obligation en français oral.**
Rédigez ces deux phrases en français standard.

1. Obligation : « Y faut que vous mettiez une combinaison ».

....

2. Conseil : « Hésitez pas à poser toutes les questions que vous voulez ! »

....

Mon score ...... /10

❯ Les sports

2. Classez les sports : *le football*, la natation, l'escalade, la plongée sous-marine, le canyoning, l'équitation, le tennis, le basket, la voile, la randonnée, le cyclisme, le rugby.

Sports collectifs : *le football*, ...

Sports individuels : ....

Sports extrêmes : ....

❯ Les caractéristiques du français familier

3. 🎧 ▶35 **Écoutez le dialogue. Transformez le dialogue oral (français familier) en français standard.**

– Salut Vincent, je *veux* partir en week-end aux fêtes de Bayonne. .... (1) envie de venir avec moi ?

– .... (2) ! C'est une bonne idée ça Mathieu !

C'est .... (3) que .... (4) jamais fait !

– Bon, c'est .... (5) loin pour un week-end… Mais on peut prendre un covoiturage de nuit.

– .... (6) beaucoup de covoiturages Paris-Bayonne en été ?

– .... (7) plein. Mon .... (8) Jean-Michel fait ça souvent.

4. 🎧 ▶36 **À l'oral. Écoutez les phrases en français familier et transformez-les en français standard. Écoutez pour vérifier.**

Exemple : *T'as des potes en France ?* → *Tu as des amis en France ?*

C'est... qui /c'est... que pour mettre en relief

5. Écrivez les textes des publicités. Faites comme dans l'exemple.

Exemple : *Faire le tour du Beaujolais à vélo – une expérience insolite – vous plaira beaucoup.*
→ *Faire le tour du Beaujolais à vélo, c'est une expérience insolite qui vous plaira beaucoup.*

1. Une randonnée de 10 jours dans les Cévennes – une aventure extraordinaire –
vous n'oublierez jamais.

....

2. Descendre l'Ardèche en kayak – une expérience sympa – vous pouvez partager avec des amis.

....

3. Une promenade à cheval sur les plages de Camargue – un moment romantique –
vous laissera un beau souvenir.

....

6. Écrivez 6 phrases avec ces éléments.

L'escalade

Une randonnée dans la forêt brésilienne

La natation et la plongée

c'est une expérience

c'est un sport

ce sont des activités

qui

que

je n'oublierai jamais.

me plaît.

je ne connais pas.

est extraordinaire.

se pratiquent dans l'eau.

Exemple : *L'escalade, c'est un sport qui me plaît.*

1. ....

2. ....

3. ....

4. ....

5. ....

6. ....

Nous agissons

7. Lisez le mail de votre amie Léa et répondez.

Salut les amis ! Je veux faire un cadeau à Pierre pour son anniversaire. Je veux lui offrir une expérience insolite. Comme vous le savez, il aime les sensations fortes et il adore l'eau. Mais il n'aime pas être dans les airs 🙁.
Des idées ? J'attends vos réponses. Bises. Léa

....

....

....

....

8. 🎧▶37 Vous souhaitez faire une nouvelle activité avec Sport Évasion. Écoutez la personne de l'accueil qui veut vous aider à choisir et répondez.

9. Voici les sports les plus pratiqués en France. Comparez avec votre pays.

Le football   Le tennis   Le basket   L'équitation   Le judo   Le rugby

LEÇON **5** Voyages aventure

Nous nous évaluons

Préparer un voyage insolite

1. Faites les activités a et b. Vérifiez votre score p. 7 du livret.

a. 🎧▶38 Écoutez la chronique. Entourez la/les réponse(s) correcte(s).

1. Nordic Tour prépare : les billets d'avion / l'itinéraire / l'hébergement / le matériel de construction.

2. Le guide fabrique votre bateau. / Vous fabriquez votre bateau.

3. Le bateau est naturel / technologique.

4. Vous dormirez à l'hôtel / dans une auberge de jeunesse / dans une cabane / dans le bateau.

b. Complétez le texte de la brochure avec *le, la, l'*.

Nordic Tour, ... **voyage authentique,** .... **tourisme insolite !**

Vous aimez .... dépaysement et .... nature ? La Suède est
.... destination parfaite pour vous ! Nordic Tour s'occupe de tout :
les transports, ... nourriture et .... hébergement.
.... recette Nordic Tour : .... liberté et .... évasion.

Mon score ...... /10

Nous pratiquons

❯ Les voyages

2. 🎧▶39 Écoutez et indiquez de quoi parlent les personnes.

Exemple : *le dépaysement*

1. ....
2. ....
3. ....

4. ....
5. ....
6. ....

3. À l'oral. À tour de rôle, faites deviner à votre camarade des noms de la leçon.

Exemple : *C'est une spécialité qu'on peut manger en Suisse ou en France, avec du pain.* → *Le fromage.*

❯ Le genre des noms

4. Barrez l'intrus.

Exemple : *tourisme – événement – ~~journée~~*

1. fabrication – dynamisme – immersion

2. nervosité – dépaysement – témoignage

3. nature – moniteur – structure

4. dégustation – assiette – fromage

5. idée – journée – musée

6. mariage – image – pilotage

5. Écrivez les adjectifs au masculin ou au féminin dans le témoignage de Shayan.

> Pendant ma *longue* (long) expatriation en France, j'ai fait du tourisme .... (sportif)
>
> en Europe. La culture .... (traditionnel) m'intéresse mais je préfère
>
> le dépaysement .... (réel) et l'aventure .... (total).
>
> J'ai découvert la randonnée à pied dans les Alpes et la randonnée à cheval en Islande. J'ai cherché
>
> la .... (meilleur) évasion et finalement, ma destination ....
>
> (préféré) a été l'Etna, le célèbre volcan en Italie. Ma plus .... (beau) émotion !

6. Soulignez la proposition correcte.

Exemple : *Ils n'ont pas aimé <u>le voyage</u> / aventure.*

1. J'ai découvert ce voyage dans un reportage / émission.

2. Nous avons aimé le conversation / dynamisme du guide.

3. Tu as vécu une incroyable événement / expédition !

4. Vous avez fait de la covoiturage / randonnée ?

5. J'ai adoré cette recette / hébergement.

6. J'ai ressenti une grande étonnement / émotion
   quand j'ai vu un éléphant.

Nous agissons

7. Répondez à cette demande.

facebook.

Notre groupe de français

FanDeFrançais   Je cherche une personne insolite à présenter à ma classe : un aventurier ou une
aventurière. Vous connaissez quelqu'un ? Donnez-moi quelques infos s'il vous plaît :
qui est-ce ? Qu'est-ce qu'il/elle a fait ? Il/elle est allé(e) où ? Comment ? Quelles sont
ses activités insolites ? Merci les amis ;-) !

....
....
....
....
....
....

8. 🎧 ▶40 Écoutez et répondez à l'oral à ce jeu-concours.

LEÇON 6 C'est ma vie !

Utiliser des marqueurs temporels pour raconter son parcours

1. Faites les activités **a** et **b**. Vérifiez votre score p. 7 du livret.

a. 🎧 ▶41 Écoutez la présentation d'Edward. Écrivez les éléments du parcours d'Edward sur l'axe chronologique.
Mariage / pendant 1 an / Réceptionniste / Serveur / Rencontre avec une Française / il y a 3 ans

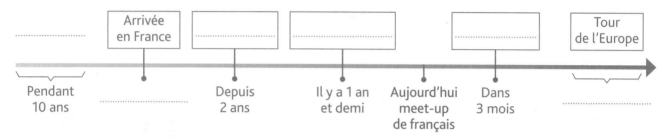

b. Irina va participer à ce meet-up de français. À l'oral, faites 4 phrases pour présenter son parcours et ses projets. Utilisez *il y a*, *pendant*, *depuis* et *dans*.

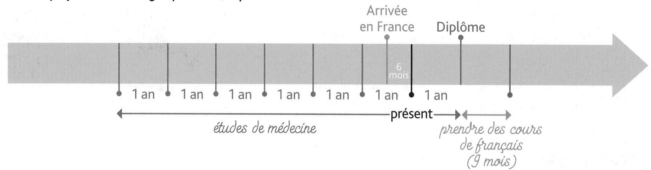

Mon score ...... /10

Nous pratiquons

Parler de son parcours

2. Monica répond à une interview. Associez les questions aux réponses.

1. *Pourquoi avez-vous choisi la France ?*
2. Vous étiez déjà venue en France avant ?
3. Combien de temps allez-vous rester ici ?
4. Vous êtes mariée depuis longtemps ?
5. Quand allez-vous commencer votre nouveau travail ?
6. Quels sont vos projets ?

a. Depuis 3 ans.
b. Dans une semaine.
c. Oui, pour faire un stage il y a 2 ans.
d. Mon mari et moi avons l'intention d'acheter un appartement et d'avoir un bébé bientôt !
e. *Parce que la France est un pays qui me fascine.*
f. Je ne sais pas exactement. Pendant quelques années, je pense.

Les marqueurs temporels

3. 🎧 ▶42 Écoutez les questions du quiz et répondez à l'oral. Utilisez : *il y a*, *pendant*, *dans* et *depuis*.

Exemple : *Pendant combien de temps un bébé gorille reste dans le ventre de sa mère ?*
(259 jours) → Pendant 259 jours.

1. 7 millions d'années – **2.** 100 ans environ – **3.** 3 jours environ
4. 140 ans environ – **5.** 90 ans environ – **6.** 120 ans environ

4. Présentez le parcours de Sarah avec *il y a*, *pendant*, *depuis* et *dans*.

Études d'économie à Melbourne de 2004 à 2009 – Mariée avec un Français en 2012 – Arrivée en France en 2014 – Travaille à Paris de 2015 à maintenant – Souhaits : arrêter de travailler en 2025 et faire un tour du monde de 2025 à 2030.

Exemple : *Sarah a étudié l'économie à Melbourne pendant 5 ans.*

....

....

....

....

5. Barrez les phrases incorrectes.

Exemple : ~~Je me suis marié pendant 10 ans.~~ *Je me suis marié il y a 10 ans.* ~~Je me suis marié dans 10 ans.~~

1. a. J'ai fait le tour du monde il y a 3 ans.
b. J'ai fait le tour du monde depuis 3 ans.
c. J'ai fait le tour du monde dans 3 ans.

2. a. J'ai habité à Lyon depuis 2 mois.
b. J'ai habité à Lyon dans 2 mois.
c. J'ai habité à Lyon pendant 2 mois.

3. a. J'ai obtenu mon diplôme dans 3 ans.
b. J'ai obtenu mon diplôme il y a 3 ans.
c. J'ai obtenu mon diplôme pendant 3 ans.

4. a. Je travaillerai ici dans 10 ans.
b. Je travaillerai ici il y a 10 ans.
c. Je travaillerai ici depuis 10 ans.

〉 Sons du français   La liaison avec les sons [z], [t] et [n]

6. 🎧▸43 Écoutez et ajoutez le symbole de la liaison avec les sons [z], [t] et [n] comme dans l'exemple.

Exemple : *Son‿histoire est très‿intéressante.*
      [n]   [z]

1. La Chine, c'est un immense pays, et c'est mon voyage le plus incroyable !

2. J'ai fait une partie de mes études en Australie.

3. La Croatie, c'est un pays jeune et les habitants sont très accueillants.

4. En Argentine, j'étais un expatrié mais j'avais des amis de toutes les nationalités.

Nous agissons

7. Un nouveau directeur est arrivé dans votre entreprise. Pour préparer votre prochaine rencontre, complétez le formulaire.

Vos études (votre spécialité) : ....

Nombre d'années d'études : ....

Année d'arrivée dans l'entreprise : ....

Votre poste actuel : ....

Nombre d'années : ....

Votre ancien poste : ....

Nombre d'années : ....

Votre projet professionnel : ....

8. 🎧▸44 Vous rencontrez le responsable du personnel de votre entreprise. Écoutez ses questions et répondez.

9. Les Français s'expatrient facilement en Suisse, parce qu'on y parle français et que ce n'est pas loin de la France. Où les habitants de votre pays s'expatrient-ils ? Pourquoi ?

BILAN 2

Nous partageons nos expériences insolites

Production écrite

1 Vous venez de passer un mois en France dans une école de langue française. Vous écrivez à vos amis francophones pour leur raconter votre expérience. Vous parlez de ce que vous avez fait et découvert. Vous dites quelles émotions vous avez ressenties. (60 mots minimum)

....

....

....

....

....

Compréhension orale

2 🎧▸45 Vous assistez à une rencontre francophone. Des personnes racontent leur parcours et leur expérience de vie à l'étranger. Répondez aux questions.

1. Aujourd'hui, Adèle vit dans quel pays ?

....

2. Quand Adèle est-elle partie à Palerme ?

....

3. Au début de son séjour à Palerme, Adèle…
   a. avait beaucoup d'amis.
   b. était amoureuse d'un Italien.
   c. n'appréciait pas beaucoup la ville.

4. Quelle description Adèle fait-elle de la Sicile ? Complétez le tableau avec des adjectifs.

Les habitants	....
Les paysages	....
La gastronomie	....

5. À la fin de son séjour Erasmus, Adèle…
   a. est rentrée en France.
   b. a trouvé un travail en Italie.
   c. a continué ses études à Palerme.

6. Quand, exactement, Adèle a-t-elle commencé à travailler à l'Institut français de Palerme ?

....

7. Quand Adèle a-t-elle obtenu la nationalité italienne ?

....

Compréhension écrite

3 Vous avez reçu ce message de Nicolas :

De : nico47nico@gmail.com

Salut !
Je viens de rentrer de Paris. J'y ai passé une semaine. C'était génial ! Avec le site Airbnb, j'ai pu louer une chambre pas chère. L'appartement était vraiment bien situé, près d'une station de métro, donc c'était pratique pour mes déplacements. Un jour, j'ai fait du covoiturage pour aller à Versailles. Le château et les jardins sont magnifiques. La personne qui conduisait était française et il y avait un autre passager qui était libanais. On est restés en contact tous les trois et on a fait beaucoup de balades dans Paris. Un jour, on a fait une balade à thème : les passages insolites. On a rejoint un groupe de touristes et un guide nous a montré des passages secrets dans Paris. J'étais très étonné : il y en a beaucoup ! La prochaine fois, on y va ensemble ?
À bientôt, j'espère.
Nicolas

Répondez aux questions.

1. Nicolas est resté combien de temps à Paris ? ....

2. Pendant son séjour parisien, Nicolas logeait…
   a. à l'hôtel.　　　**b.** chez l'habitant.　　　**c.** dans l'appartement d'un ami.

3. Comment Nicolas est-il allé à Versailles ?

A ☐　　　　　　　　　　B ☐　　　　　　　　　　C ☐

4. Qu'est-ce que Nicolas a pensé du château de Versailles ?

....

5. Avec qui Nicolas s'est-il baladé dans Paris pendant son séjour ?

....

6. Qu'est-ce que Nicolas a découvert pendant la balade à thème ?

....

7. Après la balade à thème Nicolas était…
   a. surpris.　　　**b.** fatigué.　　　**c.** nerveux.

Production orale

4 Vous rencontrez Ivana, une de vos amis francophones. Elle voudrait partir 15 jours dans un pays pour parler français. Elle vous demande conseil. Vous lui suggérez un pays en particulier. Vous lui dites quelles activités touristiques elle peut faire dans la région et lui précisez les règles et précautions à prendre.

LEÇON **1** Poste à pourvoir

Comprendre une offre d'emploi

1. 🎧▸46 Écoutez. Complétez l'annonce pour le poste d'assistant de direction. Vérifiez votre score p. 8 du livret.

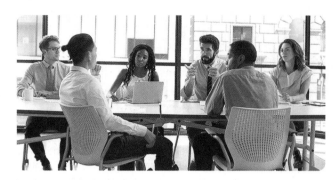

TOULOUSE-MONDE EXPORT
recherche un assistant de direction (H/F) à Toulouse.

Missions : *Gérer le planning du directeur*
– ....

– ....

– ....

Profil recherché : *Faire preuve de rigueur.*
Être .... *et* ....

Langues : *Maîtriser le français,* .... *et* ....

Type de contrat : ....

Temps de travail : ....

Salaire : ....

Mon score ...... /10

Nous pratiquons

⟩ Les offres d'emploi

2. Complétez les deux annonces avec les éléments suivants :

maîtrise de l'anglais / expliquer la culture et l'histoire chinoises / faire preuve de qualités relationnelles avec les clients / être organisé et autonome avec les clients / être dynamique et sportif / créer des relations avec les écoles de langues / maîtrise du chinois à l'oral et à l'écrit / avoir le sens des responsabilités avec des jeunes.

ANNONCE A

Pour compléter son équipe, Sport & Vacances recherche un(e) animateur/animatrice de séjours linguistiques en France.
Missions : *Organiser des activités sportives en équipe pour les étudiants américains des centres de langues en France.*

+ ....

Profil : ....

Langues : ....

ANNONCE B

ComTourisme recrute un(e) guide pour ses clients français en Chine.
Missions : *Guider les clients dans des régions chinoises.*

+ ....

....

Profil : ....

Langues : ....

3. a. 🎧▸47 Écoutez les réactions aux offres d'emploi de l'activité 2. Associez comme dans l'exemple.

Annonce A : *exemple,* ....

Annonce B : ....

b. **Mettez les phrases dans l'ordre.**

Exemple : *faire / Je / qualités / sais / preuve / de / relationnelles → Je sais faire preuve de qualités relationnelles.*

1. Je / les / délais / respecte → ....

2. ai / J' / bonne / une / présentation → ....

3. le / des / ai / J' / sens / responsabilités → ....

4. preuve / fais / Je / rigueur / de → ....

5. ai / la / à / J' / capacité / équipe / travailler / en → ....

6. autonome / Je / organisé / suis / et → ....

4. **Complétez avec le vocabulaire des offres d'emploi.**

H/F – 13ᵉ mois – à négocier – CV – Temps plein – CDD – Salaire net – Temps partiel – CDI – Compétences – Rémunération – Période d'essai – Qualités professionnelles – Salaire brut

H/F

candidat   **salaire**   **poste**

❯ Décrire des compétences et qualités professionnelles

5. **Trouvez et corrigez les erreurs dans cette description de poste.**

Pour ce poste, il est nécessaire ~~d'être l'esprit d'équipe~~ et de respecter les qualités relationnelles.

.......................*d'avoir l'esprit d'équipe*.......................

Il faut aussi avoir le sens énergique et avoir la capacité de l'anglais. Les candidats doivent avoir autonomes

....

et avoir la maîtrise des responsabilités. Il faut également avoir des délais.

....

❯ Sons du français   Les sons [s] – [z]

6. 🎧▸48 **Écoutez et cochez si vous entendez dans l'ordre les sons [s] – [z] ou [z] – [s].**

Exemple : *Ils sont brésiliens.*

	Exemple	1	2	3	4	5	6
[s] – [z]	x						
[z] – [s]							

Nous agissons

7. **Répondez à cette demande sur un forum.**

Trouver un job d'été en France

Huang
Je cherche un travail en France.
Je vois des annonces qui m'intéressent mais je ne comprends pas certaines conditions de travail : CDD, CDI, salaire brut ou salaire net.
Pouvez-vous m'aider ? Merci !

8. 🎧▸49 **Écoutez votre ami et répondez.**

9. **En France, les deux principaux types de contrat de travail sont le CDI et le CDD. C'est différent dans votre pays ?**

LEÇON **2** Je me présente…

Se présenter et structurer son discours

1. Lisez le document et faites les activités a et b. Vérifiez votre score p. 9 du livret.

viadeo

Gloria Andreanu

Formation
2013 : formation de 200 heures en médecine chinoise
2006 : diplôme d'histoire, université de Sibiù, Roumanie
2001 : baccalauréat, lycée français de Bucarest
Expériences
2014-2017 : pratique de la médecine chinoise,
　　　　　　Espace Zen, Bucarest
2007-2014 : professeure d'histoire, université de Bucarest
Langues : roumain (C2), français (C1), anglais (B1)
Qualités : organisée, calme, attentive, créative

a. Répondez.

1. Comment s'appelle ce document ? ....

2. Quels sont les domaines de travail de Gloria ?

　　les langues ☐　　　l'enseignement ☐　　　le tourisme ☐　　　la santé ☐

b. Gloria rédige sur le site un paragraphe où elle présente son parcours pour les futurs recruteurs. À l'aide du document, rédigez sa présentation professionnelle. Utilisez : *tout d'abord*, après, ensuite, de plus, et, enfin, puis.

Tout d'abord, j'ai fait mes études de français et en 2001 …

....

....

....

....

Mon score .... /10

Nous pratiquons

➤ La recherche d'emploi

2. 🎧▶50 **Écoutez et complétez le tableau.**

Professions : *réceptionniste dans un hôtel*, guide touristique, comptable, professeur en cours particuliers, serveur

Exemple	Personne n°1	Personne n°2	Personne n°3	Personne n°4
Réceptionniste dans un hôtel				

3. Complétez le profil LinkedIn de Sonia Belkacem : *baccalauréat*, professeure de yoga pour enfants, patiente, espagnol scolaire (A2), Master en psychologie, sens de l'écoute et du contact, psychologue dans une maison de retraite, maîtrise de l'anglais (C1), organisée, formation en enseignement du yoga.

Linked in

Formation : *Baccalauréat*, ...

Expériences professionnelles : ....

....

Langues : ....

Qualités : ....

Les articulateurs pour structurer le discours

4. Complétez le dialogue avec : *premièrement*, après, à la fin de, tout d'abord, enfin, en plus, deuxièmement, ensuite. Il peut y avoir plusieurs réponses possibles.

– Votre profil nous intéresse. *Premièrement*, vous avez une bonne expérience professionnelle dans le domaine de la mode. .... (1), vous parlez plusieurs langues. Parlez-nous de votre formation et de vos expériences professionnelles.

– .... (2), j'ai fait mes études secondaires à Marseille. .... mon bac (3), je suis partie à Paris dans une école de mode. .... mon cursus (4), j'ai obtenu mon diplôme de styliste. .... (5) j'ai travaillé pendant 4 ans comme styliste pour un magasin de vêtements hollandais. .... (6), j'ai suivi une formation de directrice de collection pendant un an.

– C'est un bon parcours !

– .... (7), je connais très bien cette entreprise parce que j'y ai effectué mon stage de deuxième année.

5. Daniele cherche un travail en France. Mettez son mail dans l'ordre.

> **1.** Cordialement,
> **2.** Pour conclure, je précise que j'habite actuellement à Paris mais je suis prêt à accepter un poste dans une autre ville.
> **3.** Je m'appelle Daniele Rimonti. J'ai 28 ans. Je suis italien et je suis à la recherche active d'un emploi dans la restauration.
> **4.** Tout d'abord, j'ai fait mes études secondaires dans une petite ville du sud de l'Italie.
> **5.** *Bonjour,*
> **6.** Après mon baccalauréat, je suis parti à Milan pour suivre des études dans une école de restauration à la Fondation Cologni. J'ai obtenu mon diplôme de chef cuisinier il y a six ans.
> **7.** Daniele Rimonti
> **8.** Ensuite, j'ai travaillé pendant deux ans dans les cuisines d'un restaurant 3 étoiles à Milan.
> **9.** De plus, je sais faire preuve de qualités professionnelles et humaines importantes. Je suis rigoureux, créatif et j'ai l'esprit d'équipe.
> **Ordre :** *5*, ...

6. À l'oral. **Lisez les informations. Vous présentez le profil d'Alicia à votre responsable des ressources humaines qui cherche une nouvelle collaboratrice. Utilisez :** *tout d'abord*, pour conclure, puis, ensuite, de plus.

Exemple : *Études secondaires au Kenya → Tout d'abord, elle a fait ses études secondaires au Kenya.*

1. Études en histoire de l'art en Italie.
2. Expérience professionnelle : 4 ans au Musée des Offices à Florence.
3. Formation de guide touristique.
4. Langues parlées : anglais, italien et français.
5. Recherche d'un travail à Paris ou dans une autre ville de France.

Nous agissons

7. **Lisez la page d'accueil d'atoustages.com et rédigez votre présentation.**

> **atoustages.com**
> Vous avez décidé d'effectuer votre stage dans une entreprise en France pour obtenir une expérience professionnelle internationale ? Nous sommes là pour vous aider. Mais tout d'abord, présentez-vous et parlez-nous de votre formation. Nous vous contacterons dans quelques jours.

8. 🎧 N51 **Un agent d'atoustages.com (activité 7) vous téléphone. Répondez.**

Nous nous évaluons

Proposer ses services

1. Faites les activités a et b. Vérifiez votre score p. 10 du livret.

a. Lisez l'annonce et soulignez la proposition correcte.

> **jobetudiant.net**
>
>
> Bonjour, je m'appelle Elena. Je suis chilienne et j'étudie actuellement la philosophie à l'université de Lille. Je cherche un petit job. Évidemment, je propose des cours d'espagnol aux adultes, mais également aux enfants. J'ai une bonne expérience de l'enseignement aux enfants, car j'ai fréquemment donné des cours dans des écoles. Je suis disponible tous les jours de la semaine à partir de 18 h. Mon tarif : 25 €/heure.
> Merci de m'écrire à elena97@hotmail.com.

1. Elena est étudiante / philosophe.

2. Elena cherche / propose des cours.

3. Elena parle espagnol / apprend l'espagnol.

4. Elena travaille dans une école / a une expérience d'enseignement dans différentes écoles.

5. Elena est disponible la semaine en journée / la semaine en soirée.

b. David veut proposer ses services. Rédigez une petite annonce pour lui. Utilisez les adverbes *actuellement*, *évidemment* et *également*.

Profil : David – américain – étudiant en littérature française à l'université de Rennes (1 adverbe à utiliser)

Offre : cours d'anglais – garde d'enfants (2 adverbes à utiliser)

Disponibilités : samedis et dimanches

Prix : 15 – 25 €/heure

....

....

....

Mon score ...... /10

Nous pratiquons

Les services

2. Barrez l'intrus.

Exemple : *un poste – un cours – un travail*

1. une annonce – un emploi – un petit boulot

2. suivre un cours – donner un cours – enseigner

3. des petits travaux – des services – un client

4. compétences – capacité – intérêt

5. un salarié – un employé – un directeur

6. offrir ses services – avoir besoin d'un service – proposer ses services

Les adverbes pour donner une précision

3. **a. Classez les adjectifs en trois catégories.**

Actuel, égal, courant, actif, rapide, immédiat, fréquent, vrai, financier

– consonne finale : *actuel*, ...

– voyelle finale : ....

– ent/ant : ....

b. Présentez le travail de Valérie, baby-sitteur, à l'aide des adjectifs de l'activité a transformés comme dans l'exemple. Plusieurs réponses sont possibles.

Valérie est *actuellement* baby-sitteur. Elle étudie .... (1) l'allemand à Dresde.

Au début de l'année, ... (2), c'était difficile pour elle. Donc elle a décidé de chercher

.... (3) un petit travail. Elle a .... (4) posté une annonce et

elle a .... (5) trouvé une famille. Elle travaille pour eux .... (6).

Elle aime .... (7) son travail et maintenant, elle parle allemand .... (8) !

4. 🎧▶52 **Écoutez ces témoignages et complétez avec l'adjectif correspondant. Attention aux accords !**

Exemple : *Je recherche <u>activement</u> un travail.* → *une recherche active*

1. une aide ....

2. des réponses ....

3. un déplacement ....

4. des vêtements ....

5. une nouveauté ....

6. un français ....

5. 🎧▶53 **À l'oral. Écoutez et répondez affirmativement aux questions comme dans l'exemple.**

Exemple : *Elle s'habille de manière <u>simple</u> ? Oui, elle s'habille <u>simplement</u>.*

6. **À l'oral. À tour de rôle, posez des questions à votre camarade de classe sur ses loisirs.**

Exemple : ***A.*** *Tu fais du sport de manière régulière ?* → ***B.*** *Oui, je fais du sport régulièrement.*
　　　　 B. *Tu vas au cinéma de manière fréquente ?* → ***A.*** *Non, je ne regarde pas de films fréquemment.*

Nous agissons

7. **Répondez à cette demande sur un forum étudiant.**

> Bonjour, je suis assistant de français.
> J'arrive dans votre ville dans deux semaines.
> J'aimerais donner des cours particuliers.
> On trouve facilement des petits jobs ici ?
> À votre avis, je pourrai travailler
> régulièrement ?
> Merci pour vos conseils !

8. 🎧▶54 **Écoutez les questions de votre collègue français et répondez.**

9. **Habituellement, les étudiants ont-ils des petits boulots dans votre pays ? Quels sont les plus fréquents ?**

LEÇON 4 Nous osons !

Comprendre et formuler des conseils pour trouver un emploi

1. Faites les activités a et b. Vérifiez votre score p. 10 du livret.

a. Observez et associez.

Vous cherchez un emploi, voici nos conseils pour :

A. écrire une lettre de motivation

B. sélectionner les annonces

C. passer des entretiens

D. rédiger un CV

b. 🎧 55 **Écoutez la personne de Pôle emploi. Rédigez les conseils avec l'impératif, « n'hésitez pas à » ou « on vous conseille de ».**

Si vous cherchez un emploi,…

1. ....

2. ....

3. ....

4. ....

Mon score ...... /10

Nous pratiquons

❯ Le CV

2. Entourez les éléments qu'on trouve dans un CV français.

Centres d'intérêts / expérience professionnelle / plat préféré / langues / religion / état civil / compétences / diplômes / opinion politique / qualités humaines / heure du lever / poste recherché / salaire souhaité / chanteur préféré / coordonnées

3. Associez.

1. Coordonnées
2. État civil
3. Formation
4. Expérience professionnelle
5. Compétences
6. Langues
7. Qualités
8. Centres d'intérêts

Olivier Lelong

Marié, 2 enfants

37 rue du Cap,
06600 Antibes
olivier.lelong.prof@gmail.com

anglais (C1),
italien scolaire (A2)

2000/2017 : professeur de français,
Centre international d'Antibes

2000 : Master de Français Langue
étrangère

Parfaite connaissance des méthodes
d'enseignement ; maîtrise parfaite
des outils Word et Excel

Dynamique, organisé, excellentes
qualités relationnelles

Jogging, littérature française

❱ L'hypothèse avec *si* pour donner des conseils et indiquer une conséquence

4. 🎧▶56 Écoutez l'émission de radio « La boîte à outils de l'emploi ». Rédigez les conseils.

Exemple : **1.** *(impératif)* → *Si vous voulez trouver un job d'été, rédigez un CV clair.*

2. (impératif) → Si vous voulez trouver un job d'été, _____

3. (n'hésitez pas à) → Si vous voulez trouver un job d'été, _____

4. (on vous conseille de) → Si vous voulez trouver un job d'été, _____

5. (n'hésitez pas à) → Si vous voulez trouver un job d'été, _____

6. (impératif) → Si vous voulez trouver un job d'été, _____

5. Indiquez si les parties soulignées expriment un conseil ou une conséquence.

Exemple : *Si vous maîtrisez des langues, <u>mentionnez-les dans votre CV</u>.* → *conseil*

1. Si vous êtes bilingue, <u>ce sera un atout pour le poste</u>. → _____

2. Si vous mettez une photo de vacances sur votre CV, <u>vous ne ferez pas bonne impression</u>. → _____

3. Si vous avez beaucoup d'expériences professionnelles, <u>n'écrivez que les plus importantes</u>. → _____

4. Si votre CV est original, <u>on vous remarquera plus</u>. → _____

5. Si vous cherchez un emploi à l'étranger, <u>traduisez votre CV</u>. → _____

6. Si vous n'avez pas d'expérience professionnelle, <u>faites des stages</u>. → _____

6. Rédigez les bonnes raisons d'apprendre le français.

7 bonnes raisons d'apprendre **le français**

Si vous apprenez le français,

Exemple : **1.** *(cela – être un atout pour trouver un emploi)*
→ *cela sera un atout pour trouver un emploi.*

2. (les recruteurs – remarquer votre profil) → _____

3. (vous – pouvoir parler avec des francophones du monde entier) → _____

4. (ce – être plus agréable de visiter les pays francophones) → _____

5. (la littérature française et francophone – ne plus avoir de secrets pour vous)
→ _____

6. (vous – apprendre d'autres langues plus facilement) → _____

7. (vous – comprendre les médias en langue française) → _____

Nous agissons

7. 🎧▶57 Écoutez Hugo et répondez.

8. Le forum de blogtrotter.com permet aux internautes qui voyagent dans votre pays d'obtenir des réponses à leurs questions. Lisez les questions et répondez.

Samuel : Comment est-ce que je peux trouver un petit job ? _____

_____

Nolwenn : Et si je perds mes papiers, qu'est-ce que je fais ? _____

Louis : Que faire si je suis malade ? _____

_____

9. En général, les Français mettent une photo sur leur CV. Et dans votre pays, met-on une photo sur le CV ? Quelles informations personnelles donne-t-on ?

LEÇON 5 Francophonies

Comprendre un parcours professionnel

1. Faites les activités a et b. Vérifiez votre score p. 11 du livret.

a. 🎧▸58 Écoutez le témoignage de Marie. Mettez les étapes de son parcours dans l'ordre chronologique.

se marier ....   devenir professeur ....

obtenir la nationalité américaine ....   étudier la psychologie ....

rêver d'être professeur *1*   suivre un programme pour enseigner ....

b. 🎧▸58 Réécoutez et complétez la présentation de Marie. Utilisez les verbes de l'activité 1 a au passé.

Petite, Marie *avait rêvé* d'être professeur, elle .... (1) la psychologie en Suisse avant

de finir son cursus en 1975. L'année suivante, elle .... (2) avec un Américain et ils sont

partis aux États-Unis. Pendant un an, elle .... (3) un programme pour enseigner.

Finalement, elle .... (4) professeur parce qu'elle .... (5)

la nationalité américaine auparavant.

Mon score ...... /10

❯ Parler de ses études et de son parcours professionnel

2. Trouvez et corrigez les erreurs dans la présentation de Laura.

obtenu	J'ai ~~pris~~ mon baccalauréat italien en 1996. L'année suivante, j'ai obtenu un programme d'un an
	pour perfectionner mon français. J'ai suivi une demande d'inscription à l'université en philosophie.
	J'ai appris mon master en 2002, puis j'ai suivi ma candidature dans une école française à Turin.

❯ Le plus-que-parfait pour raconter des événements passés

3. 🎧▸59 Écoutez les témoignages et indiquez le temps utilisé.

	Exemple	1	2	3	4	5	6
Plus-que-parfait	X						
Imparfait							
Passé composé							

4. 🎧▸59 Réécoutez et continuez chaque phrase entendue avec les éléments indiqués. Utilisez le plus-que-parfait ou le passé composé.

Exemple : *(je n'avais jamais parlé français) et en 1998, j'ai suivi (suivre) mon premier cours !*

1. (…) qu'il .... (demander) l'année précédente.

2. (…) qu'elle .... (recevoir) de la République tchèque.

3. (…) et l'année dernière, tu .... (faire) un stage à Ouagadougou.

4. (…) parce que vous .... (obtenir) votre diplôme.

5. (…) qu'ils .... (visiter) l'été d'avant.

6. (…) et cinq ans plus tard, nous .... (devenir) collègues.

5. À l'oral. **Observez les personnages et imaginez les raisons de leur réussite.**

➤ Exemple : *Elle est devenue championne parce qu'elle s'était beaucoup entraînée, parce qu'elle faisait du sport tous les jours, parce qu'elle était la plus forte …*

❯ Sons du français   La dénasalisation

6. 🎧60 **Écoutez. Écrivez la phrase entendue, puis transformez-la au masculin ou au féminin comme dans l'exemple.**

Exemple : *Phrase entendue <u>au masculin</u> : « Mon voisin est argentin. »*
   → Phrase transformée : « Ma voisine est argentine. »

1. Phrase entendue au .... : « .... »

Phrase transformée : « .... »

2. Phrase entendue au .... : « .... »

Phrase transformée : « .... »

3. Phrase entendue au .... : « .... »

Phrase transformée : « .... »

4. Phrase entendue au .... : « .... »

Phrase transformée : « .... »

Nous agissons

7. Répondez à cette demande de témoignage.

appel à témoignage	Nouvelle émission > **Un voyage pour la vie**
	Un membre de votre famille, un ami ou un voisin a voyagé grâce à son travail ou ses études ? Présentez son parcours et expliquez comment les voyages peuvent changer une vie ! Il participera peut-être à notre prochaine émission !

8. 🎧61 **Écoutez votre nouveau professeur de sport et répondez.**

Nous nous évaluons

Comprendre le résumé d'un livre et poser des questions formelles

1. Faites les activités **a**, **b** et **c**. Vérifiez votre score p. 11 du livret.

a. Lisez le résumé du livre *Surprise au Pays du Soleil Levant*.
Complétez :

Personnage principal : *Élodie*

Nationalité : ....

Domaine de compétences : ....

Poste : ....

Lieu : ....

> ### Surprise au Pays du Soleil Levant
>
> Nous sommes en 2010. Élodie, une jeune Luxembourgeoise qui a vécu quelques années au Japon quand elle était enfant, a toujours adoré ce pays. À l'âge adulte, elle y retourne pour faire un stage de plusieurs mois dans la grande entreprise Takeshi à Tokyo. Elle est employée pour ses compétences linguistiques comme traductrice stagiaire. Mais, pour elle, l'expérience est nouvelle. Dans le domaine du travail, tout est différent...

b. Vrai ou faux ? Cochez et justifiez votre réponse.

1. Élodie a vécu toute son enfance au Japon.   ☐ Vrai   ☐ Faux

....

2. Son stage dure un mois.   ☐ Vrai   ☐ Faux

....

3. La vie professionnelle en France est complètement différente du Japon.   ☐ Vrai   ☐ Faux

....

c. La bibliothèque de votre ville organise une rencontre avec Élodie Beaumont, auteur du livre *Surprise au Pays du Soleil Levant*. Rédigez les questions que vous souhaitez-lui poser. Attention, nous sommes dans une situation formelle.

Exemple : *(Choses appréciées pendant le stage)* → *Qu'avez-vous apprécié pendant votre stage ?*

1. (Histoire vraie ou imaginaire) → ....

2. (Amis au Japon) → ....

3. (Autre expérience de travail au Japon) → ....

4. (Nombre de langues parlées) → ....

5. (Date de l'écriture du livre) → ....

Mon score .... /10

Nous pratiquons

❯ Les offres d'emploi : annonces et réponses

2. Complétez l'offre de stage avec : *recherche*, prise en charge, envoyer, durée, contacter, informations, vendre, stagiaire.

La boulangerie « La baguette de Magnan » *recherche* un .... boulanger (1)

pour une .... (2) de 3 mois (faire et .... (3) le pain).

Pour plus d'.. (4), veuillez nous .... (5) et

nous .... (6) votre CV à l'adresse suivante : william@labaguettedemagnan.fr.

.... (7) de la carte de transport.

3. Complétez cette réponse à une offre d'emploi.

Votre *annonce* a retenu toute mon a_ _ _ _ _ _ _n. Je voudrais me spécialiser dans le s_ _ _ _ _r

de la restauration. La cuisine est un d_ _ _ _ _e qui m'intéresse en particulier. Le stage proposé permet

de développer plusieurs c_ _ _ _ _ _ _ _ _s importantes dans ma f_ _ _ _ _ _ _n. Ma m_ _ _ _ _e

préférée à l'université est la communication professionnelle.

❯ Poser des questions en situation formelle

4. 🎧ꟾ62 Écoutez les questions d'un recruteur en français familier ou standard. Écrivez-les en français soutenu.

Exemple : *Vous pouvez vous présenter ?* → *Pouvez-vous* vous présenter ?

1. .... une expérience professionnelle dans ce domaine ?
2. .... pendant votre temps libre ?
3. .... à notre annonce ?
4. .... de notre entreprise ?
5. .... disponible ?
6. .... quelles sont vos qualités ?

❯ Les adjectifs indéfinis pour exprimer la quantité

5. Complétez le texte avec *tous*, tout, toute, toutes, plusieurs, quelques. Plusieurs réponses sont possibles.

Tous les jours, Laure se rend à son travail. Au bureau, ... (1) ses collègues sont réunis

autour d'un café. Elle passe .... (2) heures à remplir, classer et organiser ses dossiers. Ce n'est

pas très amusant et elle ne pense pas passer .... (3) sa vie ici. Laure a .... (4)

projets : reprendre ses études et faire un grand voyage en Amérique du Sud. .... (5)

les soirs, elle lit .... (6) pages de .... (7) *le monde n'a pas eu la chance*

de rater ses études et .... (8) les nuits, elle fait des rêves de voyages…

❯ Sons du français   **La prononciation de *tout* et *tous***

6. 🎧ꟾ63 Écoutez et cochez quand vous entendez les mots « tous » et « tout » prononcés [tu] – [tus] ou [tut].

Exemple 1 : *Tout va bien ici.*
Exemple 2 : *Tout **est** bien ici.*

	Exemple 1	Exemple 2	1	2	3	4	5	6
[tu]	✗							
[tus]								
[tut]		✗						

Nous agissons

7. Vous répondez par mail à cette offre d'emploi. Posez des questions (horaires, travail le soir, rémunération, niveau de français, autres langues étrangères…).

L'Office de tourisme recherche plusieurs personnes qui parlent français pour accueillir les touristes francophones (informer, renseigner, aider). Contrats à durée variable de quelques heures par semaine. Pour plus d'informations, veuillez nous contacter et nous envoyer votre CV.

8. 🎧ꟾ64 Vous avez obtenu un entretien téléphonique pour le poste de l'activité 7. Écoutez le recruteur et répondez.

9. Le salaire minimum en France est de 1150 € nets par mois en 2017. Existe-t-il un salaire minimum dans votre pays ? Quel est-il ?

Et en plus, nous parlons français !

Compréhension orale

1 🎧 H65 **Vous êtes en France, à la recherche d'un emploi. Vous écoutez cette émission de radio sur la recherche d'emploi.**

1. Avant de commencer à écrire son CV, qu'est-ce que la journaliste conseille de lister ?

(deux réponses attendues)

    a. ....   **b.** ....

2. D'après la journaliste, il faut commencer par écrire des informations sur trois points. Lesquels ?

    a. ....   **b.** ....   **c.** ....

3. D'après la journaliste, on peut commencer ses recherches d'emploi…

    a. avant d'avoir rédigé son CV.

    b. en même temps qu'on rédige son CV.

    c. après avoir rédigé son CV.

4. Selon la règle à suivre n°1, quelle forme notre adresse électronique doit-elle avoir ?

    a. yoyo98@gmail.com   **b.** caroline-dubois@yahoo.fr   **c.** chatbeauté@hotmail.com

5. Que doit-on écrire dans l'espace « objet » de son e-mail ?

....

6. D'après la règle n°4 , à quoi devons-nous faire attention ?

....

Compréhension écrite

2 **Après avoir écouté l'émission sur la recherche d'emploi, vous commencez vos recherches. Vous lisez cette annonce de l'Institut français de Madrid :**

OFFRE DE STAGE
animateur du réseau des établissements scolaires français en Espagne

Le Réseau des établissements scolaires français en Espagne cherche un(e) stagiaire Communication/ Webmestre.

Au sein d'une équipe de 7 personnes, le/la stagiaire sera principalement chargé(e) :
1. de l'animation du portail web qui regroupe les 24 établissements du réseau scolaire français de la péninsule ibérique (Espagne, Portugal) ;
2. du lancement d'une page Facebook du réseau scolaire de la zone ibérique.

Missions : Créer une banque d'images, rédiger quotidiennement des articles en français et en espagnol, mettre à jour certaines pages du site internet et placer des documents sur l'espace réservé des enseignants et des agents administratifs.

Compétences et qualités demandées :
– Formation en information et communication (si possible webdesign/multimédia) (Bac + 2 minimum)
– Maîtrise du logiciel WordPress et des outils de gestion d'un site internet en général
– Excellente maîtrise du français et de l'espagnol indispensable
– Connaissance du portugais souhaitable
– Dynamisme, rigueur et patience

Lieu du stage : Service de Coopération et d'Action Culturelle de l'Ambassade de France en Espagne à Madrid.

Important !
Le/la candidate doit être actuellement étudiant(e)

Date de stage : de mars à juillet

Durée du stage : 3 mois minimum

Envoyer CV et lettre de motivation à polescolaire@gmail.com

1. Quel est l'intitulé de l'offre de stage ?

....

2. L'annonce concerne une offre de stage, en Espagne :
   a. à l'ambassade de France.
   b. dans un établissement scolaire.
   c. dans une école de langue française.

3. Quelles sont les deux principales actions du stage ?
   a. ....   b. ....

4. Durant le stage, il faut écrire des articles…
   a. tous les jours.   b. toutes les semaines.   c. tous les mois.

5. Pour postuler à cette offre de stage, il faut maîtriser quelles langues ?

....

6. Quelles qualités professionnelles sont demandées dans l'annonce ?

....

7. Vrai ou faux ? Cochez la bonne réponse.
   a. Pour postuler à ce stage, il faut être étudiant. ☐ Vrai ☐ Faux
   b. Le stage ne dure pas plus de 3 mois.   ☐ Vrai ☐ Faux

Production écrite

3 Vous décidez de répondre à l'annonce de stage. Vous envoyez un e-mail à l'employeur pour vous présenter et décrire vos compétences et qualités professionnelles en rapport avec l'emploi. Vous demandez, enfin, s'il est possible d'avoir un entretien téléphonique. (60 mots minimum)

....

....

....

....

....

....

Production orale

4 Le recruteur de l'annonce vous accorde un entretien. À deux et en deux temps :
   1. Vous vous présentez, vous parlez de vos études et de votre parcours professionnel.
   (2 minutes minimum)
   2. Vous répondez aux questions du recruteur et vous lui poser aussi des questions formelles en rapport avec l'emploi. (3 minutes minimum)

Nous nous évaluons

Parler des séries francophones et préciser des faits

1. Faites les activités a et b. Vérifiez votre score p. 12 du livret.

a. 🎧 ▶66 Écoutez. Complétez le tableau.

Nom de la série	Nationalité(s)	Genre	Récompense
Versailles	....	....	/
La Trêve	....	....	....

b. **Réécrivez les phrases avec les adverbes du dialogue, dans l'ordre suivant :** *bien,* actuellement, très, récemment, également, régulièrement.

Exemple : *Les séries françaises marchent à l'étranger.* → *Les séries françaises marchent* <u>*bien*</u> *à l'étranger.*

1. Il y en a d'autres. → ....

2. L'article dit que c'est une série réaliste. → ....

3. Cette série a obtenu un prix au festival Séries Mania. → ....

4. L'article explique que le Burkina Faso est un grand producteur de séries. → ....

....

5. À Ouagadougou, il y a le plus grand festival de cinéma et de télévision d'Afrique. → ....

....

Mon score ...... /10

Nous pratiquons

❯ Parler d'une série

2. Associez les mots à leur définition.

Un réalisateur •
Un scénario •
Un comédien •
Un épisode •
Une fiction •
Un sous-titre •
Un tournage •

• C'est une histoire qui n'est pas réelle.
• C'est une personne qui joue dans une série ou un film.
• C'est la traduction des dialogues en bas de l'écran.
• *C'est la personne qui dirige les acteurs.*
• C'est le document qui décrit le film qui sera tourné.
• C'est l'action de filmer.
• C'est une partie d'une série.

3. Lisez les présentations de quatre séries et indiquez leur genre : comédie, série policière, fiction historique ou série fantastique.

1. Dans un contexte insolite, en Afghanistan, des personnages étonnants se rencontrent, avec beaucoup d'humour et plein de surprises ! ....

2. Un célèbre pianiste voit la réalité changer autour de lui. Après un accident, il se réveille mais il est dans le corps d'une autre personne. ....

3. Louis XIV a 28 ans et veut créer un gouvernement absolu en France. Il commence alors la construction du célèbre château de Versailles. ....

4. Dans les montagnes des Pyrénées, deux policiers sont chargés d'une enquête et vont rencontrer un homme très dangereux. ....

4. 🎧 M67 Écoutez et complétez les informations sur la série *Baron noir*.

Chaîne **CANAL+**

Kad Merad

Niels Arestrup

1. Genre : ....

2. .... : Ziad Doueiri

3. .... : Kad Merad et Niels Arestrup

4. Date de sortie de la première saison : ....

La place de l'adverbe

5. **Lisez la présentation du *Baron noir*. Indiquez par une flèche la place des adverbes, comme dans l'exemple.**

La série *Baron noir* montre que les Français sont capables de réaliser des drames politiques (*largement*). La première saison a reçu un accueil positif (*vraiment*). C'est pour cette raison que la chaîne Canal+ a annoncé la diffusion de la deuxième saison (*récemment*). Les comédiens jouent avec un grand réalisme (*très*) et le drame politique se développe dans les épisodes (*progressivement*). Le site web de Canal+ propose les épisodes de la première saison (*actuellement*). C'est une série réussie (*véritablement*).

6. **Écrivez au passé ce témoignage d'un comédien.**

Exemple : *Je commence difficilement ma carrière en 1995.* → *J'ai difficilement commencé ma carrière en 1995.*

1. J'obtiens tardivement un grand rôle. → ....

2. C'est vraiment le plus beau jour de ma vie ! → ....

3. Je deviens rapidement célèbre. → ....

4. Puis, j'ai malheureusement moins de succès. → ....

5. Un réalisateur me propose heureusement un rôle intéressant. → ....

6. Le jury d'un festival de séries me donne finalement une récompense. → ....

....

Nous agissons

7. **Répondez à ce jeu-concours.**

Devenez membre de notre jury de sélection des nouvelles séries !
Vous **aimez beaucoup les séries** et **vous en cherchez actuellement des nouvelles** ? Vous les regardez fréquemment dans d'autres langues ? Envoyez-nous votre profil de téléspectateur, dites-nous pourquoi vous aimez les séries ! Vous serez peut-être sélectionné(e) pour notre jury de l'été !

8. 🎧 M68 Écoutez votre amie et répondez.

9. Les Français aiment beaucoup regarder des séries à la télévision ou sur leur ordinateur. Et dans votre pays ?

Nous nous évaluons

Rendre compte d'un événement culturel

1. Lisez les témoignages. Faites les activités a et b. Vérifiez votre score p. 13 du livret.

≡ **ᵉˢinROCKS L'été des Festivals de nos journalistes**

Votre festival préféré ?

Manolo > Mon festival préféré ? C'est les Francofolies de La Rochelle. Ce que j'apprécie, c'est la possibilité de découvrir de nouveaux chanteurs et musiciens francophones. Mais ce qui est dommage, c'est qu'il dure seulement 5 jours.

Elsa > Moi, c'est le Festival d'Avignon. Ce qui est formidable, c'est qu'il y a des pièces de théâtre dans toute la ville 24h/24 ! Et en plus, on peut y voir des pièces classiques et des créations beaucoup plus originales. Mais c'est difficile de dormir avec toutes ces activités !

Philippe > Mon préféré ? C'est le festival de la ville de Sziget en Hongrie. Ce que j'adore, c'est la programmation avec de nombreux chanteurs et groupes internationaux comme Rihanna, Muse ou Sia. Et puis, ce qui est très chouette, c'est l'ambiance. Les fêtards de toute l'Europe se donnent rendez-vous là-bas. Mais je n'y vais pas souvent, car c'est trop loin !

a. Complétez le tableau.

	Lieu (ville ou pays)	Thème	Points positifs	Points négatifs
Les Francofolies		*Musique francophone*		
Le Festival d'Avignon	*Avignon*			
Le Festival de Sziget				

b. Écrivez un commentaire pour la rubrique « festival » des *Inrocks*. Mettez en relief les éléments soulignés.
Exemple : *Je préfère le festival Rock en Seine, à Paris. → Ce que je préfère, c'est le festival Rock en Seine, à Paris.*
J'adore le lieu : dans les jardins historiques de Saint-Cloud. Les groupes de rock internationaux sont surprenants. Les billets pour les concerts sont très chers. J'apprécie surtout l'ambiance.

Mon score ..../10

Nous pratiquons

Les événements culturels

2. 🎧▸69 Écoutez et associez les festivals à une ville : *festival de musique classique*, festival du film francophone, festival de théâtre de rue, festival de musique électro, fête du livre jeunesse.

Exemple : *Colmar : festival de musique classique*

1. Aurillac : ....
2. Montreuil : ....
3. Angoulême : ....
4. Cannes : ....

3. Complétez l'article avec : *événement*, chanteurs, amateurs, musicien, professionnels, festival, public, concerts, invité d'honneur.

CULTUREBOX
FESTIVAL

Grand *événement* musical à Belle-Île-en-Mer

C'est une véritable rencontre entre .... (1) et professionnels. Le .... (2) de musique classique de Belle-Île-en-Mer accueille cette année des artistes de l'opéra Bastille.

Chaque année, 65 .... (3) amateurs de l'île se préparent pour le festival.

Quelques jours avant les premiers .... (4), ils sont rejoints par des musiciens .... (5). L' .... (6) de cette année est le .... (7) Renaud Capuçon. Ce qu'il apprécie c'est la proximité avec le .... (8).

Ce qui/ce que... c'est/ce sont... pour mettre en relief

4. À l'oral. Lisez les commentaires des spectateurs et faites comme dans l'exemple.

Exemple : *Les concerts* sont exceptionnels. → *Ce qui* est exceptionnel, *ce sont* les concerts.

1. L'ambiance est sympa.
2. J'adore les différents lieux des spectacles.
3. J'apprécie la qualité de la programmation.
4. J'aime particulièrement les rencontres avec les chanteurs et les musiciens.
5. Ma rencontre avec un chanteur égyptien a été fantastique.
6. Les concerts gratuits sont une bonne idée.

5. Trouvez et corrigez les erreurs dans le message de Peter.

Ce que	Je suis pour la première fois au Printemps de Bourges. C'est un festival de musique que j'aime beaucoup. ~~Ce qui~~ j'apprécie, c'est les concerts de hip-hop français. Ce que est intéressant, c'est la possibilité d'assister aux répétitions les après-midis. Et pour finir, ce que je trouve génial, ce sont l'ambiance du festival. C'est parfait pour les gens qui aiment faire la fête !

Sons du français le son [r]

6. 🎧 M70 Écoutez les phrases et indiquez dans quelle syllabe vous entendez le son [r].

Exemple : *Quel bon chanteur !* → *4e syllabe de la phrase*

1. .... 2. .... 3. .... 4. .... 5. .... 6. ....

Nous agissons

7. 🎧 M71 Écoutez la journaliste et répondez à l'enquête.

8. Le magazine *Les Inrocks* présente une sélection des meilleurs événements culturels dans le monde. Faites une proposition.

Nom de l'événement : ....

Type d'événement : ....

Lieu : ....

Pourquoi vous conseillez cet événement : ....

....

LEÇON 3 La culture et nous

Nous nous évaluons

Comprendre les résultats d'une enquête

1. Faites les activités a et b. Vérifiez votre score p. 14 du livret.

a. Observez les résultats de l'enquête et répondez aux questions. Utilisez : la moitié, la majorité, une minorité, 45 %, une personne sur trois, six Français sur dix.

Les activités les plus pratiquées sur Internet par les Français pendant les 3 derniers mois

- Envoyer et recevoir des e-mails
- Acheter sur Internet
- Organiser ses vacances
- Lire ou télécharger des journaux ou des magazines
- Jouer à des jeux vidéo, regarder des vidéos, écouter de la musique
- Participer à des réseaux sociaux
- Rechercher un emploi
- Accéder à son compte bancaire
- Rechercher des informations sur la santé

(axe : 0 10 20 30 40 50 60 70 80 90 100 (en %))

1. Quelle partie de la population utilise Internet pour les mails ? ....

2. Quelle partie de la population cherche des informations médicales ? ....

3. Combien de personnes interrogées l'utilisent pour les jeux, la vidéo et la musique ? ....

....

4. Qui s'intéresse à la presse en ligne ? ....

5. Quelle partie de la population se connecte à sa banque ? ....

6. Quel pourcentage des Français prépare ses vacances sur Internet ? ....

b. Complétez les questions posées aux Français avec : *lequel* (x2), laquelle, lesquels et lesquelles.

Entre l'ordinateur et le smartphone, *lequel* utilisez-vous le plus souvent ? Parmi les activités sur Internet, ... sont plus importantes pour vous ? Avez-vous un site préféré ? Si oui, ... ? Si vous utilisez les réseaux sociaux, ... sont vos préférés ? Entre les voyages et la culture, ... est votre première motivation ?

Mon score ...... /10

Nous pratiquons

❯ Les manifestations et les équipements culturels

2. Complétez la brochure culturelle de la ville de Grasse avec les rubriques suivantes : *Événements et festivals*, Bibliothèques et médiathèques, Spectacles vivants, Lieux d'exposition et bâtiments historiques.

EN BREF

Les **meilleurs moments** de **culture** à **Grasse**

❶ *Événements et festivals*
> Exporose
> Fête du jasmin

❷ ....
> Musée international de la Parfumerie (MIP)
> Villa-Musée Jean-Honoré Fragonard
> Musée de la Marine – Mémorial Amiral de Grasse

❸ ....
> Trois médiathèques de quartier

❹ ....
> Théâtre
> Concerts

3. À partir de l'activité 2, indiquez dans quelle rubrique on peut trouver les activités et événements suivants.

Élection de Miss Ville de Grasse :   *1*   Spectacles de danse : ....   Jardins du MIP : ....

Animations de Noël et animations d'été :   ....   Musée d'art et d'histoire de Provence .... ;

Bibliothèque du patrimoine local :   ....   Chapelle Victoria : ....

Les pronoms interrogatifs pour demander une information ou une précision

4. À l'oral. **À tour de rôle, interrogez votre camarade de classe sur ses préférences parmi les propositions culturelles de Grasse (activité 2). Justifiez votre réponse.**

Exemple : *A. Parmi les événements et les festivals, lequel préfères-tu ?*
            → B. Je préfère Exporose, car j'adore les fleurs !

5. Mettez dans l'ordre ce dialogue entre une employée de médiathèque et un lecteur.

1   **a)** Bonjour, je cherche une BD, vous pouvez m'aider ?

....   **b)** *Jacky au Royaume des Filles* et *Les Beaux Gosses*.

....   **c)** Je cherche la dernière BD de Riad Sattouf, vous l'avez ?

....   **d)** Lesquels ?

....   **e)** Oui, nous l'avons. Nous avons aussi deux films de Riad Sattouf.

....   **f)** Je vous recommande le premier !

....   **g)** Oui, bien sûr ! Laquelle cherchez-vous ?

....   **h)** Lequel des deux me conseillez-vous ?

Exprimer les pourcentages et décrire une tranche d'âge

6. 🎧 ▶72 À l'oral. **Écoutez et reformulez les pourcentages et les tranches d'âge. Plusieurs réponses sont possibles.**

Exemple : *65 % des films → la majorité des films*

Nous agissons

7. Répondez à ce message sur un site web.

DOSSIER

**Notre prochain dossier :
les jeunes et l'image**

Nous enquêtons sur les jeunes et les films.
Les jeunes préfèrent-ils aller au cinéma ou regarder
un film à la maison ? Pourquoi ? Sur leur ordinateur,
la majorité des jeunes préfèrent regarder des films
ou des vidéos ? Merci pour votre contribution !

8. 🎧 ▶73 Écoutez votre correspondant français au téléphone et répondez.

LEÇON **4** La France s'exporte

Faire une appréciation sur un programme culturel

1. Faites les activités a et b. Vérifiez votre score p. 14 du livret.

a. 🎧74 Écoutez les témoignages de Claire et de Georges sur leurs pratiques culturelles. Cochez les spectacles qu'ils aiment.

PROGRAMME CULTUREL DU THÉÂTRE DE LA CROIX ROUSSE

	Claire	Georges		Claire	Georges
Spectacle de danse classique			Théâtre, comédie : « Le malade imaginaire »		
Spectacle de danse contemporaine			Concert de musique classique, Mozart		
Spectacle de hip-hop			Festival de musique : « Le printemps du Rock »		
Théâtre : « Bulle » *(à partir de 6 ans)*			Le Cirque Baretti		

b. **Vous avez vu des spectacles de l'activité a. Rédigez vos appréciations comme dans l'exemple.**

Exemple : *« Bulle » (+ ; adapté aux enfants)*
→ Ce qui était le plus adapté aux enfants c'était la pièce de théâtre « Bulle ».

1. Spectacle de danse classique (+ ; intéressant)

→ ....
....
....
....
....

2. Concert de musique classique (− ; apprécier)

→ ....
....
....
....
....

Mon score ...... /10

Nous pratiquons

❯ Les arts et les artistes

2. Classez les cours : *dessin*, guitare, danse classique, photographie, danse contemporaine, théâtre, piano, cirque, peinture.

Maison des Arts Les Lilas
Nos cours

Arts plastiques : *dessin*, ...

Spectacle vivant : ....

Musique : ....

3. 🎧75 Écoutez et écrivez la profession de chaque personne.

Exemple : *La dernière pièce que j'ai jouée était au Théâtre de l'Odéon.*

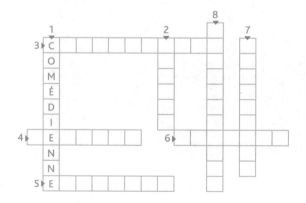

Le superlatif pour exprimer la supériorité ou l'infériorité

4. Complétez les phrases avec les éléments entre parenthèses.

Exemple : Intouchables *est le film français avec le succès* le plus important *(+ / important) à l'étranger.*

Top culturels **1.** Charles Cuisin est le peintre .... (– / connu) du Louvre.

2. Michel Houellebecq est l'auteur français .... (+ / traduit) dans le monde.

3. *L'Étranger* d'Albert Camus est .... (+ / bon) roman français.

4. Les écrivains sont les artistes qui .... (gagner / –).

5. Adele est la chanteuse .... (+ / bien payée) du Royaume-Uni.

6. Drake, le chanteur de hip-hop canadien, est l'artiste qui vend .... (+ d'albums).

5. À l'oral. **Comparez les pratiques culturelles de Mina et de Hugo avec « C'est… qui ».**

Exemple : *Lecture →* C'est *Mina* qui *lit le plus. /* C'est *Mina* qui *lit le plus de livres. /* C'est *Hugo* qui *lit le moins. /*
C'est *Hugo* qui *lit le moins de livres.*

	Mina	Hugo
Lecture	*lit un livre par semaine.*	*lit trois livres par an.*
Cinéma	va rarement au cinéma.	va souvent au cinéma.
Théâtre	a vu une très bonne pièce de théâtre cette année.	a vu une pièce de théâtre qui n'était pas très bonne cette année.
Exposition	a visité une petite exposition de peinture à la MJC* de son quartier.	a visité une grande exposition de peinture au Musée d'Orsay.
Concert	a dépensé 300 euros dans des billets de concerts l'année dernière.	a dépensé 100 euros dans des billets de concerts l'année dernière.
Pratique artistique personnelle	chante bien mais danse mal.	chante mal mais danse bien.

* MJC : Maison des Jeunes et de la Culture

Sons du français   **Les sons [y], [ø] et [u]**

6. a. 🎧76 **Écoutez les mots. Cochez si vous entendez [y].**

Exemple : m*u*sique ☒   1.☐   2.☐   3.☐   4.☐   5.☐   6.☐

b. 🎧77 **Écoutez les mots. Cochez si vous entendez [ø].**

Exemple : mi*eux* ☒   1.☐   2.☐   3.☐   4.☐   5.☐   6.☐

c. 🎧78 **Écoutez les mots. Cochez si vous entendez [u].**

Exemple : t*ou*risme ☒   1.☐   2.☐   3.☐   4.☐   5.☐   6.☐

Nous agissons

7. 🎧79 **Écoutez et répondez aux questions de votre amie.**

8. **Sur votre blog, écrivez le top 4 des sorties culturelles de votre ville.**

Mon top 4 des meilleures sorties culturelles de ma ville

1. *La plus insolite* ....

2. ....

3. ....

4. ....

9. **Les musées les plus fréquentés en France sont : le musée du Louvre, le Centre Georges Pompidou et le musée d'Orsay. Quels sont les musées les plus fréquentés de votre pays ?**

LEÇON 5 Vous aimez la BD ?

Comprendre un dialogue sur les BD

1. Faites les activités a et b. Vérifiez votre score p. 15 du livret.

a. 🎧▶80 **Écoutez et soulignez les questions entendues dans le dialogue.**

Exemple : *C'est une lecture pour tous les âges ?*

1. Vous connaissez le dessinateur ?

2. Vous avez lu cette BD ?

3. Comment avez-vous découvert *Aya* ?

4. De quoi parle cette bande dessinée ?

5. Il y a combien de livres dans cette série ?

6. Il y a plusieurs livres dans cette série ?

7. Et quand l'histoire commence-t-elle ?

8. Pourquoi êtes-vous surprise ?

9. Qui est l'illustrateur ?

10. Comment s'appelle le dessinateur ?

b. **Dites si les questions soulignées en partie a sont orales ou formelles.**

Questions orales : *exemple*, ...

Questions formelles : ....

Mon score ...... /10

Nous pratiquons

> **Les formes de l'interrogation pour poser des questions à l'écrit et à l'oral**

2. 🎧▶81 **Écoutez et indiquez le registre de chaque question.**

Registre familier : *exemple*, ...

Registre soutenu : ....

3. 🎧▶81 **Réécoutez et associez les questions à leur réponse.**

a) Oui, j'en lis régulièrement ! → *exemple*

b) Il a écrit 23 bandes dessinées. →...

c) Les lecteurs apprécient son style. →...

d) Je l'ai découvert dans un article de magazine. →.........................

e) Ça se passe dans un pays imaginaire. →...

f) Oui, je le connais depuis 3 ans. →...

g) Ce dessinateur vient de Suisse. →...

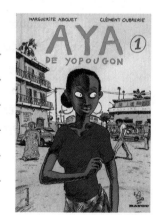

4. Rédigez les questions dans un registre soutenu.

– *Blake et Mortimer, est-ce votre bande dessinée préférée ?*

– Oui, c'est ma bande dessinée préférée.

– ....

– Les personnages s'appellent Blake et Mortimer.

– ....

– Parce que les dialogues sont très bien écrits, et les aventures toujours originales.

– ....

– J'ai découvert cette BD il y a deux ans.

– ....

– Oui, l'auteur a écrit beaucoup de livres : 12 !

– ....

– Il vient de Belgique.

– ....

– Oui, j'ai vu l'adaptation télévisée.

5. Formez des questions de style écrit avec les éléments proposés. Ajoutez les traits d'union si nécessaire.

Exemple : *il / le dessinateur / s'appelle / comment / t ? → Comment le dessinateur s'appelle-t-il ?*

1. un pays spécial / la France / pour les BD / elle / est ? → ....

2. pourquoi / a / il / deux auteurs / t / y ? → ....

3. le dessinateur / comment / il / le nom des personnages / choisit ? → ....

4. rencontrer / vous / quand / le scénariste / allez ? → ....

5. cette série de BD / remporté / combien de fois / t / un prix / a / elle ? → ....

....

6. elles / les BD / votre genre de lecture préféré / sont ? → ....

6. a. Par deux. À l'écrit, préparez quatre questions pour connaître les livres préférés de votre camarade.

Exemple : *Quels livres préfères-tu ?*

b. À l'oral. Posez vos questions et répondez à tour de rôle.

Exemples : *A. Quels livres préfères-tu ? → B. Je préfère les livres fantastiques.*

Nous agissons

7. Rédigez vos questions sur le festival du livre francophone organisé par cette librairie.

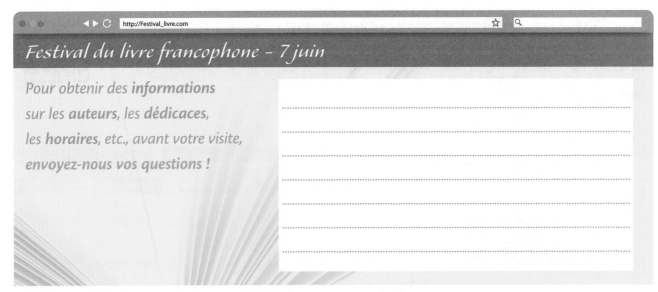

8. 🎧82 Écoutez votre professeur et répondez.

9. En français, la différence entre l'oral et l'écrit est importante (registre familier et registre soutenu). Quels changements avez-vous dans votre langue ?

LEÇON 6 Quel cirque !

Comprendre les critiques d'un spectacle et exprimer des conseils et des souhaits

1. Faites les activités a, b et c. Vérifiez votre score p. 15 du livret.

BILLETREDUC

c o m p a g n i e
Les **7 doigts de la Main**
RÉVERSIBLE

Pierre2890 : Nous étions avec notre fils de 9 ans et nous avons tous les trois adoré ! C'est beau, drôle, original… Ils viennent de l'école de cirque de Montréal, une très grande école ! Et c'est plus que du cirque : la musique, la danse et le théâtre sont aussi dans le spectacle. C'est vraiment moderne !!! Waouhhh. Vous devriez acheter vos places rapidement.

Lulu-au-cirque : Comme à chaque fois, la compagnie « Les 7 doigts de la Main » nous offre un spectacle magnifique. J'aimerais voir plus de spectacles comme ça !

Mauricio : Je les ai vus à Montréal et je suis prêt à les revoir à Paris ! Les 7 artistes de la troupe sont incroyables, ils mélangent les différents arts et jouent avec nos sentiments : joie, tristesse, surprise… Je rêverais de voir d'autres spectacles de cette troupe ! :-) Il faudrait parler d'eux plus souvent dans la presse.

a. Lisez les critiques. Cochez les mots qui correspondent au spectacle.

☐ familial   ☐ amusant   ☐ beau
☐ traditionnel   ☐ moderne   ☐ ennuyeux
☐ différent   ☐ classique   ☐ créateur d'émotions

b. Relisez et relevez deux conseils et deux souhaits.

Conseils : **1.** ....

2. ....

Souhaits : **1.** ....

2. ....

c. Vous rédigez un conseil et un souhait pour la compagnie *Les 7 doigts de la Main* avec les éléments suivants.

Conseil : organiser un spectacle en collaboration avec le Cirque du Soleil

....

Souhait : voir des spectacles comme ça dans mon pays

....

Mon score ...... /10

❯ Les spectacles

2. Entourez les mots du domaine des arts vivants.

(Spectacle) Troupe Musée Comédien Livre Tournée Tableau
Public Exposition Peinture Sportif Compagnie Écrivain Spectateurs Cirque

3. Complétez l'affiche avec des mots de l'activité 2. Plusieurs réponses sont possibles.

La ....
Cirkör est en .... dans toute **la France**
avec son dernier .... de .... « **Trix** ».
Une .... de **50 artistes**.
Un **succès international** avec déjà plus de **50 000** .... !

> ❯ Le conditionnel présent pour exprimer un souhait et donner un conseil

4. 🎧▶83 Écoutez. Indiquez si les personnes expriment un conseil ou un souhait.

	Exemple	1	2	3	4	5	6
Conseil							
Souhait	✗						

5. Complétez les dialogues avec les verbes au conditionnel.

1. – J'(aimer) *aimerais* voir le dernier spectacle du Cirque du Soleil.

   – Tu (devoir) .... lire ce magazine culturel. Il y a la critique de leur dernier spectacle.

2. – Il (falloir) .... programmer plus de films francophones.

   – Vous (souhaiter) .... voir quels films ?

3. – Nous (vouloir) .... nous inscrire à un cours de théâtre.

   – Vous (devoir) .... vous renseigner au cours Florent.

4. – Mes parents (rêver) .... d'aller à la Fête des Lumières à Lyon.

   – Tu (pouvoir) .... leur offrir un voyage à Lyon.

> ❯ Sons du français   **La prononciation à l'imparfait et au conditionnel**

6. 🎧▶84 Écoutez et indiquez si vous entendez l'imparfait ou le conditionnel présent.

Exemple : *Je* <u>*souhaitais*</u> *vraiment aller à ce spectacle.*

	Exemple	1	2	3	4	5	6
Imparfait	✗						
Conditionnel présent							

Nous agissons

7. 🎧▶85 Vous voulez acheter deux billets pour un spectacle à la Maison de la Danse. Lisez le programme. Écoutez et répondez à la personne de l'accueil.

CIRQUE **Cirkopolis** (Compagnie Cirque Eloize) du 1er au 15 mars

DANSE **Pixel** (Chorégraphe : Mourad Merzouki) du 16 et 31 mars

8. Lisez le message et répondez.

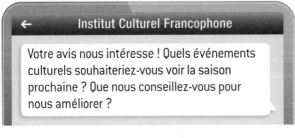

← Institut Culturel Francophone

Votre avis nous intéresse ! Quels événements culturels souhaiteriez-vous voir la saison prochaine ? Que nous conseillez-vous pour nous améliorer ?

9. a. Associez chaque expression à sa signification.

a. Faire son numéro.   •

b. Quel cirque !   •

c. Faire le clown.   •

•   1. Vouloir faire rire les autres.

•   2. Se donner en spectacle.

•   3. Quel désordre !

b. Avez-vous les mêmes expressions dans votre langue ? Avez-vous d'autres expressions sur le thème du cirque ?

Nous échangeons sur nos pratiques culturelles

Compréhension orale

1 🎧 ▸86 **Vous écoutez la radio et entendez cette annonce.**

1. Quel est, d'après le journaliste, le concept du spectacle *Les Franglaises* ?

....

2. Que pense le journaliste du spectacle *Les Franglaises* ? (Donnez deux adjectifs)

   a. ....   **b.** ....

3. Qu'est-ce que les spectateurs doivent deviner pendant le spectacle ?

....

4. Dans le groupe *Les Franglaises,* il y a…

   a. 4 filles et 4 garçons.

   b. seulement des filles.

   c. plus de garçons que de filles.

5. D'après le journaliste, comment est la mise en scène ?

....

6. Quel jour et à quelle heure a lieu le spectacle *Les Franglaises* ?

....

Production écrite

2 **Vous écrivez un e-mail à Stephen, un de vos amis francophones, pour lui proposer d'assister au spectacle *Les Franglaises*.**
Vous expliquez le concept du spectacle et lui indiquez quand et où aura lieu le spectacle.
Vous lui proposez un rendez-vous avant d'aller au spectacle. (60 mots minimum)

....

....

....

....

....

Production orale

3 **Vous rencontrez un de vos amis francophones. Vous lui racontez la soirée que vous avez passée avec votre ami Stephen et décrivez le spectacle que vous avez vu ensemble. (2 minutes minimum)**

4 Vous lisez un article sur Internet et découvrez ce qu'est la Fête du cinéma.

---

http://fete_cinema.com

La Fête du cinéma

C'est devenu **une tradition**, **la Fête du cinéma** est organisée partout en France pendant un week-end. **Les films sont au tarif unique** de **4 euros** (sauf les séances en 3D qui coûtent quelques euros de plus).

Chaque année, **La Fête du cinéma**, qui a été créée en 1985 par Jack Lang, alors ministre de la Culture, se déroule au mois de juin, quelques jours après le début de l'été. Cette fête est organisée par la Fédération nationale des cinémas français (FNCF) et a pour objectif de faire découvrir à tous le cinéma, et particulièrement aux plus jeunes.

La Fête du cinéma ne se déroule pas seulement dans les salles : de nombreuses animations sont proposées au public, comme des balades, des ateliers ou des débats, car l'esprit d'origine de la Fête, c'est, bien sûr, la fréquentation des salles, mais aussi, des rencontres et des échanges autour de la culture.

---

1. Combien de temps dure la Fête du cinéma en France ?

....

2. Quel est le prix d'une place de cinéma pendant la Fête ?

....

3. Complétez le tableau suivant :

Date de création	
Auteur	
Organisateur	

4. Quels types d'activités sur le thème du cinéma sont organisés ?

....

5. Pour quelles raisons la Fête du cinéma ne se limite pas à la projection de films ?

....

Nous nous évaluons

Caractériser des personnes

1. Faites les activités a et b. Vérifiez votre score p. 16 du livret.

a. 🎧▸87 Écoutez les témoignages et associez chaque personne à ses caractéristiques.

1. Jorgen   2. Juan   3. Carolina   4. Marlène

b. Rédigez les présentations de Matthew et Rosina. Utilisez : c'est quelqu'un qui, c'est une personne qui, c'est un homme qui, c'est une femme qui.

Matthew
→ pessimiste
→ adore regarder le foot
→ n'aime pas les films romantiques

Rosina
→ sourit toujours
→ aime discuter pendant des heures
→ voyage souvent

Exemple : *Matthew, c'est quelqu'un qui est pessimiste.*

....

....

....

....

....

....

Mon score ..... /10

Nous pratiquons

> ## Les mots et expressions pour caractériser des personnes

2. Décrivez en une phrase les personnes avec les expressions suivantes : *être sportif*, se plaindre, être nerveux, être élégant, savoir présenter ses idées, être cultivé.

A. Exemple : *Elle est sportive.*

B. ....

C. ....

D. ....

E. ....

F. ....

Les structures pour caractériser des personnes et des choses

3. a. 🎧))88 Écoutez Lisa et classez ses impressions dans le tableau.

	Exemple	1	2	3	4	5	6
Idées positives	X						
Idées négatives							

b. Complétez les phrases avec « c'est » ou « ce sont ».

1. Lisa dit que les Français, ... des personnes qui ne sont pas parfaites.

2. Les Australiens, ... des gens qui se plaignent moins que les Français.

3. Pour les Australiens, les Français, ... des personnes agressives et toujours de mauvaise humeur.

4. Pour Lisa, l'Australien, ... quelqu'un qui ne sait pas cuisiner.

5. Les Français et les Australiens, ... des gens qui sont très différents.

6. Lisa, ... une femme qui aime les Français et les Australiens.

4. Mettez les phrases dans l'ordre.

1. des personnes / Je / que / très / les Français, / ce sont / pense / cultivées. → ....

....

2. c'est / de sport. / je / ne fait pas / Moi, / que / le Français, / quelqu'un / pense / qui → ....

....

3. quelqu'un / le sens de l'écoute. / a / c'est / qui / Mon frère, → ....

4. qui / c'est / Eleanor, / parfaitement cuisiner. / une femme / sait → ....

5. Justin et Antoine, / deux hommes / sont / pessimistes. / toujours / ce sont / qui → ....

....

6. peut rapidement / c'est / conseiller. / Le vendeur parfait, / qui / me / quelqu'un → ....

....

5. À l'oral. **À tour de rôle, faites deviner une profession ou une personne à votre camarade de classe.**

Exemples : *A. C'est quelqu'un qui m'apporte mon plat au restaurant → B. C'est un serveur.*

B. C'est quelqu'un qui fait visiter les monuments. → A. C'est un(e) guide.

Sons du français   **Les sons [f], [v] et [b]**

6. 🎧))89 Écoutez et indiquez si vous entendez les consonnes [f], [v] ou [b]. Répétez les phrases.

Exemple : *C'est un Français heureux.*

	Exemple	1	2	3	4	5	6	7	8
[f]	X								
[v]									
[b]									

Nous agissons

7. Répondez à cet article en ligne.

> **Les francophones connectés**   **Envoyez votre témoignage**
>
> Le/la meilleur(e) ami(e), c'est une personne qui est très importante. Mais pour vous, c'est quoi un meilleur ami ? Et l'amitié, c'est quoi pour vous ? Envoyez-nous votre témoignage ! Merci !

8. 🎧))90 Écoutez votre ami et répondez.

Nous nous évaluons

Rapporter des propos

1. Lisez le mail de Myriam et faites les activités a et b.
Vérifiez votre score p. 16 du livret.

> De : myriam88@hotmail.com
> À : sam_dubois@gmail.com
>
> Salut Sam !
> Tu vas bien ? Tu communiques moins souvent depuis que tu es parti au Portugal 🙁...
> Moi, j'ai repris les cours à la fac de Milan.
> Et toi, raconte-moi tout ! Comment est la ville ? Tu fais quoi les week-ends ?
> Tu as rencontré d'autres étudiants ? Quand commences-tu les cours à la fac ?
> Bises. Myriam

a. Cochez la bonne réponse.

1. Pourquoi Myriam écrit à Sam ?
☐ Pour prendre des nouvelles.
☐ Pour obtenir des informations touristiques.
☐ Pour lui parler de ses vacances.

2. Que fait-elle en ce moment ?
☐ Elle est en vacances.
☐ Elle étudie.
☐ Elle s'inscrit à l'université.

3. Pourquoi est-il au Portugal ?
☐ Pour travailler.
☐ Pour les vacances.
☐ Pour ses études.

b. Rapportez les phrases du mail de Myriam comme dans l'exemple. Utilisez : dire, demander et reprocher.

Exemple : Tu vas bien ? → Myriam demande à Sam s'il va bien.

1. Tu communiques moins souvent depuis que tu es parti au Portugal. → ....

2. Moi, j'ai repris les cours à la fac de Milan. → ....

3. Et toi, raconte-moi tout ! → ....

4. Comment est la ville ? → ....

5. Tu fais quoi les week-ends ? → ....

6. Tu as rencontré d'autres étudiants ? → ....

7. Quand commences-tu les cours à la fac ? → ....

Mon score ...... /10

Nous pratiquons

❯ Les examens

2. 🎧▶91 Écoutez les définitions et écrivez les mots.

Grille de mots croisés :
- 6▶ É _ _ _ _ A _ _ _
- 3 ▼ E
- 1 ▼ A
- 4▶ D _ _ _ _
- 2▶ E _ _ _ _ _
- 5▶ E _ _ _ _ _ _ D _ _ _ _

❯ Le discours indirect au présent pour rapporter des propos

3. Lisez le dialogue entre un professeur (P) et ses étudiants (E). Écrivez les phrases au discours indirect.

Exemple : P : Je vais répondre à vos questions. → Le professeur dit aux étudiants qu'il va répondre à leurs questions.

E : Comment pouvons-nous faire pour bien se préparer à l'examen ?

Les étudiants lui demandent ....

P : Entraînez-vous ! Il y a beaucoup de livres d'exercices.

Il leur conseille .... et il leur explique ....

E : Que devons-nous faire si nous ne comprenons pas un mot ?

Ils lui demandent ....

P : Ne stressez pas et essayez de comprendre le mot dans son contexte.

Il leur dit .... et il leur propose ....

4. Complétez l'article avec : *demander* (x2), répondre, dire, expliquer, proposer, reprocher. Utilisez tous les verbes.

> ### Comment les étudiants et les profs vivent les examens ?
>
> **P**arfois, on se *demande* si c'est l'étudiant ou le prof qui est le plus stressé. À cette question, les étudiants
> .... (1) que les examens sont stressants pour eux. Les profs .... (2)
> qu'ils s'inquiètent pour leurs élèves... Ils .... (3) aux étudiants de ne pas assez se préparer.
> Donc les étudiants .... (4) aux profs ce qu'ils doivent faire pour progresser ! Notre psychologue
> .... (5) une solution aux étudiants : rencontrer les profs avant le jour J pour parler de leurs peurs.
> Elle .... (6) que cette rencontre peut aider les étudiants et les profs à se sentir mieux.

5. Entourez la proposition correcte.

a. Le professeur demande aux élèves : « Vous avez fait vos exercices ? Combien de temps avez-vous mis ? »

1. Le professeur (leur)/vous demande s'ils/si vous ont fait leurs/vos exercices.

2. Il vous/leur demande combien de temps ils/vous ont mis.

b. Nous demandons à l'examinateur : « Quand commençons-nous notre examen ? Voulez-vous notre pièce d'identité ? »

1. Nous nous/lui demandons quand nous/il commençons son/notre examen.

2. Nous nous/lui demandons s'il/si nous veut notre/sa pièce d'identité.

6. À l'oral. **Lisez les phrases et transformez-les au discours direct. Attention à l'intonation !**

Exemple : *Marta demande à Luc ce qu'il fera pendant les vacances.* → « *Que feras-tu pendant les vacances ?* »

1. Elle lui demande s'il est content de partir.

2. Elle lui demande de lui envoyer une carte postale.

3. Elle lui demande combien de temps il va partir.

4. Elle lui dit qu'il a de la chance.

5. Il lui demande pourquoi elle ne vient pas avec lui.

6. Elle lui explique qu'elle doit préparer son examen.

Nous agissons

7. 🎧 ▶92 **Écoutez votre ami Albert au téléphone et répondez-lui.**

8. **Lisez le mail de John et les informations sur l'épreuve de production orale du TCF. Répondez.**

> Salut tout le monde !
> Je vais bientôt passer le TCF. Pouvez-vous m'expliquer comment se passe l'épreuve de production orale ? Que va me demander l'examinateur ? Que dois-je dire exactement ? Et si je ne comprends pas une question, je fais quoi ?
> Merci pour votre aide ! John

> **Épreuve d'expression orale du TCF**
> (Test de Connaissance du Français)
>
> **3 activités avec un examinateur :** un entretien dirigé (ex. : Pouvez-vous vous présenter ?) ; un exercice en interaction (ex. : Vous voulez faire une sortie culturelle, demandez-moi des conseils) ; une activité où on exprime son opinion (ex. : À votre avis, qu'est-ce qu'un pays agréable à vivre ?). **Durée : 12 minutes**

LEÇON 3 D'accord, pas d'accord !

Exprimer son avis

1. Faites les activités a et b. Vérifiez votre score p. 17 du livret.

a. 🎧▸93 Écoutez l'enquête sur le projet de tramway à Nice. Associez les personnes avec les opinions et les arguments.

a. Je suis d'accord.

b. *Je ne suis pas d'accord.*

c. Je suis en partie d'accord.

1. *La femme âgée*
2. L'homme
3. La jeune femme

d. Les habitants sont fiers de leur Promenade au bord de la mer.

e. *L'apparence du tramway est un problème.*

f. Les habitants ont besoin de ce moyen de transport.

g. Il y a de la place sur la Promenade.

h. Certaines personnes ont peur du tramway.

b. Rédigez les arguments des personnes interrogées dans la partie a (phrases d, e, f, g, h).
Utilisez les pronoms « dont » et « où ».

1. La Promenade des Anglais, c'est un lieu : → **d.** *dont les habitants sont fiers.*

g. ....

2. Le futur tramway à Nice, c'est un projet :

e. ....

f. ....

h. ....

Mon score ...... /10

Exprimer son accord ou son désaccord

2. a. 🎧▸94 Écoutez et indiquez de quel projet les personnes parlent.

Interdiction des voitures en ville

exemple

....

Ouverture des bibliothèques jusqu'à minuit

....

b. 🎧▸94 Réécoutez et indiquez si les personnes sont pour ou contre les projets.

exemple

....

....

....

....

3. Complétez le dialogue sur le travail le dimanche avec : *être en partie d'accord*, être d'accord, ne pas être d'accord, avoir raison, partager l'avis, ne pas partager votre avis, ne pas être du même avis.

– Travailler le dimanche ? Il y a des points positifs et des points négatifs : *je suis en partie d'accord avec vous.*

– C'est une proposition importante pour l'économie, je .... (1) du gouvernement !

– Ce que vous dites est vrai : vous .... (2). Mais je .... (3)

que vous car le dimanche, on doit se reposer.

– Non, je .... (4) parce que beaucoup de personnes n'ont pas de temps libre

la semaine. Je .... (5) avec la fermeture de tous les magasins le dimanche.

– .... (6) avec vous, mais on doit être libre de travailler le dimanche ou pas !

❥ Les pronoms relatifs *où* et *dont* pour donner des précisions

4. Entourez le pronom relatif qui convient.

La salle municipale de Valberg, c'est le lieu où/dont la ville organise ses réunions. C'est aussi un espace où/dont les habitants ont besoin pour des célébrations familiales. C'est l'endroit où/dont on présente les spectacles des écoles, où/dont on expose des artistes. Le projet où/dont on parle, c'est la création d'une nouvelle salle pour les spectacles où/dont on fera des concerts et des pièces de théâtre. Cette nouvelle construction, c'est un projet où/dont on a besoin !

5. Présentez ces personnes et le pays de leurs rêves comme dans l'exemple. Utilisez : qui, que, dont, où.

Louis (le fils) : Il est cuisinier. Ses amis l'apprécient beaucoup. Le succès du restaurant « L'Adresse » dépend de lui.

1. *Louis, c'est un jeune homme qui est cuisinier. C'est quelqu'un que ses amis apprécient beaucoup et* ....
....
....

Michel (le père) : Il travaille dans un café. Louis est proche de lui. Ses petits-enfants l'adorent.

2. Michel, c'est un homme…
....
....

Le Sri Lanka : Louis et Michel admirent ce pays. Ils ne sont jamais allés dans ce pays. Michel rêve de ce pays depuis longtemps !

3. Le Sri Lanka, c'est un pays…
....

6. À l'oral. À tour de rôle, posez des questions sur les lieux où vous sortez le week-end et sur vos activités.

Exemples : *A. Quel est le lieu où tu sors le week-end en général ? → B. Je vais souvent au cinéma.*
B. Quel est le meilleur film dont tu te souviens ? → A. Je me souviens du film « Rock n'Roll ».

Nous agissons

7. Répondez à cette enquête de la mairie.

Ma ville hebdo

L'année prochaine, la ville va transformer les parcs dans le centre-ville et construire des nouveaux équipements sportifs. Quel est votre parc préféré ? Quelles activités y faites-vous ? De quels équipements sportifs avez-vous envie ou besoin ? Merci pour vos réponses !

....
....
....
....
....

8. 🎧 H 95 Écoutez votre amie et répondez.

9. Dans votre pays, est-ce qu'on fait souvent des débats comme en France ? Sur quels sujets ? Avec quelles personnes ?

LEÇON 4 Vivre ensemble

Comprendre et donner une opinion sur les relations familiales

1. Faites les activités a et b. Vérifiez votre score p. 18 du livret.

a. 🎧 ▶96 **Écoutez et cochez si les affirmations sont vraies ou fausses.**

Exemple : Dans les familles intergénérationnelles, il y a des personnes d'âges différents. ☒ Vrai ☐ Faux

1. Ces familles sont très fréquentes. ☐ Vrai ☐ Faux

2. Il y a toujours des conflits dans ces familles. ☐ Vrai ☐ Faux

3. Quand on n'a pas le même âge, on ne veut pas les mêmes choses. ☐ Vrai ☐ Faux

4. On ne partage rien dans ces familles. ☐ Vrai ☐ Faux

5. La solution, c'est de respecter chacun et de garder des moments personnels. ☐ Vrai ☐ Faux

b. **Won vient de Chine et pense que les familles intergénérationnelles fonctionnent bien. Rédigez son opinion avec : *il me semble que (phrase exemple)*, à mon avis (phrase 1), je crois que (phrase 2), j'ai remarqué que (phrase 3), je pense que (phrase 4), pour moi (phrase 5).**

Exemple : Le modèle de vie intergénérationnel :

       est très fréquent en Chine

       → Il me semble que le modèle de vie intergénérationnel est très fréquent en Chine.

1. permet de se sentir moins seul → ....

2. fixe les règles de vie en société → ....

3. offre une meilleure vie aux personnes âgées → ....

4. peut apprendre beaucoup de choses aux enfants → ....

5. devrait être international ! → ....

Mon score ...... /10

Les relations entre les personnes

2. Classez les règles de la vie en colocation : *respecter les besoins des autres*, faire preuve d'individualisme, être égoïste, ranger ses affaires, partager les dépenses, être radin, écouter de la musique très fort, faire un planning pour le ménage, ne pas communiquer, dialoguer en cas de conflit, être amical, ne pas payer les dépenses communes.

À faire : *respecter les besoins des autres*, ...

....

À ne pas faire : ....

....

3. a. 🎧 ▶97 **Écoutez les témoignages et cochez.**

	Exemple	1	2	3	4	5	6
Vit seul(e)							
Vit en colocation	✗						

b. 🎧 ▶97 **Réécoutez et classez les témoignages.**

Témoignages positifs 🙂 : *exemple*, ...

Témoignages négatifs 🙁 : ....

❯ Demander et donner un avis

4. Mettez les phrases dans l'ordre pour retrouver les questions et les réponses.

Exemple : *vous – pensez – dans notre entreprise – qu'est-ce que – des relations humaines*

→ *Qu'est-ce que vous pensez des relations humaines dans notre entreprise ?*

1. moi, – elles – pour – sont correctes → ....

2. sur – votre opinion – le restaurant d'entreprise – quelle – est

→ .... ?

3. trouve – est – la nourriture – je – que – très bonne → ....

4. donner – sur – pouvez-vous – nous – votre avis – le bâtiment

→ .... ?

5. sont – que – pense – je – ne – les équipements – modernes – pas assez

→ ....

6. pour améliorer – que – à votre avis, – doit-on faire – la vie des employés

→ .... ?

7. me – il – que – beaucoup d'activités conviviales – semble – vous ne proposez pas – pour les employés

→ ....

5. À l'oral. À tour de rôle, demandez l'avis de votre camarade sur les sujets ci-dessous. Utilisez une structure différente à chaque fois : à ton avis, je peux avoir ton avis sur, quelle est ton opinion sur, que penses-tu de.

Exemple : *Les études à l'étranger → Que penses-tu des études à l'étranger ?*

1. Différences entre vivre en ville et à la campagne

2. La vie dans un appartement / la vie dans une maison

3. La location / l'achat d'un logement

4. Vivre avec sa famille / vivre seul

❯ Sons du français L'enchaînement consonantique

6. 🎧H98 Écoutez et indiquez si vous entendez un enchaînement consonantique (passage d'une consonne finale prononcée avec le mot suivant qui commence par une voyelle).
Dites quelle consonne est enchaînée. Répétez les phrases.

Exemple : *Ils habitent ensemble depuis deux ans.* → OUI – c'est la consonne [t]

	Exemple	1	2	3	4	5	6
oui	x consonne [t]						
non							

Nous agissons

7. 🎧H99 Vous passez quelques mois en France et vous discutez avec vos nouveaux colocataires. Écoutez et répondez à leurs questions.

8. Lisez le message et répondez.

appartager.com
. . . .

Salut ! J'ai un problème : la petite amie de mon colocataire vit avec nous depuis 2 mois… Mais elle ne partage pas les dépenses ! J'aime bien mon coloc mais j'ai peur du conflit. Que dois-je faire ? J'attends vos conseils… Merci !

9. En France, en général, les grands-parents ne vivent pas avec leurs enfants et leurs petits-enfants. Comparez avec les familles dans votre pays.

Nous nous évaluons

Comprendre des informations et convaincre

1. Faites les activités a et b. Vérifiez votre score p. 18 du livret.

a. 🎧))100 **Écoutez et soulignez la bonne réponse.**

1. Adèle cherche un cours de français / _un club de sport_.

2. Elle a choisi le centre culturel / le club francophone.

3. Sandra est d'accord avec le choix d'Adèle / Sandra n'est pas d'accord avec le choix d'Adèle.

4. Sandra est intéressée par la samba / les cours de français.

5. L'école de samba est celle que Sandra a choisie. / Sandra n'a pas encore choisi d'école.

6. Adèle a recommandé une école de samba à Sandra / Adèle ne connaît pas la samba.

b. **Complétez le message d'Adèle à son mari avec les pronoms démonstratifs (celui, celle, ceux, celles).**

| De : | Adèle |
| À : | Lucas |

Mon chéri, j'ai choisi un club de sport. J'ai envie de m'inscrire à _celui_ qui est francophone ! J'ai suivi les conseils d'une copine, ... que tu as rencontrée samedi (1). Mais j'aimerais aussi recommencer des cours de danse, ... de l'école de samba (2) ou .... d'une autre école (3). Qu'est-ce que tu en penses ? Parmi tous les sports, c'est .... qui est le plus typique ici (4) ! Tu peux demander l'avis de tes collègues, ... qui sont brésiliennes (5) ? Merci, à ce soir ! bisous !

Mon score ...... /10

Nous pratiquons

> **Présenter une association**

2. Complétez cette publicité avec :
– Et en plus
– vous ne le regretterez pas
– Et ce n'est pas tout
– vous vous rendez compte
– à ne pas manquer
– Il y a même.

Naturelauto est fier de vous présenter la voiture la plus écologique au monde ! Elle roule uniquement à l'électricité, ... ? .... , elle transforme le soleil et le vent en énergie. .... !

Si vous habitez un pays où il pleut beaucoup, elle garde l'eau dans ses portes et se nettoie toute seule avec la pluie quand elle est sale ! ....

des prises pour charger vos appareils électroniques.

Venez essayer cette voiture,

....!

C'est une nouveauté

....

....!

Les pronoms démonstratifs pour désigner et donner des précisions

3. Soulignez le pronom démonstratif qui convient.

Comment choisir parmi les compagnies de téléphone celles/*celle* qui est adaptée à vos besoins ?
Regardez bien les pays d'appel et choisissez celles/ceux qui vous intéressent. Attention au prix ! Est-ce
que c'est ceux/celui de chaque minute ou ceux/celui de chaque communication ? Lisez bien les conditions,
ce sont celle/celles qui précisent combien de temps vous serez client. Soyez attentif à la connexion, car
une connexion basse est moins chère, mais ce n'est pas celles/celle qui est la plus efficace ! Si vous hésitez
entre deux compagnies, lisez les avis des clients et choisissez celle/celui qui vous semble la plus sérieuse.

4. Complétez avec les pronoms relatifs qui/que ou les prépositions de/des.

Mon association propose d'organiser des lectures aux enfants le mercredi après-midi. Nous choisissons parmi
les histoires de la bibliothèque celles .... (1) sont les plus adaptées. Celles .... (2) les enfants préfèrent
sont les histoires qui font peur. Et aussi celles .... (3) la bibliothécaire ! Ensuite, on demande aux enfants
d'écrire une courte histoire. Celles .... (4) enfants de 7-8 ans sont lues à 17 h et celles .... (5) plus grands
sont affichées à l'entrée de la bibliothèque. Et ce n'est pas tout ! Les parents viennent lire les récits affichés.
Ceux .... (6) le souhaitent peuvent prendre des photos.

5. À l'oral. **À tour de rôle, posez des questions sur les activités préférées de votre camarade de classe.
Il répond avec un pronom démonstratif.**

Exemple : *A. Quelles sont tes activités préférées ? → B. Celles de mon club de sport.*
         B. Quel est ton sport préféré ? → A. Celui que les Français préfèrent : le football !

Sons du français   L'intonation expressive pour convaincre

6. 🎧 H101 **Écoutez et indiquez si quand vous entendez une phrase prononcée avec enthousiasme ou
sans enthousiasme. Répétez les phrases.**

Exemple : *Quelle formidable soirée !*

	Exemple	1	2	3	4	5	6
Avec enthousiasme	✗						
Sans enthousiasme							

Nous agissons

7. Lisez le message de votre collègue et répondez.

Objet : notre création d'association

Bonjour !
Pourrais-tu rédiger la rubrique « Qui sommes-nous ? »
de notre future association qui financera des stages
en France, s'il te plaît ? Je compte sur toi, on discutera
de ta proposition vendredi à 16 h !
Merci, à demain !

....

....

....

....

....

....

8. 🎧 H102 **Écoutez votre ami et répondez.**

LEÇON 6 On y va !

Parler d'une expérience et décrire son état d'esprit

1. 🎧103 Écoutez les deux témoignages et faites les activités a et b. Vérifiez votre score p. 19 du livret.

a. Indiquez si les activités d'Iwan et de Chris sont au passé, au présent ou au futur.

	Iwan			Chris		
	Passé	Présent	Futur	Passé	Présent	Futur
Commencer un nouveau un travail						
S'inscrire à un cours de sport						
Rencontrer de nouvelles personnes						
S'adapter à la ville						

b. 🎧103 Réécoutez et complétez les phrases avec le présent continu, le passé récent ou le futur proche.

1. Iwan .... s'habituer à sa nouvelle vie. Il .... se sentir chez lui à Paris.

2. Chris .... s'inscrire à un cours de sport. Il .... commencer un travail dans la vente.

3. Ces deux hommes .... quitter leur ville. Ils .... faire de nouvelles rencontres.

Mon score ..../10

❯ **L'état d'esprit**

2. 🎧104 Écoutez et indiquez le sentiment de chaque personne.

Exemple : *la peur, l'inquiétude*

1. ....
2. ....
3. ....
4. ....
5. ....
6. ....

❯ **Le futur proche et le passé récent (rappel)**

3. Écrivez des phrases comme dans l'exemple.

Exemple : *(Je) Faire les courses / Cuisiner un plat traditionnel du Burkina*
→ *Je viens de faire les courses. Je vais cuisiner un plat traditionnel du Burkina.*

1. (les bénévoles) arriver / (l'ambassadeur) les recevoir

→ ....

2. (l'association Ensemble) terminer un projet / (elle) organiser une conférence

→ ....

3. (tu) faire un long voyage / (tu) te reposer

→ ....

4. (vous) trouver un logement en colocation / (vos colocataires) préparer une fête de bienvenue

→ ....

5. (je) recevoir la confirmation / (je) partir étudier aux États-Unis

→ ....

6. (nous) quitter l'aéroport en taxi / (nous) arriver dans 10 minutes

→ ....

4. Lisez les notes de Sekou. Rédigez la suite de son blog.

1er septembre :
- arriver en France (événement récent) ;
- sentiments et émotions : stress et excitation ;
- découvrir une nouvelle culture (action en cours).

2 septembre :
- trouver une colocation (événement récent) ;
- sentiments et émotions : heureux, pas stressé.

3 septembre :
- m'habituer à ma nouvelle vie (action en cours) ;
- rencontrer mes collègues et participer à une réunion (demain).

http://leblogdesekou.com

Sekou en France ▸ Suivez-moi pendant mon stage au Festival du Film Francophone d'Angoulême

1er septembre : Je viens d'arriver en France. Je ressens du stress et de l'excitation. Je suis en train de découvrir une nouvelle culture.

2 septembre : ....

....

....

3 septembre : ....

....

....

❯ Le présent continu pour parler d'une action en cours

5. Écrivez les verbes entre parenthèses au présent continu.

– Vous *êtes en train d'écouter* (écouter) France Bleue. Bienvenue dans notre émission « Projets du cœur ». Aujourd'hui, j'accueille Julian et Estelle qui .... (travailler) sur un grand projet.

– Notre association .... (créer) un programme artistique pour les personnes qui n'ont pas l'occasion de pratiquer des activités artistiques.

– Pendant que toi, Julian, tu .... (chercher) des financements, toi, Estelle, tu .... (organiser) les formations pour les bénévoles, c'est ça ?

– Oui, tout à fait. Et comme je suis psychologue, je .... (réaliser) un atelier d'expression par le théâtre également. Julian qui est photographe s'occupera de la partie création. Maintenant, nous .... (chercher) des bénévoles. Devenez membre !

❯ Futur proche, passé récent et présent continu

6. À l'oral. Lisez les informations et formulez les événements.

(Il y a 5 minutes) : Exemple : *recevoir un appel téléphonique – Je viens de recevoir un appel téléphonique.*
1. parler avec la responsable de l'association « Le sport pour tous » – **2.** avoir la confirmation de mon stage
(Maintenant) : **3.** écrire des SMS pour annoncer la bonne nouvelle – **4.** chercher un logement pour mon séjour
(Pendant mon stage) : **5.** animer des formations pour les bénévoles – **6.** écrire la lettre d'information

Nous agissons

7. 🎧 ▸105 Votre amie Laura vous téléphone. Écoutez et répondez.

8. Lisez le message et répondez.

leforumexpat.com

Léo 97 > Je viens d'apprendre que mon stage au Sénégal est confirmé ! Bonne nouvelle… 🙂 Mais je pars dans une semaine. Alors je vous laisse imaginer mes émotions : peur et joie en même temps. Avez-vous vécu une expérience comme cela ? Ou connaissez-vous des gens qui se sont installés dans ce pays ? Comment ça s'est passé ? Comment lutter contre le stress ? J'attends vos témoignages ! Merci.

9. Aujourd'hui, 13 millions de Français ont une activité bénévole. Les domaines les plus importants sont ceux du sport, de la culture et des loisirs. Comparez avec votre pays.

Vivons ensemble !

Compréhension orale

1 🎧▶106 **Vous entendez la conversation entre Tom et Manuela, deux amis de votre cours de langue.**

1. Manuela…

    a. doit encore passer une épreuve DELF.

    b. a obtenu les résultats de ses épreuves DELF.

    c. pense avoir réussi toutes les épreuves du DELF.

2. D'après Manuela, que fait-on pendant l'épreuve individuelle ?

A ☐   B ☐   C ☐

3. Comment Manuela a-t-elle trouvé les épreuves collectives ?

....

4. Quelles indications le surveillant a-t-il données pendant les épreuves collectives ? Complétez le tableau :

à faire	à ne pas faire

5. D'après Manuela, comment se sont déroulées les épreuves collectives ? Complétez les phrases :

Les épreuves collectives ont duré ....

D'abord, il y a eu (épreuve 1) ....

Puis, (épreuve 2) .... et enfin (épreuve 3) ....

6. Quelle est l'opinion de Manuela sur les épreuves DELF qu'elle a passées ?

....

Compréhension écrite

2 Vous lisez cet article sur Internet :

L'engagement bénévole n'est pas facile à vivre tous les jours, mais il est une source de bonheur

En France, douze millions de personnes s'engagent chaque année dans 800 000 associations bénévoles. Des internautes du Monde.fr racontent :

Georgina : J'ai 60 ans et je fais du bénévolat depuis l'âge de 30 ans : visiteuse de malades, accueil de nouveaux arrivants dans ma ville, animation de groupes de lecture et actuellement écoutante à SOS Amitié. Quelle satisfaction lorsqu'on vous remercie d'avoir apporté du réconfort, un soutien, un peu de joie, ou de petits services !

Fabien : J'ai été bénévole dans une association de quartier qui vient en aide aux personnes en difficulté sociale pour leur recherche d'emploi. Je voulais devenir éducateur spécialisé. J'étais au chômage lorsque j'ai commencé ce bénévolat, et cela m'a permis de garder une activité, de me créer un réseau social et professionnel et j'ai rencontré des gens formidables dans cette association. Grâce à cette expérience, je viens de trouver du travail à la Croix-Rouge.

Marine : J'ai découvert Asmae (Association Sœur Emmanuelle, laïque) par hasard, quand je cherchais sur Internet une organisation avec laquelle partir en chantier de solidarité. Je voulais passer un mois avec des enfants défavorisés, me rendre utile, partager. Je suis ainsi partie au Burkina Faso, puis en Inde, et j'ai vécu deux expériences magnifiques. On va là-bas pour donner de son temps, jouer avec les enfants, leur apprendre des choses, mais au final, c'est eux qui nous donnent beaucoup !

Des internautes du Monde.fr

---

1. Associez un bénévole à une activité :

Georgina **A** •   • **1** S'occuper d'enfants en difficultés.

Fabien **B** •   • **2** Rendre visite à des personnes malades.

Marine **C** •   • **3** Aider des personnes à trouver un travail.

2. Quand Georgina a-t-elle commencé son activité de bénévole ? ....

3. Aujourd'hui, quelle activité Georgina fait-elle ? ....

4. Que ressent Georgina quand les personnes dont elle s'occupe la remercient ? ....

5. Quelle était la situation professionnelle de Fabien quand il a commencé le bénévolat ?

   a. Il allait quitter son emploi.   **b.** Il venait de trouver un emploi.   **c.** Il était en train de chercher un emploi.

6. Qu'est-ce Marine a pensé de ses voyages en Inde et au Burkina Faso ?

....

Production écrite

3 Après avoir lu cet article sur le bénévolat, vous décidez d'écrire un e-mail à Manuela car vous savez qu'elle s'y intéresse. Vous lui donnez votre avis sur les différents types d'association et vous lui proposez de trouver ensemble une association. (60 mots minimum)

....

....

....

Production orale

4 Vous rencontrez Manuela pour vous mettre d'accord sur le type d'association à laquelle vous souhaitez vous présenter. Vous expliquez chacun(e) les activités qui vous intéressent et vous choisissez une association. (environ 3-4 minutes)

LEÇON 1 En cuisine !

Comprendre des tâches et des instructions en cuisine

1. Faites les activités a et b. Vérifiez votre score p. 20 du livret.

a. 🎧 ▶107 Écoutez et entourez les réponses correctes.

1. Parmi les ingrédients suivants, quels sont ceux utilisés dans la recette ?

des fruits / des légumes / de la viande / du poisson / de la salade / des œufs / du beurre

2. Quels sont les ingrédients déjà cuits ? les légumes / les poissons / les œufs

3. Quels sont les ingrédients que les élèves rincent ? la salade / les œufs / les légumes / le poisson

4. Quels sont les ingrédients qu'on doit découper ? la salade / les œufs / les légumes / le poisson

b. Complétez la recette de Kenji avec les verbes suivants : *laver*, découper, plonger, placer, ajouter, mélanger.

> **MON VOYAGE EN FRANCE**
>
> **Préparation de la salade niçoise !**
>
> **Mercredi –** Je veux partager mon cours de cuisine française ! L'entrée est facile. Vous trouverez les ingrédients <u>ici</u>. D'abord nous *lavons* la salade et les légumes. Ensuite, nous ....
> les œufs dans l'eau bouillante pendant 10 minutes. Pendant ce temps, nous ....
> les légumes finement, nous les .... avec la salade et nous les .... dans
> un saladier. Enfin, nous .... les œufs coupés et le poisson. C'est prêt !

Mon score ...... /10

Nous pratiquons

❯ Les objets pour cuisiner et les ustensiles

2. Observez les objets.

a. Associez les objets aux mots correspondants.

- un balai
- un saladier
- un torchon
- une éponge
- un four
- des ciseaux
- une poêle
- une casserole
- un couteau

b. Classez les mots suivants dans le tableau.

Les objets pour cuisiner	Les objets pour faire cuire	Les objets pour nettoyer
des ciseaux		

Les verbes en -cer, -ger, -yer et -ayer

3. Complétez les verbes au présent.

BALAYER	PLONGER	COMMENCER	RINCER	ESSUYER	MANGER
il bal............	tu plon............	je commen............	il rin............	tu ess............	tu man............
nous bal............	vous plon............	elle commen............	vous rin............	nous ess............	elle man............
elles bal............	ils plon............	nous commen............	elles rin............	ils ess............	vous man............

4. Utilisez les verbes de l'activité 3 pour compléter le texte.

Dans ma famille, nous .... (1) souvent du poisson mélangé avec des légumes. Ça s'appelle de

l'aïoli. Pour la préparation, nous .... (2) par les légumes. D'abord nous les .... (3),

puis nous les .... (4) dans l'eau bouillante. Nous ajoutons ensuite le poisson.

Après le repas, j'................................ (5) la vaisselle et je .... (6) le sol : je déteste ça !

5. Trouvez et corrigez les erreurs de conjugaison dans la présentation du stage de Tatyana.

Pendant notre stage dans l'entreprise de savons de Provence, nous ~~commencons~~ par rencontrer le directeur

.... *commençons* ....

et les employés. Les stagiaires vouvoyent les employés et les clients, mais ils tutoyent leurs collègues.

....

D'abord, nous rangons les ingrédients. Puis nous essaions de retenir les indications données par notre formateur.

....

Pour pratiquer entre stagiaires, nous nous interrogons sur les ingrédients et nous annoncons les prix.

....

Si nous faisons une erreur, nous nous corrigons.

....

Sons du français   **Les sons [y], [ɥ] et [u]**

6. 🎧▶108 **Écoutez et complétez les phrases avec « u », « ui », « ou ».**
Dites combien de fois vous entendez le son [ɥ]. Répétez les phrases.

Exemple : *Je c......sine t......s les samedis. → Je cuisine tous les samedis. / On entend le son [ɥ] 1 fois.*

1. Dans ma c......sine, on tr......ve des ......stensiles de c......sine très ......tiles.

2. C'est une jeune S......sse instr......te qui trad......t des ......vrages de c......sine.

3. T......tes les n......ts, je f......s le br......t de mes voisins en éc......tant Mozart.

4. La spécialité c......linaire de ce fameux restaurant, ce sont les c......sses de gren......illes.

Nous agissons

7. **Lisez le message de Julien, l'assistant de français de votre école, et répondez.**

Objet : **Demande de recette**

Bonjour,
Je retourne en France pour les vacances et je voudrais préparer
une recette typique de votre pays. Mais une recette simple !
Qu'est-ce que vous me conseillez ? Vous pouvez me donner la
liste des ingrédients nécessaires et les instructions s'il vous
plaît ? Merci beaucoup ! À bientôt ! Julien

....
....
....

8. 🎧▶109 **Écoutez votre amie et répondez.**

LEÇON 2 Au travail !

Rédiger les instructions d'une recette de cuisine

1. Faites les activités a et b. Vérifiez votre score p. 20 du livret.

a. Regardez les images et complétez la recette du gratin dauphinois.

> Exemple : **1** 🔧 *les pommes de terre* → *Épluchez les pommes de terre.*
>
> **2** 🚰 .... et 🔪 .... finement les pommes de terre.
>
> **3** 🍲 .... 1 litre de lait avec un peu d'ail. **4** 🥄 ....
>
> **5** 🧂 .... les pommes de terre dans le lait.
>
> **6** 🧂🧄 ....
>
> **7** Placez dans un plat les tranches de pommes de terre. Versez de la crème dessus et
>
> ajoutez des petits morceaux de beurre. 🔥 .... 1 heure.

b. Complétez les conseils avec *à* ou *de/d'*.

1. Pensez .... faire ce plat la veille, il sera meilleur réchauffé !

2. Évitez .... mettre trop de sel et .... faire chauffer trop longtemps le lait.

3. Prévoyez .... ajouter plus d'ail si vous aimez beaucoup ça.

4. Utilisez une machine qui sert .... couper les pommes de terre pour gagner du temps.

5. Essayez .... ne pas couper de morceaux trop gros.

Mon score ...... /10

Nous pratiquons

❯ Les recettes de cuisine

2. Entourez la bonne mesure.

1. une bouteille / une pincée de sel
2. 250 grammes / une pincée de bœuf
3. une cuillère à soupe / 30 grammes d'huile

4. 2 cuillères à soupe / 2 kilos de pommes
5. un litre / un kilo de lait
6. une cuillère à café / un morceau de viande

3. a. Barrez l'intrus dans chaque catégorie.

1. Ingrédients : farine, spatule en bois, sucre, beurre
2. Mode de cuisson : wok, plancha, tajine, œuf

3. Matériel : casserole, ratatouille, poêle, saladier
4. Plats : pizza, couscous, sushis, barbecue

b. Remettez chaque intrus dans la bonne catégorie.

1. Ingrédients : ....
2. Mode de cuisson : ....

3. Matériel : ....
4. Plats : ....

❯ Les verbes d'action pour cuisiner

4. Mettez les différentes actions dans l'ordre.

1. Je fais cuire les carottes. ◯ – *J'épluche les carottes* ① – Je coupe les carottes. ◯

2. Je sale et je poivre. ◯ – Je rince les légumes. ◯ – Je fais revenir les légumes. ◯

3. Je mélange. ◯ – Je fais cuire mon gâteau. ◯ – J'ajoute les fruits à la pâte. ◯

4. Je sers mon plat. ◯ – Je fais réchauffer mon plat. ◯ – Je cuisine mon plat. ◯

❯ Les verbes prépositionnels pour donner des instructions

5. Complétez avec *à* ou *de/d'*.

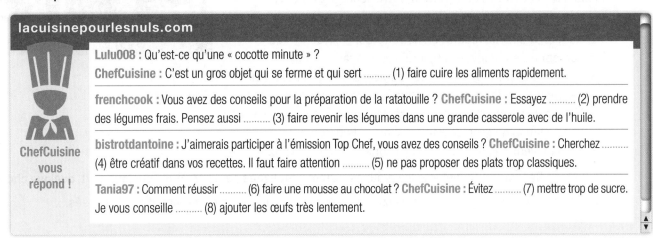

lacuisinepourlesnuls.com

ChefCuisine vous répond !

Lulu008 : Qu'est-ce qu'une « cocotte minute » ?
ChefCuisine : C'est un gros objet qui se ferme et qui sert .... (1) faire cuire les aliments rapidement.

frenchcook : Vous avez des conseils pour la préparation de la ratatouille ? **ChefCuisine :** Essayez .... (2) prendre des légumes frais. Pensez aussi .... (3) faire revenir les légumes dans une grande casserole avec de l'huile.

bistrotdantoine : J'aimerais participer à l'émission Top Chef, vous avez des conseils ? **ChefCuisine :** Cherchez .... (4) être créatif dans vos recettes. Il faut faire attention .... (5) ne pas proposer des plats trop classiques.

Tania97 : Comment réussir .... (6) faire une mousse au chocolat ? **ChefCuisine :** Évitez .... (7) mettre trop de sucre. Je vous conseille .... (8) ajouter les œufs très lentement.

6. 🎧▶110 **À l'oral. Écoutez les phrases. Transformez-les avec les verbes proposés. Écoutez pour vérifier.**

Exemple 1 : *(penser) Rincez les légumes avant de les préparer ! → Pensez à rincer les légumes avant de les préparer !*
Exemple 2 : *(éviter) N'achetez pas de produits de mauvaise qualité. → Évitez d'acheter des produits de mauvaise qualité.*

1. essayer   **3.** faire attention   **5.** éviter
2. penser   **4.** chercher   **6.** éviter

Nous agissons

7. Écrivez une recette de votre pays sur le site de cuisine Marmiton.

marmiton

Cuisine du monde : les meilleures recettes

Plat : ....

Nombre de personnes : ....

Ingrédients : ....

....

Instructions : ....

....

....

....

8. 🎧▶111 Un ami vous pose des questions sur votre recette (activité 7). Écoutez et répondez.

9. En France, 10 milliards de baguettes de pain sont vendues chaque année. Les Français consomment 160 g de pain par jour. Quel est l'aliment le plus consommé dans votre pays ?

LEÇON 3 Vie pratique

Comprendre le fonctionnement d'une association

1. Faites les activités a et b. Vérifiez votre score p. 21 du livret.

a. 🎧)112 **Écoutez le dialogue et cochez la bonne réponse.**

1. C'est un atelier de réparation de voitures. ☐ Vrai ☐ Faux

2. Personne n'est nouveau aujourd'hui. ☐ Vrai ☐ Faux

3. Anna trouve partout les éléments nécessaires pour son vélo. ☐ Vrai ☐ Faux

4. Les membres de l'association trouvent des vieux vélos. ☐ Vrai ☐ Faux

5. Malik a des difficultés pour réparer les vélos. ☐ Vrai ☐ Faux

6. L'association ne gaspille rien. ☐ Vrai ☐ Faux

7. Malik ne veut pas réparer le vélo d'Anna. ☐ Vrai ☐ Faux

b. 🎧)112 **Réécoutez. Remplacez les groupes de mots soulignés par : personne, quelque part, quelque chose.**

Anna a lu dans un journal ou un magazine qu'il existait un atelier de réparation d'objets cassés.

→ ....

Anna ne connaît pas d'homme ou de femme capable de l'aider.

→ ....

Malik pense qu'il pourra faire une réparation pour Anna.

→ ....

Mon score ...... /10

Les appareils et les objets de la maison

2. Classez les objets suivants : *une cafetière*, une table, une tablette, un aspirateur, une chaise, un jean, un ordinateur, un meuble, un jouet, un lave-vaisselle, un vélo, un vêtement, la vaisselle, un téléphone, un lave-linge.

Les appareils électroménagers : *une cafetière*, ...

Les équipements électroniques : ....

Autres : ....

Les pronoms indéfinis pour désigner une personne, une chose, un lieu

3. Répondez aux questions comme dans l'exemple.

Exemple : *Tu attends quelque chose ? → Non, je n'attends rien.*

1. Tu as trouvé le réparateur informatique quelque part ? → Non, ...

2. Tu connais quelqu'un au Repair Café ? → Non, ...

3. Il a des objets à réparer ? → Non, ...

4. Elles trouvent des associations écologistes partout ? → Non, ...

....

5. Vous avez réparé quelque chose ? → Non, ...

6. Ils ont des solutions pour les vélos ? → Non, ...

4. À l'oral. À tour de rôle, posez des questions sur votre dernier week-end (lieu, activité, personne rencontrée) et répondez. Utilisez : quelque part, quelqu'un, quelque chose.

Exemple : ***A.*** *Tu as fait quelque chose le week-end dernier ?* → ***B.*** *Oui, je suis allé à la plage. / Non, je n'ai rien fait.*

5. Lisez les phrases.

a. Transformez ces phrases comme dans l'exemple.

Exemple : *On pourrait boire un café.* → *Et si on buvait un café ?*

1. Ils pourraient faire attention. → _____

2. Nous devrions demander des conseils. → _____

3. Je te conseille de chercher en ligne. → _____

4. Prenez ces vieux vêtements ! → _____

5. Je te recommande d'écouter cette émission. → _____

6. Elle pourrait être plus écologiste ! → _____

b. 🎧 ₩113 Lisez les phrases que vous avez écrites. Écoutez pour vérifier l'intonation.

⟩ Sons du français   Le rythme et l'intonation de la question hypothétique pour inciter à agir

6. 🎧 ₩114 Écoutez et répétez. Dites si la personne prononce une phrase interrogative pour inciter à agir (dans le but de convaincre) ou une phrase exclamative.

Exemple 1 : *Et si tu venais ce soir ?* → *phrase interrogative (pour inciter à agir)*

Exemple 2 : *Si tu venais ce soir, ce serait super !* → *phrase exclamative*

Nous agissons

7. Répondez à cette annonce sur le site web de votre centre de langues.

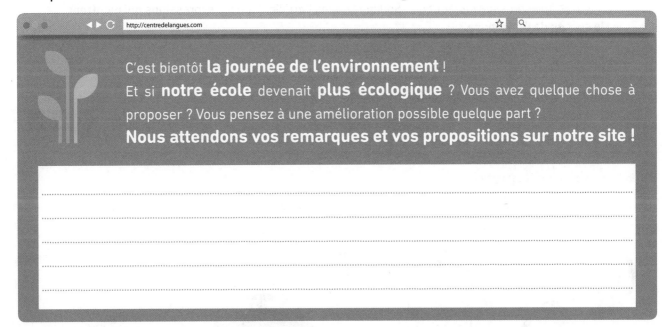

8. 🎧 ₩115 Écoutez la journaliste et répondez à ses questions.

9. En France, on peut apporter les objets qui ne fonctionnent plus dans un magasin ou dans un lieu qui organise le recyclage. Est-ce qu'il existe un système identique dans votre pays ? Est-ce qu'il y a un autre système ?

LEÇON 4 Un beau succès !

Parler du succès d'un produit

1. Lisez l'article. Faites les activités a, b et c. Vérifiez votre score p. 21 du livret.

Le Slip Français, une belle réussite marketing !

La jeune société de sous-vêtements, fabriqués en partie en Dordogne, connaît une énorme réussite. Elle est en train de développer des boutiques à l'étranger.

Cette aventure commence en septembre 2011. Guillaume Gibault, diplômé d'une grande école de commerce française, crée « Le Slip Français », une entreprise de sous-vêtements 100 % française.

Les prix sont assez élevés (environ 30 euros) mais « Le Slip Français » trouve rapidement ses clients et marche très bien avec la mode du *made in France*. En six ans, il vend plus de 100 000 sous-vêtements pour hommes mais aussi pour femmes.

Aujourd'hui, « Le Slip Français » souhaite développer son marché international. « Mon objectif est de réaliser 50 % des ventes à l'export », explique Guillaume Gibault. Cette année, il a ouvert une boutique à Hong Kong et aux États-Unis et le produit a conquis les habitants de ces pays. D'autres boutiques ouvriront bientôt au Japon, en Corée et à Taïwan.

---

a. **Entourez la bonne réponse.**

1. Qui est Guillaume Gibault ? un étudiant – un chef d'entreprise – un vendeur

2. Dans quelle catégorie se trouve « Le Slip Français » ?

mode hommes – mode femmes – mode hommes et femmes

3. Où est fabriqué le produit ? en France – à l'étranger – la moitié en France et la moitié à l'étranger

4. Où trouve-t-on les boutiques ? seulement en France – en France et à l'étranger – seulement à l'étranger

5. Quels sont les projets de l'entreprise ?

se développer dans le monde – se développer localement – développer de nouveaux produits

b. « *Une belle réussite marketing* ». Soulignez dans l'article 3 autres expressions qui montrent le succès de l'entreprise.

c. **Trouvez et corrigez les 2 erreurs de grammaire.**

1. Un client : « Les produits que j'ai acheté sont de très bonne qualité. »

2. Guillaume Gibault : « C'est l'entreprise que j'ai créé en 2011. »

Mon score ...... /10

❯ Les objets du quotidien

2. 🎧 H116 Écoutez. Écrivez le numéro qui correspond à chaque objet.

une brosse à dents ☐

un crayon à papier ☐

un parfum ☐

un couteau ☐

un robot ménager ☐

une cocotte-minute ☐

❯ Évoquer un succès

3. Complétez le texte avec : *marchent*, connaît, a conquis, cartonne, représente, à l'export, marque.

Les produits français *marchent* bien. Le *made in France* .... (1) des points avec le stylo Bic.

Il .... (2) une réussite exceptionnelle et .... (3) dans le monde entier.

Plus de 100 milliards de stylos Bic vendus depuis son invention ! Et il .... (4) les clients

étrangers. Ses ventes .... (5) sont un succès : l'Amérique du Nord .... (6)

45 % des ventes. Tout le monde écrit avec les stylos Bic !

❯ L'accord du participe passé avec le verbe *avoir*

4. Transformez les phrases comme dans l'exemple.

Exemple : *J'ai acheté cette chaise.* → *C'est la chaise que j'ai acheté*u*e.* → *Je l'ai acheté*u*e.*

1. Nous avons commandé ces casseroles. → ....

2. Les Coréens ont adoré ces objets. → ....

3. Ils ont créé cette société. → ....

4. Les clients étrangers ont adoré ce robot ménager. → ....

5. Les entreprises américaines ont adopté cette idée. → ....

6. Il a choisi ces produits. → ....

5. Faites l'accord si nécessaire.

Voici l'expérience que Benjamin Carle a *choisie* et filmé..... (1) : pour les besoins de son film documentaire,

il a vécu..... (2) pendant un an *made in France*. Les produits qu'il a consommé..... (3) étaient 100 % français.

Il n'a pas utilisé..... (4) de réfrigérateur car on n'en fabrique plus en France. Qu'a-t-il fait..... (5) des produits frais ?

Il les a accroché..... (6) à la fenêtre ! Ses vêtements ? Il les a acheté..... (7) en Bretagne. Ses chaussures ?

Il les a trouvé..... (8) en Aquitaine et a arrêté..... (9) de porter des baskets. La brosse à dents qu'il a acheté..... (10)

lui a coûté..... (11) 15 € !

6. Répondez à l'enquête.

Grande enquête

- Quel objet du quotidien représente votre pays ?
- Le possédez-vous ?
- Pourquoi ?
- Où l'avez-vous acheté ?

7. 🎧 117 Écoutez le présentateur de l'émission et répondez.

LEÇON **5** Je prends soin de moi

Nous nous évaluons

Évoquer les produits d'hygiène et les cosmétiques

1. Faites les activités a et b. Vérifiez votre score p. 22 du livret.

Partager une salle de bains en famille.

Dans les salles de bains des Français, on trouve beaucoup de produits d'hygiène et de cosmétiques. Mais à qui appartiennent tous ces produits ?

Nous avons demandé à la famille Tellier, qui habite à Lille, comment ça se passe chez eux. Pour le parfum, chacun a le sien, mais pour les produits d'hygiène, ça dépend. Le père et le fils, Pierre et David, partagent les leurs. Mais pour la mère et les deux filles, c'est plus compliqué ! « Mes filles ont leurs produits mais elles utilisent souvent les miens », nous dit Brigitte, la mère. « Pourtant, elles ont des cosmétiques de très bonne qualité : les crèmes par exemple ! Mais si je demande à Marie : « Je peux utiliser la tienne ? », elle râle. Et si je demande à Mathilde son shampoing, elle regarde le shampoing des hommes et me répond : « Utilise le leur, il est très bien ! ». Pas facile de partager chez les Tellier !

a. Lisez le document et entourez la bonne réponse.

1. Dans la famille Tellier, chaque personne a :

a) son eau de toilette   b) ses produits d'hygiène   c) ses cosmétiques

2. Le père et le fils partagent :

a) leur parfum   b) leur shampoing   c) leur salle de bains

3. Mathilde et Marie ne veulent pas partager :

a) leur parfum   b) leur salle de bains   c) leur shampoing

b. Écrivez les paroles des membres de la famille Tellier. Utilisez des pronoms possessifs.

1. Brigitte à Marie :   Utilise ton gel douche ! → *Utilise le tien !*

                                      N'utilise pas celui de ton père ! → ....

2. Marie à Mathilde :   Prends les affaires de maman. → ....

                                        Et ne prends pas mes affaires ! → ....

3. David à Marie :   Essaie nos produits. → ....

                                   Ils sont mieux que vos produits. → ....

4. Brigitte à Mathilde :   Partage ton shampoing ! → ....

                                           Laisse mon parfum ! → ....

Mon score ...... /10

Nous pratiquons

❯ Les produits d'hygiène et les cosmétiques

2. 🎧▶118 Écoutez et écrivez le nom des produits dont parlent les personnes.

Exemple : *une huile de douche*

1. ....   3. ....   5. ....

2. ....   4. ....   6. ....

❯ Les pronoms possessifs

3. Remettez dans l'ordre le dialogue entre Natalia, directrice d'une parfumerie à Moscou, et une journaliste.

.... **a)** Ah oui ! Les miens sont tous français, sauf mes crèmes qui viennent du Japon.

.... **b)** Merci beaucoup Natalia !

.... c) J'ai ouvert la mienne en 2006. J'avais déjà travaillé dans des parfumeries
     à Paris et les clients étaient un peu différents.

.... d) Les miens sont plus fidèles aux marques !

.... e) Une dernière question : vous vendez des produits russes ?

.... f) Vous aussi, vous êtes fidèle à vos cosmétiques ?

.... g) Différents ? Comment sont les vôtres à Moscou ?

1 h) Il y a beaucoup de parfumeries à Moscou. Quand avez-vous ouvert la vôtre ?

.... i) Oui, bien sûr mais les nôtres sont moins célèbres !

4. **Soulignez les pronoms possessifs corrects dans les mini-dialogues.**

1. – Les parfums pour les femmes sont chers, ceux des hommes sont moins chers.
   – Mais pas du tout, le leur/les leurs/les siens sont plus chers !

2. – C'est le savon préféré de Mélanie ?
   – Non, le leur/le sien/le vôtre vient de Marseille.

3. – Les Français ont des cosmétiques très connus, et chez vous ?
   – Nous en avons de bons, moins célèbres et les nôtres/le leur/la mienne sont moins chers !

4. – La crème de ma mère est exceptionnelle ! Et celle de ta mère ?
   – La sienne/la mienne/la tienne sent très bon aussi.

5. – Excusez-moi, c'est ma valise ?
   – Non, la tienne/les vôtres/la vôtre est là.

6. – C'est à toi cette tablette, tu es sûre ?
   – Mais oui, je suis certaine que c'est la tienne/la mienne/la leur !

5. **À l'oral. À tour de rôle, posez des questions sur des objets autour de vous pour trouver à qui ils sont.**

Exemple : ***A.** Ce stylo est à toi ?* → ***B.** Oui, c'est le mien. / Non, ce n'est pas le mien.*
   ***B.** Ce papier est à vous ?* → ***A.** Oui, c'est le nôtre. / Non, ce n'est pas le nôtre.*

❥ Sons du français   **Les sons [ʃ] et [ʒ]**

6. a. 🎧 119 **Écoutez et cochez si vous entendez [ʃ]. Répétez les mots.**

Exemple : *chemise* ☒   1. ☐   2. ☐   3. ☐   4. ☐   5. ☐   6. ☐

b. 🎧 120 **Écoutez et cochez si vous entendez [ʒ]. Répétez les mots.**

Exemple : *jupe* ☒   1. ☐   2. ☐   3. ☐   4. ☐   5. ☐   6. ☐

Nous agissons

7. **Répondez à cette demande sur un forum.**

> **FORUM FAMILLE** | Question de la semaine
>
> **Les vacances en famille, ce n'est pas facile !** Chacun a sa destination préférée, et pour le moyen de transport, c'est la même chose : chacun a le sien. Comme pour les activités : c'est chacun les siennes ! Partagez votre expérience et parlez-nous des goûts de chaque membre de votre famille !

8. 🎧 121 **Écoutez votre nouveau camarade de classe et répondez.**

9. **En France, on vend plus de produits d'hygiène et de cosmétiques pour les hommes qu'avant. Est-ce que la situation est identique ou différente dans votre pays ? Donnez des exemples.**

LEÇON 6 La culture du vintage

Comprendre une suite d'actions

1. Faites les activités a, b et c. Vérifiez votre score p. 22 du livret.

a. 🎧 ⊪122 Écoutez et cochez l'objet qui se présente.

un stylo ☐   un livre ☐   une bibliothèque ☐

b. 🎧 ⊪122 Réécoutez. Classez les différents éléments avant ou après le moment de référence :
1. *naissance*, 2. mort des parents Martin, 3. prix Goncourt, 4. vente de l'appartement des Martin,
5. installation chez la famille Martin, 6. installation à la boutique « Si les objets pouvaient parler ».

Avant	Moment de référence	Après
1. *naissance*	L'objet a été utilisé pour la première fois	
....		....

c. Reliez les années aux événements.

1966	•———————•	*Naissance*
1966	• •	Première utilisation
1967	• •	Mort des parents Martin
1974	• •	Installation chez la famille Martin
2014	• •	Vente de l'appartement des Martin
2016	• •	Installation à la boutique
2016	• •	Prix Goncourt

Mon score ....../10

❯ Le commerce

2. Barrez l'intrus.

1. une boutique – un magasin – un quartier
2. un commerce – une cafetière – une lampe
3. une brocante – la vaisselle – un marché aux puces
4. un client – un artisan – un acheteur
5. un commerçant – un vendeur – une vitrine
6. un objet neuf – un objet vintage – un objet d'occasion

❯ *Avant / après* pour indiquer la chronologie dans une suite de faits et d'actions

3. Rédigez les phrases comme dans l'exemple.

Exemple : *Le musée d'Orsay était une gare / avant – être un musée → Le musée d'Orsay était une gare avant d'être un musée.*

1. Ce lieu était une église / avant – devenir une librairie → ....

2. *Le Comptoir électrique* est devenu un café / après – être un magasin de lampes

→ ....

3. Greg a été brocanteur / après – travailler comme professeur → ....

4. Cette chaise se trouve maintenant dans un grand restaurant / après – passer 15 ans dans un garage

→ ....

5. Ce bureau appartenait à un médecin / avant – arriver chez nous → ....

6. Mathieu était ingénieur / avant – ouvrir sa boutique d'objets vintage → ....

....

4. 🎧 ₦123 **À l'oral.** Écoutez et transformez les phrases comme dans l'exemple.

Exemple : *Nous avons vendu des objets sur Internet, puis nous avons ouvert une boutique.*
  → *Avant d'ouvrir une boutique, nous avons vendu des objets sur Internet.*
  → *Après avoir vendu des objets sur Internet, nous avons ouvert une boutique.*

➤ Les marqueurs temporels pour situer des événements dans le temps

5. Lisez les éléments de la biographie de Houman. Cochez la bonne réponse.

1971	1999	2004	2005	2007	2015
naissance	montée du Kilimandjaro	diplôme de guide de haute montagne	• mariage avec une Canadienne • naissance de son fils Simon	naissance de sa fille Sofia	tour du monde en famille

1. Après avoir obtenu son diplôme de guide de haute montagne, Houman est monté au sommet du Kilimandjaro.
  ☐ Vrai ☐ Faux
2. Avant d'être père, Houman a fait le tour du monde.   ☐ Vrai ☐ Faux
3. Il est monté en haut du Kilimandjaro à l'âge de 28 ans.   ☐ Vrai ☐ Faux
4. Houman est né dans les années soixante.   ☐ Vrai ☐ Faux
5. Simon est né un an après le mariage de ses parents.   ☐ Vrai ☐ Faux
6. Deux ans ont passé entre la naissance de Simon et celle de Sofia.   ☐ Vrai ☐ Faux

6. Complétez l'article avec : *dans les années 80,* à l'âge de, puis, depuis, la même année, quelques années, en 1981, pendant.

> ### « Un monde », un commerce à découvrir !
>
> **PORTRAIT** Caroline Despi, la propriétaire
>
> Je suis née *dans les années 80,* .... (1) exactement. J'ai fait des études de chinois en France .... (2) 5 ans et je suis partie en Chine. J'ai découvert une passion pour le mobilier chinois. .... (3) ont passé .... (4) je suis rentrée en France avec le rêve d'ouvrir ma boutique de meubles asiatiques. C'est .... (5) 28 ans que j'ai ouvert mon magasin « Un monde ». Et .... (6), j'ai rencontré Nicolas, mon mari. .... (7), nous travaillons ensemble.

Nous agissons

7. Vous travaillez dans une association pour les animaux. Rédigez l'autobiographie d'un animal pour le site internet de l'association.

> **SPA**
> ADOPTEZ-MOI
>
> Mon histoire : *Je m'appelle Orus.* ....
> ....
> ....
> ....
> ....

8. 🎧 ₦124 Vous avez publié une annonce sur leboncoin.fr pour vendre cet objet. Un acheteur vous téléphone. Écoutez ses questions et répondez.

> **leboncoin**
>
> Je vends cette table des années 20. Elle est en excellent état. Contactez-moi pour connaître son histoire !
> Prix : 450 €

Nous mettons en scène notre quotidien

Compréhension écrite

1 Vous trouvez ce dépliant publicitaire :

Atelier des sens

Le nom n'a pas été choisi au hasard : les cours ne se limitent pas à la cuisine, vous apprendrez aussi la pâtisserie, l'œnologie, la sommellerie, les arts de la table.

Venez rencontrer des **chefs** qui ont au minimum **10 ans d'expérience** en **gastronomie**.

Les cours sont limités à **12 participants maximum**.

Cours en journée, en soirée et le week-end d'une durée d'1 heure à 4 heures.

Cours à l'unité ou abonnement. À partir de 36 € par personne

Programmes et informations complémentaires : **www.atelier-des-sens.com**
01 40 21 08 50

1. Quels ateliers peut-on suivre à l'Atelier des sens ?

A ☐   B ☐   C ☐   D ☐

2. Quelle est la particularité des chefs des ateliers ?

....

3. Les cours ont lieu…
   a. le week-end seulement.
   b. uniquement en semaine.
   c. tous les jours de la semaine.

4. Les cours durent maximum…
   a. 1 heure.   **b.** 3 heures.   **c.** 4 heures.

5. Que fait-on pour connaître l'adresse des cours ?
   a. ....
   b. ....

Production orale

2 Vous parlez à Silvia, une de vos amies du cours de langue, de l'Atelier des sens. Vous lui expliquez le fonctionnement et lui proposez d'y participer. Vous vous mettez d'accord sur un jour et un type de cours. (4 minutes environ)

Compréhension orale

3 🎧⏵125 **Vous écoutez votre messagerie téléphonique.**

1. Pourquoi Silvia vous a-t-elle laissé un message ?

....

2. Où Silvia pense-t-elle trouver le cadeau de Frédérique ?

....

3. Quel objet Silvia aimerait-elle offrir à Frédérique ?

A ☐   B ☐   C ☐

4. Quelle sont les deux propositions que Silvia vous fait ?

   a. ....

   b. ....

5. D'après Silvia, qu'organisez-vous samedi soir ?

....

6. Qu'est-ce que Silvia vous demande de faire ?

....

Production écrite

4 **Vous recevez ce message de Paul, un des étudiants de votre cours de langue.**

> De : Paulaup@hotmail.com
>
> Salut !
> Merci pour la soirée, hier, c'était super ! Tu cuisines vraiment très bien !
> Est-ce que tu peux me donner la recette du plat principal que tu as fait hier soir,
> s'il te plaît ? Surtout, écris bien toutes les étapes parce que je débute en cuisine ; -)
> Merci beaucoup !
> À bientôt,
> Paul

Vous répondez à Paul. Vous lui donnez le nom du plat principal que vous avez fait hier soir.
Vous listez les ingrédients nécessaires pour préparer ce plat en précisant les quantités.
Vous lui rédigez la recette de votre plat, étape par étape.

....

....

....

....

LEÇON 1 Ils écrivent en français

Comprendre un récit

1. Faites les activités a et b. Vérifiez votre score p. 23 du livret.

a. 🎧)126 **Écoutez le récit sur François Cheng. Cochez la/les bonne(s) réponse(s).**

1. François Cheng a fait des études en Chine :

☐ avant de vivre en France.　　☐ après ses études en France.　　☐ pour devenir professeur.

2. Il a d'abord travaillé en langue chinoise :

☐ pour ses études.　　☐ pour traduire des livres.　　☐ avant d'écrire en français.

3. Il a écrit en français :

☐ pour sa famille.　　☐ pour devenir français.　　☐ parce qu'il parlait bien français.

b. 🎧)126 **Réécoutez et complétez la présentation de François Cheng au passé.**

Les parents de François Cheng *travaillaient* (travailler) dans une université chinoise avant leur

déménagement en France. François .... (parler) français car il ....

(étudier) cette langue en Chine dans sa jeunesse. À Paris, il .... (faire) d'abord

des traductions et des études linguistiques. Il .... (aimer) le français parce

qu'il .... (lire) des auteurs français quand il était enfant. Plus tard, il ....

(choisir) d'écrire dans cette langue.

(Mon score ...... /10)

Nous pratiquons

➤ Décrire des événements passés et raconter une histoire

2. Associez chaque phrase au passé à sa fonction dans le récit.

1. C'était un soir d'hiver, il faisait froid. ●
2. Mes parents avaient acheté des places de théâtre. ●
3. Je ne voulais pas sortir. ●
4. Dans mon enfance, je préférais toujours lire
à la maison. ●
5. Finalement, à 18 h, je suis partie avec eux. ●
6. Nous sommes entrés dans la salle, nous nous sommes
assis et j'ai passé un moment inoubliable ! ●

● **a.** décrire une action ponctuelle et
accomplie dans le passé
● **b.** décrire une habitude passée
● **c.** décrire une action antérieure à
une autre action passée
● **d.** décrire une situation passée
● **e.** décrire des événements passés
dans l'ordre chronologique
● **f.** décrire des circonstances dans le passé

➤ Le passé composé, l'imparfait et le plus-que-parfait

3. 🎧)127 **Écoutez ces extraits de biographies. Indiquez dans quel ordre vous entendez les trois temps.**

	Passé composé	Imparfait	Plus-que-parfait
Exemple	3	1	2
1			
2			
3			
4			
5			
6			

4. Complétez le récit avec les verbes *être* ou *avoir*. Attention à l'orthographe !

Exemple : *Quand il <u>est</u> arrivé à l'âge de 6 ans en France, il ne parlait pas français.*

> C'est à l'école qu'il .... découvert la littérature française.
> Ses parents et lui .... reçu la nationalité française quelques années plus tard.
> Il n'............... jamais oublié les professeurs qui l'............... aidé.
> Quand nous .... allés au Salon du livre, nous lui .... demandé une dédicace de son dernier livre !

5. Complétez les phrases avec le verbe entre parenthèses. Utilisez les trois temps du récit dans chaque phrase.

Exemple : *Je <u>voulais</u> (vouloir) être écrivaine, alors je <u>me suis inscrite</u> (s'inscrire) à l'atelier d'écriture que j'<u>avais découvert</u> (découvrir) dans mon université.*

1. Ils .... (tester) la gastronomie locale, alors ils .... (acheter) un livre qui .... (expliquer) toutes les recettes.
2. Quand mes parents et moi .... (revenir), nous .... (ne pas être) tristes car nous .... (profiter) de notre voyage.
3. Elle .... (apprendre) après quelques semaines qu'elle .... (réussir) l'examen qui .... (être) si important pour elle !
4. Tu .... (se promener) quand tu .... (retrouver) le sac que tu .... (perdre) ?
5. J'............... (lire) plusieurs guides avant de partir au Vietnam, mais mon voyage .... (ne pas se passer) comme prévu. C'............... (être) beaucoup mieux que dans les livres !
6. Quand vous .... (commencer) à écrire, vous .... (ne pas avoir peur) ? Vous .... (ne rien écrire) avant ?

6. À l'oral. **Racontez ces histoires au passé avec les éléments indiqués.**

Exemple : *Elle / être heureux – parce qu'elle / finir ses études et elle / trouver un travail*
→ *Elle <u>était</u> heureuse parce qu'elle <u>avait fini</u> ses études et qu'elle <u>avait trouvé</u> un travail.*

1. Ils / se sentir nerveux – car ils / envoyer leurs dossiers d'inscription / un mois plus tôt – finalement, ils / obtenir une réponse positive.
2. Tu / avoir froid – alors tu / acheter un vêtement chaud et tu / boire un thé.
3. Je / habiter en Autriche – car je / décider d'améliorer mon allemand – ensuite je / aller en Hongrie pour faire du tourisme.
4. Il / attendre son ami devant le cinéma – quand il / rencontrer un acteur célèbre.
5. Vous / avoir faim – parce que vous / ne pas prendre de petit déjeuner avant de partir – alors vous / aller dans une boulangerie – et vous / acheter un croissant.
6. Nous / ressentir de l'angoisse – car nous / ne pas avoir de nouvelles de nos amis – trois jours plus tard, nous / recevoir un texto.

Nous agissons

7. Répondez à la demande de PsychoMag.

> **PsychoMag**
> **Racontez-nous vos plus grandes émotions !**
> Un jour vous avez ressenti une grande émotion. Vous aviez peur avant un entretien d'embauche ? Vous étiez très heureux de rencontrer une personne célèbre ? Expliquez-nous pourquoi vous ressentiez cela et ce que vous avez fait ensuite !

8. 🎧 128 **Vous faites un stage de vente dans une entreprise francophone. Écoutez votre collègue et répondez-lui.**

9. Beaucoup d'écrivains qui écrivent en français viennent de pays francophones ou d'autres pays. Connaissez-vous des écrivains qui écrivent dans votre langue mais qui viennent d'un autre pays ?

LEÇON 2 Bilingues !

Raconter précisément un souvenir

1. Faites les activités a et b. Vérifiez votre score p. 24 du livret.

a. 🎧▸129 Écoutez le témoignage de Thorsten. Complétez l'annonce qu'il a trouvée sur Internet.

Nous recherchons un(e) .... (1), passionné par le .... (2)

et qui possède un diplôme en .... (3). Cette personne doit maîtriser

.... (4).

b. Remplacez les éléments soulignés par : désormais, jusqu'au moment où, à l'époque, le jour où, au début, à partir du moment où.

<u>Quand</u> (1) j'ai lu la description des emplois, j'ai compris que mon rêve pouvait devenir une réalité.

....

Je voulais déjà travailler dans ce domaine <u>à ce moment de ma vie</u> (2) !

....

<u>Depuis le jour où</u> (3) j'ai réalisé que le français était nécessaire pour ce job, j'ai décidé d'apprendre

....

cette langue. <u>Quand j'ai commencé</u> (4), c'était difficile ! Il m'a fallu quelques mois pour parler couramment.

....

J'ai beaucoup pratiqué <u>et à la fin</u> (5) j'ai eu un niveau suffisant pour répondre à cette offre d'emploi.

....

Je travaille <u>aujourd'hui</u> (6) à la FIFA à Zürich, en Suisse.

....

Mon score ...... /10

❯ Les langues et les organisations internationales

2. Associez les éléments pour faire des phrases. Plusieurs réponses sont possibles.

1. Je travaille comme •
2. Je suis affecté(e) aux •
3. On m'a chargé(e) •
4. Le français est une langue importante •
5. Je traduis des documents sur des sujets variés, par exemple •
6. Le français et l'anglais sont •

• **a.** les affaires juridiques, politiques ou le maintien de la paix.
• **b.** traducteur (-trice) et interprète.
• **c.** relations avec les pays francophones.
• **d.** les langues officielles.
• **e.** de la diplomatie.
• **f.** du protocole.

❯ Indiquer un moment précis ou une durée

3. Entourez la bonne structure.

J'ai appris le chinois *à partir du moment où* / *pendant* j'ai compris l'utilité de cette langue pour ma carrière. **Ensuite** / **À l'époque** (1), l'apprentissage du chinois n'était pas aussi populaire qu'aujourd'hui. **Au début** / **Pendant** (2), j'ai eu beaucoup de difficultés **jusqu'au moment où** / **désormais** (3) j'ai décidé de faire un stage en Chine. **Jusqu'à présent** / **À partir du jour où** (4) j'ai commencé mon stage, j'ai fait des progrès très rapides. J'ai vécu à Pékin **pendant** / **désormais** (5) 2 ans. Puis je suis rentré en France. Je travaille **désormais** / **à l'époque** (6) pour une entreprise franco-chinoise.

4. Réécrivez les phrases de Carolyn avec les expressions suivantes : *il nous a fallu*, en, pendant, à cette époque, le jour où, désormais, jusqu'à présent.

Exemple : *En 3 ans, nous avons eu dix partenariats.* → *Il nous a fallu trois ans pour avoir dix partenariats.*

1. À ce moment-là, je ne parlais pas bien français. → ....

2. Aujourd'hui, je parle couramment français. → ....

3. J'ai vécu à Paris de 2012 à 2016. → ....

4. Jusqu'à aujourd'hui, nous avons eu un excellent partenariat. → ....

5. Quand j'ai commencé à travailler dans les relations internationales, j'ai compris que j'avais fait le bon choix.

  → ....

6. Il m'a fallu 5 ans pour devenir interprète à l'ONU. → ....

5. À l'oral. **Présentez le parcours d'Elio. Utilisez les expressions :** *à l'époque*, désormais, au début, à partir du moment où, le jour où.

  – Pendant son enfance : il a vécu dans quatre pays différents. Il parlait trois langues.
  – Il a eu 18 ans et il a décidé d'étudier les relations internationales.
  – Il a d'abord pensé travailler à l'ONU.
  – Il a fait un stage au conseil de l'Europe et il a décidé de rester en Europe.
  – Il travaille comme assistant spécialisé en relations internationales à Strasbourg.

Exemple : *Pendant son enfance, il a vécu dans quatre pays différents. À l'époque, il parlait trois langues.*

❯ Sons du français   Les sons [u], [o] et [ɔ]

6. 🎧 ▸130 **Écoutez et cochez si vous entendez les sons [u] – [o] – [ɔ].**
Cochez une ou deux cases pour chaque phrase. Répétez les phrases.

Exemple : *Je me souviens de cet auteur.*

	Exemple	1	2	3	4	5	6	7	8
[u]	✗								
[o]	✗								
[ɔ]									

Nous agissons

7. **Lisez la question du forum et écrivez votre témoignage.**

Émission *Toute une histoire*	
france **2** ❯ Quel a été le plus beau jour de votre vie ? ❯ Racontez votre souvenir.	Les internautes ont la parole : ....

8. 🎧 ▸131 **Écoutez et répondez aux questions d'une camarade de votre école de français.**

9. **Le français est la deuxième langue la plus apprise dans le monde après l'anglais.**
  Comparez avec votre langue : qui apprend votre langue ? Dans quelles régions du monde ? Pourquoi ?

LEÇON 3 Mémoires

Nous nous évaluons

Exposer une suite de faits, d'événements

1. Lisez le témoignage et faites les activités a et b. Vérifiez votre score p. 24 du livret.

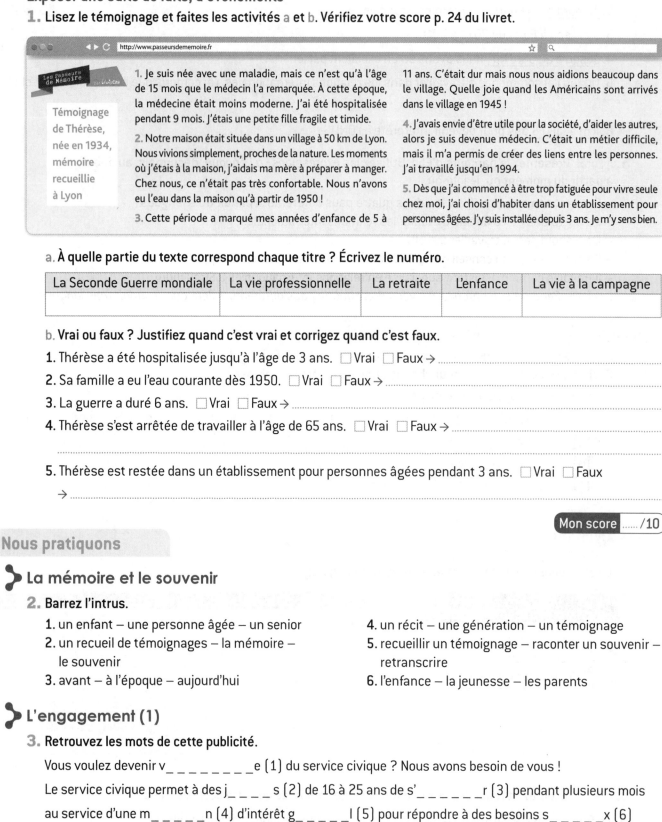

Témoignage de Thérèse, née en 1934, mémoire recueillie à Lyon

1. Je suis née avec une maladie, mais ce n'est qu'à l'âge de 15 mois que le médecin l'a remarquée. À cette époque, la médecine était moins moderne. J'ai été hospitalisée pendant 9 mois. J'étais une petite fille fragile et timide.

2. Notre maison était située dans un village à 50 km de Lyon. Nous vivions simplement, proches de la nature. Les moments où j'étais à la maison, j'aidais ma mère à préparer à manger. Chez nous, ce n'était pas très confortable. Nous n'avons eu l'eau dans la maison qu'à partir de 1950 !

3. Cette période a marqué mes années d'enfance de 5 à 11 ans. C'était dur mais nous nous aidions beaucoup dans le village. Quelle joie quand les Américains sont arrivés dans le village en 1945 !

4. J'avais envie d'être utile pour la société, d'aider les autres, alors je suis devenue médecin. C'était un métier difficile, mais il m'a permis de créer des liens entre les personnes. J'ai travaillé jusqu'en 1994.

5. Dès que j'ai commencé à être trop fatiguée pour vivre seule chez moi, j'ai choisi d'habiter dans un établissement pour personnes âgées. J'y suis installée depuis 3 ans. Je m'y sens bien.

a. **À quelle partie du texte correspond chaque titre ? Écrivez le numéro.**

La Seconde Guerre mondiale	La vie professionnelle	La retraite	L'enfance	La vie à la campagne

b. **Vrai ou faux ? Justifiez quand c'est vrai et corrigez quand c'est faux.**

1. Thérèse a été hospitalisée jusqu'à l'âge de 3 ans. ☐ Vrai ☐ Faux → ....

2. Sa famille a eu l'eau courante dès 1950. ☐ Vrai ☐ Faux → ....

3. La guerre a duré 6 ans. ☐ Vrai ☐ Faux → ....

4. Thérèse s'est arrêtée de travailler à l'âge de 65 ans. ☐ Vrai ☐ Faux → ....

5. Thérèse est restée dans un établissement pour personnes âgées pendant 3 ans. ☐ Vrai ☐ Faux

→ ....

Mon score ...... /10

Nous pratiquons

La mémoire et le souvenir

2. Barrez l'intrus.

1. un enfant – une personne âgée – un senior
2. un recueil de témoignages – la mémoire – le souvenir
3. avant – à l'époque – aujourd'hui
4. un récit – une génération – un témoignage
5. recueillir un témoignage – raconter un souvenir – retranscrire
6. l'enfance – la jeunesse – les parents

L'engagement (1)

3. Retrouvez les mots de cette publicité.

Vous voulez devenir v_ _ _ _ _ _ _ _e (1) du service civique ? Nous avons besoin de vous !

Le service civique permet à des j_ _ _ _ s (2) de 16 à 25 ans de s'_ _ _ _ _ _r (3) pendant plusieurs mois

au service d'une m_ _ _ _ _n (4) d'intérêt g_ _ _ _ _l (5) pour répondre à des besoins s_ _ _ _ _x (6)

comme la s_ _ _ _ _ _ _ _é (7), la culture ou l'é_ _ _ _ _ _ _n (8).

Les prépositions et les marqueurs temporels pour situer dans le temps (synthèse)

4. 🎧 132 Écoutez les extraits de témoignages et indiquez ce qu'ils expriment.

	Durée prévue	Limite d'une action	Durée complète, période de temps	Point précis, date	Origine d'une action
Exemple				*en 1930*	
1					
2					
3					
4					
5					
6					
7					

5. Complétez le témoignage avec : pour, jusqu'à, de… à …, en, depuis que, dès que.

Je suis née .... (1) 1949 dans une petite maison à la campagne. J'ai vécu chez mes parents

.... (2) l'âge de 7 ans. Puis, je suis allée à l'école en ville. J'y suis restée 7

.... 18 ans (3) .... (4) j'ai eu mon bac, je suis entrée dans une école de formation

.... (5) une durée de 2 ans pour devenir institutrice. Maintenant, j'ai 65 ans et ....

(6) j'ai arrêté de travailler, je suis engagée dans une association pour aider les élèves en difficulté.

Sons du français   **Les consonnes [k], [g] et [ʒ]**

6. a. 🎧 133 Écoutez et cochez si vous entendez [k]. Répétez les mots.
Exemple : c̲réation ☒   1. ☐   2. ☐   3. ☐   4. ☐   5. ☐   6. ☐

b. 🎧 134 Écoutez et cochez si vous entendez [g]. Répétez les mots.
Exemple : âg̲é ☒   1. ☐   2. ☐   3. ☐   4. ☐   5. ☐   6. ☐

c. 🎧 135 Écoutez et cochez si vous entendez [ʒ]. Répétez les mots.
Exemple : g̲roupe ☒   1. ☐   2. ☐   3. ☐   4. ☐   5. ☐   6. ☐

Nous agissons

7. Lisez l'appel à témoignages et répondez.

❝ Solidarité Inter Génération ❞

Dans le cadre de notre **projet** « **L'enfance et la jeunesse, d'hier à aujourd'hui** », nous avons besoin de **récits de personnes** de différentes générations. **Aidez-nous** à réaliser **notre recueil de souvenirs** et laissez votre témoignage d'enfance et de jeunesse ici !

....
....
....
....
....
....

8. 🎧 136 Vous participez à une discussion de l'association Solidarité Inter-Génération. Écoutez et répondez.

9. À partir de quel âge une personne est-elle considérée comme « âgée » dans votre culture ?

LEÇON 4 Moi, j'y crois !

Nous nous évaluons

Expliquer son engagement pour une cause

1. 🎧►137 Écoutez les témoignages et faites les activités a, b et c. Vérifiez votre score p. 25 du livret.

a. Quel est le sujet des 5 témoignages ? Cochez la bonne réponse.

1. les causes de l'engagement dans une association ☐

2. les conséquences de l'engagement dans une association ☐

3. les difficultés de l'engagement dans une association ☐

b. Associez les témoignages à une association.

Association	DAL (Droit au logement)	ALD (Association de lutte contre les discriminations)	Les Restos du cœur	SOS Éducation	Agir pour l'environnement
Témoignage n°					

c. Reformulez les propos de ce bénévole avec l'élément entre parenthèses.

Exemple : *Je suis retraité depuis un an donc j'ai beaucoup de temps libre.*
→ *(car) J'ai beaucoup de temps libre car je suis retraité depuis un an.*

1. Je me suis engagé à la Croix-Rouge parce que j'avais envie de me sentir utile. (c'est pourquoi)

....

2. J'ai choisi cette association car l'action sociale m'intéresse. (comme)

....

3. Cette expérience est formidable parce que je rencontre des gens très intéressants. (c'est pour cette raison que)

....

Mon score ...... /10

Nous pratiquons

❯ L'engagement (2)

2. Complétez l'affiche avec :
les discriminations, les droits de l'homme, la protection, une association, engager, une ONG.
Faites les modifications nécessaires.

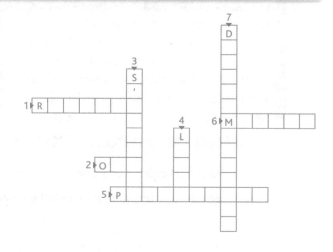

" Salon des Solidarités "

Vous souhaitez vous .... (1) pour un monde meilleur ?

Vous pouvez vous investir dans .... (2) ou .... (3).

Les causes à défendre sont nombreuses : la lutte contre .... (4),

le respect des .... (5),

.... (6) de l'environnement, etc.

Rendez-vous au Salon des Solidarités à la Porte de Versailles les 13, 14 et 15 mai prochains.

3. Lisez les définitions et complétez les mots croisés.

1. Le fait de discriminer une personne à cause de sa nationalité ou de sa couleur de peau.

2. Une organisation qui n'est pas financée par le gouvernement.

3. S'investir.

4. Un combat.

5. Le fait de protéger.

6. Une personne qui fait partie d'une association.

7. Le fait de traiter différemment une personne.

L'expression de la cause et de la conséquence

4. Lisez les phrases. Indiquez si les parties soulignées expriment la cause ou la conséquence.

Exemple : *Les discriminations sont fréquentes, il faut donc éduquer les gens.* → conséquence

1. Nous diffusons ce message car il ne faut pas oublier le combat de Martin Luther King. → ....

2. Je souhaite m'engager pour la protection de l'environnement, c'est pour cette raison que je suis devenu membre de Greenpeace. → ....

3. Comme je trouve qu'il y a beaucoup d'enfants en difficulté scolaire, je suis devenu bénévole dans une association pour l'aide aux devoirs. → ....

4. C'est grâce aux ONG et aux associations que nous pouvons lutter contre les inégalités. → ....

5. Je souhaite aider les jeunes c'est pourquoi j'ai créé une association sportive. → ....

6. L'ONG Médecins sans Frontières effectue des missions dans tous les pays du monde. En effet, la santé n'a pas de frontière ! → ....

5. Soulignez la bonne expression.

---

unicef ✿   [Découvrez l'Unicef] [Faites un don]

Pourquoi devenir bénévole à l'Unicef ?

Donc/Parce que (1) les enfants sont l'avenir du monde ! **Comme/Car** (2) ils ont besoin d'être protégés, l'Unicef est là. **Grâce à/À cause de** (3) votre engagement, nous pourrons construire un monde meilleur pour demain. Nos actions nécessitent de nombreuses compétences, **parce que/c'est pour cette raison que** (4) nous cherchons des personnes motivées et qui ont des profils différents. Être bénévole à l'Unicef, c'est une expérience enrichissante. **En effet/Comme** (5) vous participez à une action collective utile pour la société et vous faites de belles rencontres humaines. **C'est pourquoi/Alors** (6), engagez-vous !

---

6. 🎧 138 À l'oral. Écoutez les phrases et transformez-les avec l'expression donnée.

Exemple : *Il y a des conflits dans le monde. Il y a du racisme. (à cause de)*
→ Il y a des conflits dans le monde à cause du racisme.

1. (c'est pourquoi) – **2.** (car) – **3.** (parce que) – **4.** (c'est pour cette raison que) – **5.** (donc) – **6.** (comme)

Nous agissons

7. 🎧 139 Vous êtes au Salon des Solidarités pour trouver une association qui vous correspond. Écoutez les questions d'un journaliste et répondez.

8. Vous revenez du Salon des Solidarités. Vous écrivez un mail à un(e) ami(e) pour lui raconter le salon et lui proposer de s'engager avec vous pour une association.

Salut,
Je viens de rentrer du Salon des Solidarités ....
....
....
....
....

---

9. Beaucoup de Français donnent de l'argent pour la recherche médicale (44 %). Comparez avec votre pays.

LEÇON 5 Agir pour la nature

Comprendre une critique et des solutions

1. Lisez l'article et faites les activités a, b et c. Vérifiez vos réponses p. 26 du livret.

> **voyager-autrement.fr**
>
> **L'île de La Réunion** doit sa célébrité à ses paysages de rêve, ses marchés colorés, la mer, les volcans... C'est une région très agréable à vivre. Les voyageurs aiment découvrir la beauté naturelle de l'île. Les Réunionnais sont fiers de leur île qui attire chaque année plus de 600 000 touristes ! Le tourisme est bon pour l'économie, mais il est dangereux pour l'environnement. Alors comment conserver et protéger ce territoire unique ?
>
> Ali Bommalais, membre de l'association *Sauvons La Réunion* : « Il ne faut pas que nous suivions l'exemple des îles qui ont developpé le tourisme de masse. C'est une catastrophe pour l'environnement. Il faudrait que nous limitions le nombre de grands hôtels pour protéger la nature et économiser l'eau. Il faut développer l'écotourisme. C'est une forme de voyage responsable qui participe à la protection de l'environnement. C'est plus cher, mais je pense que les voyageurs veulent bien payer plus pour découvrir des régions sauvages et préservées. »

a. **Complétez.**

Lieu : *La Réunion*   Problème sur l'île : ....

2 solutions proposées : ....

b. **Vrai ou faux ? Cochez la bonne réponse et justifiez.**

1. L'écotourisme est mauvais pour la nature. ☐ Vrai ☐ Faux → ....

2. Toutes les îles choisissent de développer l'écotourisme. ☐ Vrai ☐ Faux → ....

3. Les grands hôtels utilisent beaucoup de ressources naturelles. ☐ Vrai ☐ Faux → ....

....

4. L'écotourisme est plus économique. ☐ Vrai ☐ Faux → ....

c. **Reformulez ces phrases à l'aide de : être heureux de, être prêt à, être conscient de, être connu pour. Faites les modifications nécessaires.**

1. L'île de La Réunion <u>doit sa célébrité à</u> ses paysages de rêve, ses marchés colorés, la mer, les volcans...

....

2. Les voyageurs <u>aiment</u> découvrir la beauté naturelle de l'île.

....

3. Je pense que le gouvernement <u>n'imagine pas</u> la catastrophe qui se prépare si nous n'agissons pas.

....

4. Je pense que les voyageurs <u>veulent bien</u> payer un peu plus pour découvrir des régions sauvages et préservées.

....

Mon score ...... /10

Le tourisme responsable

2. Entourez les règles et bons comportements du voyageur responsable.

Protéger la nature – Développer le tourisme de masse – Respecter l'environnement – Conduire hors-piste – Accepter de payer une taxe dès l'achat du billet d'avion pour éviter le tourisme de masse – Savoir s'adapter aux traditions locales – Jeter les déchets dans une poubelle – Ne pas faire attention à sa consommation d'eau – Penser que le voyage est un produit comme un autre

3. 🎧140 **Écoutez ces touristes et indiquez ceux qui ont un comportement responsable.**

	Exemple	1	2	3	4	5	6
Comportement responsable	X						

❱ Les propositions (*à, pour, de*) pour relier un adjectif à son complément

4. **Faites un maximum de phrases avec les éléments proposés.**

Le Canada est heureux •
Le gouvernement est prêt •
Nous sommes conscients •
La population est fière •
C'est un pays agréable •
Le tourisme est bon •

• à •
• de •
• pour •

• l'importance de protéger la vie animale.
• recevoir des touristes.
• imposer une taxe écologique.
• visiter.
• ses traditions.
• l'économie du pays.
• ses paysages magnifiques.

5. **Complétez le témoignage avec *à*, *pour* ou *de*.**

Je suis amérindienne et j'habite dans un village de Colombie britannique. Je suis fière .... (1) mes traditions. La Colombie britannique est une province très agréable .... (2) visiter. Elle est connue .... (3) ses paysages sauvages. Mais il est important .... (4) protéger la nature. Nous demandons donc aux touristes d'être conscients .... (5) l'importance de leur comportement. Notre communauté a écrit un petit guide facile .... (6) comprendre sur les bonnes attitudes à adopter.

6. 🎧141 **À l'oral. Écoutez les questions et répondez avec les éléments entre parenthèses comme dans l'exemple.**
Exemple : *De quoi sont fiers les Écossais ? (la beauté des lacs) → Les Écossais sont fiers de la beauté des lacs.*
1. (la diversité de ses paysages et sa gastronomie)
2. (faire du recyclage)
3. (visiter des lieux authentiques)
4. (faciles)
5. (le tourisme)
6. (de l'importance de protéger la nature)

Nous agissons

7. 🎧142 **Vous participez à une discussion organisée par un photographe pour son exposition « SOS Terre ». Écoutez ses questions et répondez.**

8. **Lisez et répondez.**

1980 2017 2050

documentaire
QU'EST-CE QU'ON ATTEND ?

La planète va mal. Mais il existe des solutions pour améliorer cette situation. C'est ce que **Marie-Monique Robin** nous montre dans son **dernier documentaire « Qu'est-ce qu'on attend ? »**.
Et vous, quelles sont vos solutions pour le monde demain ?

....
....
....
....
....
....

9. **Depuis le 1er janvier 2016, en France, les magasins ont l'interdiction de donner des sacs plastiques à usage unique. Que pensez-vous de cette mesure ? Comparez avec votre pays.**

LEÇON **6** Vous en pensez quoi ?

Nous nous évaluons

Demander l'avis de quelqu'un et donner son avis

1. 🎧 ▶143 **Écoutez la discussion et faites les activités a, b et c. Vérifiez votre score p. 26 du livret.**

a. Entourez la bonne proposition.

1. Il y a de moins en moins / de plus en plus d'activités interculturelles dans la ville.

2. Monica trouve les nouvelles offres interculturelles géniales / peu intéressantes.

3. Les participants acceptent difficilement / avec plaisir la proposition d'Isabelle.

b. Corrigez les 2 erreurs sur l'affiche d'Isabelle.

> Venez **participer** à notre **apéro**
> italien au restaurant *Le Bistrot Chic*
> le **mercredi 28 octobre**
> jusqu'à **18 heures**.

c. Complétez le mail que Monica a reçu avec : c'est vraiment dommage, comme j'étais heureux de voir, bravo, quel succès.

> Chère Monica,
>
> .... tous ces participants à ton premier événement de l'année. .... !
>
> Malheureusement, je ne pourrai pas venir dans 2 semaines. Je serai en voyage professionnel. .... !
>
> .... encore pour cette belle initiative.
>
> Bises.
> Michael

Mon score ...... **/10**

Nous pratiquons

❯ Demander et donner son avis

2. Mettez les phrases dans l'ordre. Ajoutez le trait d'union ou la virgule quand c'est nécessaire.

1. proposition – ça – va – cette – vous → .... ?

2. en – pensez – qu' – vous → .... ?

3. excellente – projet – quelle – idée – ce → .... !

4. vous – ne – c' – pas – dommage – que – est – veniez – vraiment → .... !

5. ça – fait – plaisir – me – comme – lire – de – ça → .... !

6. initiative – cette – génial – est – c' → .... !

3. 🎧 ▶144 **Écoutez et complétez avec une de ces expressions :** *Quel succès incroyable* **! ; Bravo à vous deux ! ; C'est vraiment stupide ! ; Comme c'est bizarre ! ; Quel dommage ! ; Quelle bonne initiative ! Ça me fait plaisir de voir ça !**

Exemple : *6 millions de spectateurs ont vu ce film.* → *Quel succès incroyable !*

1. ....   **4.** ....

2. ....   **5.** ....

3. ....   **6.** ....

❯ *De plus en plus/de moins en moins* pour parler d'une évolution

4. Complétez avec : de plus en plus de, de moins en moins de, de plus en plus, de moins en moins.

1. Je parle .... (−) dans ma langue maternelle.

2. Il y a de .... (+) francophones dans le monde.

3. L'Alliance française se développe .... (+) à travers le monde.

4. J'ai .... (−) problèmes pour m'exprimer en français.

5. Les apéros francophones attirent .... (+) monde.

6. Les visas sont .... (−) faciles à obtenir.

5. À l'oral. Observez les documents et commentez avec : de plus en plus de/d', de moins en moins de/d', de plus en plus, de moins en moins.

Exemple : *Les gens lisent de moins en moins. Les gens vont de plus en plus au cinéma.*

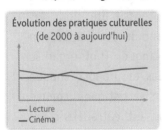

Évolution des pratiques culturelles
(de 2000 à aujourd'hui)
— Lecture
— Cinéma

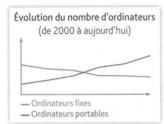

Évolution du nombre d'ordinateurs
(de 2000 à aujourd'hui)
— Ordinateurs fixes
— Ordinateurs portables

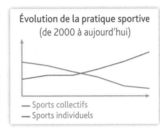

Évolution de la pratique sportive
(de 2000 à aujourd'hui)
— Sports collectifs
— Sports individuels

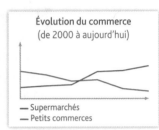

Évolution du commerce
(de 2000 à aujourd'hui)
— Supermarchés
— Petits commerces

❯ Sons du français   **L'intonation expressive dans la phrase exclamative**

6. 🎧▸145 Écoutez et indiquez si vous entendez une phrase affirmative prononcée avec un ton neutre, ou une phrase exclamative, prononcée avec enthousiasme. Répétez les phrases.

Exemple 1 : *C'est une bonne idée.*   Exemple 2 : *Quelle bonne idée !*

	Exemple 1	Exemple 2	1	2	3	4	5	6
Phrase affirmative avec un ton neutre	X							
Phrase exclamative avec enthousiasme		X						

Nous agissons

7. 🎧▸146 Écoutez votre amie et répondez.

8. Répondez au SMS de votre collègue.

Salut à tous ! Vous ne le savez peut-être pas encore mais Sylvie nous quitte 🙁. Elle part vivre à Amsterdam avec son mari et son fils… On lui organise quelque chose ? Vous avez des idées ?

9. a. Que signifie l'expression « changer d'avis comme de chemise » ?

Hésiter tout le temps ☐   Changer d'avis facilement ☐

Changer de vêtements plusieurs fois par jour ☐

b. Avez-vous une expression équivalente dans votre langue ?

Nous nous souvenons et nous agissons !

Compréhension écrite

1 Vous lisez cet article dans un quotidien français.

Elle a quitté son job pour créer *Thot*, une école de français destinée aux réfugiés

En juin 2016, Judith Aquien, Héloïse Nio et Jennifer Leblond ont créé l'école Thot grâce à des dons en ligne. Cette école diplômante de français offre la possibilité aux migrants et réfugiés d'apprendre la langue, de réfléchir à un projet professionnel et d'obtenir un diplôme.

L'école s'appelle Thot, comme le dieu égyptien du savoir, et signifie « Transmettre un Horizon à Tous ». Elle est installée au 3ᵉ étage du bâtiment de l'Alliance française de Paris.

Les trois femmes ont eu l'idée de créer Thot car il n'existait pas d'école gratuite et diplômante. Leur objectif est de transmettre par le langage, la possibilité pour les personnes de s'épanouir en France. En plus des cours de langue, Thot organise des sorties culturelles et propose chaque semaine des ateliers artistiques comme le dessin, le chant ou le théâtre. Les cours sont organisés en sessions de 16 semaines. Après ces 16 semaines, les étudiants passent le DILF (Diplôme Initial de Langue Française) ou le DELF (Diplôme d'Études en Langue Française), selon leur niveau. « *Pour la première session, il y a eu 93 % de réussite* » explique, avec le sourire, Judith Aquien.

---

1. Comment Judith, Héloïse et Jennifer ont pu créer l'école Thot ?

....

2. Que veut dire Thot ?

....

3. L'école Thot est présente…
   a. en Égypte.
   b. seulement à Paris.
   c. dans plusieurs villes de France.

4. Pour quelle raison Judith, Héloïse et Jennifer ont voulu créer l'école Thot ?

....

5. Quelles activités l'école Thot propose-t-elle à ses étudiants ? (plusieurs réponses possibles)

....

6. À la fin d'une session de cours de français, que font les étudiants de l'école Thot ?

....

Compréhension orale

2 🎧 ▷147 **Vous entendez cette émission sur l'engagement dans le monde associatif.**

1. D'après la journaliste, quel événement a lieu chaque année le 5 décembre ?

....

2. Complétez le tableau suivant :

	Raison de l'engagement
53 % des jeunes	
49 % des jeunes	

3. Quel sentiment principal ont les bénévoles grâce à leur engagement ?

....

4. Vrai ou faux ? Cochez la bonne réponse.
   a. Il n'y a que les jeunes qui s'engagent dans une association.   ☐ Vrai   ☐ Faux
   b. La moitié des responsables associatifs sont des retraités.   ☐ Vrai   ☐ Faux

5. D'après la journaliste, comment peut-on faire pour trouver une association correspondant à nos compétences ?

....

Production orale

3 Vous expliquez à un de vos amis que vous avez lu un article sur l'école Thot et écouté une émission très intéressante sur l'engagement associatif.
Vous annoncez à votre ami que ces informations vous ont donné envie de vous engager dans une action. Vous expliquez quel type d'action (pour la nature, pour le respect des droits de l'homme, contre le racisme, etc.) et les raisons de votre engagement. (2 minutes minimum)

Production écrite

4 Vous écrivez un e-mail à un de vos amis francophones pour lui raconter votre première journée d'engagement. Vous lui rappelez pourquoi vous avez décidé de défendre une cause et lui expliquez ce que vous avez fait. (60 mots minimum)

....

....

....

....

....

LEÇON 1 Original !

Nous nous évaluons

Comprendre un fait d'actualité

1. Faites les activités **a** et **b**. Vérifiez votre score p. 27 du livret.

a. 🎧▶148 Écoutez le dialogue entre Delphine et Jacob. Soulignez la bonne réponse.

1. Delphine a lu *un article en ligne* / un article dans le journal.

2. L'article parle des produits que les Français aiment / des produits français que les étrangers aiment.

3. Les Américains aiment la limonade française / le jus de raisin français.

4. L'article évoque des couteaux fabriqués dans le Centre de la France / des couteaux fabriqués au Japon.

5. On vend ces couteaux entre 100 et 1 000 € / entre 200 et 500 €.

6. Ces couteaux sont achetés en Europe / en Europe, en Asie et en Amérique.

b. 🎧▶148 Réécoutez. Complétez le résumé avec les verbes à la forme passive : *présenter*, exporter, vendre, fabriquer, apprécier, surprendre. Respectez les temps indiqués entre parenthèses.

Dans l'article que Delphine a lu, dix produits français *sont présentés* (présent)

parce qu'ils .... (présent) par les étrangers.

Delphine et Jacob .... (passé composé) par une information :

ils ne savaient pas que la limonade .... (imparfait) par une entreprise

française. Ils découvrent aussi que la marque Laguiole .... (présent)

dans plusieurs pays. Les couteaux .... (présent) très cher !

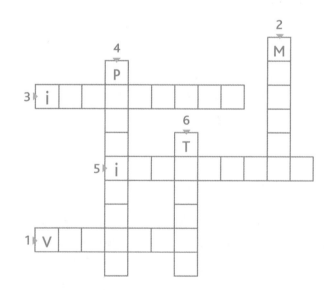

Mon score ..../10

Nous pratiquons

❥ Les inventions et l'actualité

2. Trouvez les mots pour compléter la grille.

1. Ancien et à la mode

2. Nom connu de produit ou de fabricant

3. Lancer un produit ou un événement pour la première fois

4. Texte, image ou vidéo pour encourager l'achat d'un objet ou d'un service

5. Entretien entre un journaliste et une autre personne

6. Essayer

❥ La forme passive pour mettre en valeur un élément

3. 🎧▶149 Écoutez et indiquez si ces informations sont à la forme active ou à la forme passive.

Forme active : ....

Forme passive : *exemple*, ...

4. a. Lisez les phrases et soulignez le groupe de mots qui fait l'action, lorsque c'est possible.

Exemple 1 : *Les artistes seront remerciés <u>par les spectateurs</u>.*
Exemple 2 : *<u>On</u> a fabriqué cette voiture l'année dernière.*

1. La série est produite par des studios français et belges.
2. On annonce une nouvelle mise en scène à la Comédie française.
3. La nouvelle ligne de train sera ouverte au printemps.
4. Avant, les touristes chinois achetaient moins de produits de luxe français.
5. Certains films français ont été adaptés par les États-Unis.
6. Le prochain festival de Cannes célébrera des artistes du monde entier.

b. Complétez le tableau.

	Exemple 1	Exemple 2	1	2	3	4	5	6
Forme active		✗						
Forme passive	✗							
Temps du verbe	*futur simple*	*passé composé*						

5. À l'oral. Transformez les phrases de l'activité 4 comme dans l'exemple.

Exemple 1 : *Les artistes seront remerciés par les spectateurs.* → *Les spectateurs <u>remercieront</u> les artistes.*
Exemple 2 : *<u>On</u> a fabriqué cette voiture l'année dernière.* → *Cette voiture <u>a été fabriquée</u> l'année dernière.*

6. Complétez l'article avec les verbes indiqués à la forme passive. Attention aux temps !

Les chefs du monde entier *sont attirés* (attirer – présent) par la cuisine française !

Pendant longtemps, les cours de cuisine .... (transmettre – passé composé) par les livres. La première école de cuisine .... (créer – passé composé) en 1885 à Paris. Progressivement, des cuisiniers du monde entier .... (intéresser – passé composé) par la cuisine française. Dans les années 1950, une émission de télévision .... (diffuser – passé composé) aux États-Unis pour présenter des recettes françaises. Aujourd'hui, des programmes d'études .... (proposer – présent) à des étudiants étrangers. Bientôt, des cours en ligne .... (ouvrir – futur simple) à tous les passionnés !

Nous agissons

7. Répondez à cette demande sur un site web.

MaVille.com >>>>>
Votre ville connaît des changements : des équipements ont été installés, des routes sont modifiées, des bâtiments seront construits, etc. Partagez l'actualité de votre ville et **dites-nous ce que vous en pensez !**

8. 🎧150 **Votre camarade de classe rentre de vacances et revient en cours de français. Écoutez-le et répondez.**

LEÇON 2 Actu du jour

Comprendre les informations d'un article de presse

1. Lisez l'article. Faites les activités a, b et c. Vérifiez votre score p. 28 du livret.

> **ladepeche.fr.**
>
> ## Apéro-cambriolage à Avignon
>
> **A**près avoir cambriolé une villa, les cambrioleurs sont restés dans le jardin pour faire un barbecue et prendre l'apéritif.
>
> En rentrant chez lui dans la soirée du 16 avril, un Avignonnais a découvert dans son jardin sept jeunes gens en train de prendre l'apéro ! Les personnes, âgées de 19 à 25 ans, faisaient un barbecue dans le jardin de la ferme ! Le propriétaire est discrètement rentré chez lui pour appeler la police. Le temps que les forces de l'ordre arrivent sur place, les cambrioleurs avaient pris la fuite.
>
> Mais les agents de police n'ont eu aucun mal à les retrouver car le propriétaire leur avait transmis la description des voitures. Les policiers ont arrêté les suspects.
> Dans les coffres des voitures, on a découvert un ordinateur, une télévision mais aussi de la viande, des boissons alcoolisées et du matériel pour barbecue qui appartenaient au propriétaire de la maison...

a. Entourez la bonne réponse.

Rubrique : Économie – Faits divers – Culture – Politique

Quoi : Cambriolage d'une maison – Organisation d'un apéritif pour la fête des voisins – Arrestation d'un cambrioleur

Où : dans un jardin public – dans une voiture – au domicile d'un particulier

Quand : dans la nuit du 16 avril – dans la soirée du 16 avril – dans la matinée du 16 avril

b. Dans l'article, trouvez et écrivez les autres mots ou expressions qui désignent :

1. Sept jeunes gens : *les personnes âgées de 19 à 25 ans*, ..., ...

2. Un Avignonnais : ....

3. La police : ...., ..., ...

c. Transformez les phrases suivantes en titres de journaux. Utilisez la nominalisation.

Exemple : *Un Avignonnais <u>a découvert</u> des voleurs dans son jardin.*
→ *Découverte de voleurs dans le jardin d'un Avignonnais.*

1. Les forces de l'ordre <u>sont arrivées</u> sur place. → ....

2. La police <u>a arrêté</u> les suspects. → ....

3. On <u>a découvert</u> un ordinateur et une télévision dans les coffres des voitures. → ....
....

Mon score ..../10

La presse et les faits divers

2. Associez les mots de sens proche.

1. s'échapper   •   • a. se mettre en lieu sûr
2. un agent des forces de l'ordre •   • b. prendre la fuite
3. mener une enquête   •   • c. maîtriser
4. un cambriolage   •   • d. un vol
5. arrêter   •   • e. un suspect
6. un auteur possible   •   • f. un policier
7. se réfugier   •   • g. faire des recherches

3. Lisez les titres d'articles de journaux. Entourez la rubrique correspondante.

Exemple : *Victoire de Monaco à Lyon* → (Sports) / *Culture* / *Économie*

1. Succès du dernier livre d'Erik Orsenna → Faits divers / Politique / Culture

2. Paris lance une nouvelle publicité contre le racisme → Économie / Société / Politique

3. Désaccords dans le gouvernement → Politique / Sports / Culture

4. Accident de train à Lens : 10 blessés → Société / Culture / Faits divers

La nominalisation pour mettre en avant une information

4. 🎧▸151 Écoutez les informations et complétez les titres avec une nominalisation.

Exemple : *Les habitants d'un immeuble sont soulagés après l'arrêt d'un incendie.*
→ *Soulagement des habitants d'un immeuble après l'arrêt d'un incendie.*

1. .... du suspect par la police

2. .... de cinq appartements

3. .... gratuite de nourriture à des associations

4. .... des appareils électroménagers pour économiser l'énergie

5. .... actives du gorille échappé du zoo

6. .... de documents secrets

5. a. Écrivez le nom qui correspond au verbe.

Exemple : *Organiser = une organisation*

1. Arrêter = une ....   3. Pratiquer = une ....   5. Vendre = une ....

2. Fermer = une ....   4. Créer = une ....   6. Ouvrir = une ....

b. Transformez les phrases suivantes avec la nominalisation.

Exemple : *On a organisé un apéro géant.* → *Organisation d'un apéro géant.*

1. On a arrêté un homme dangereux. → ....

2. On a fermé un aéroport lundi. → ....

3. On pratique les langues étrangères à l'école maternelle. → ....

4. On a créé de nouveaux espaces verts. → ....

5. On a vendu 300 livres en une journée. → ....

6. On a ouvert un nouvel hôpital. → ....

Sons du français   Les voyelles [ø] et [œ]

6. a. 🎧▸152 Écoutez et cochez si vous entendez [ø]. Répétez les mots.

Exemple : *deux* ☒   1. ☐   2. ☐   3. ☐   4. ☐   5. ☐   6. ☐

b. 🎧▸153 Écoutez et cochez si vous entendez [œ]. Répétez les mots.

Exemple : *heures* ☒   1. ☐   2. ☐   3. ☐   4. ☐   5. ☐   6. ☐

Nous agissons

7. 🎧▸154 Écoutez les questions de l'enquêteur et répondez.

8. Lisez les règles du jeu-concours et répondez.

JOURNAL DES BONNES NOUVELLES
Participez au concours du *Journal des bonnes nouvelles* ! Écrivez 3 titres d'articles annonçant une bonne nouvelle. Les meilleurs titres auront un article dans notre prochaine édition ! 1. .... 2. .... 3. ....

LEÇON 3 Nous réagissons !

Réagir et donner des précisions

1. Lisez le forum. Faites les activités a et b. Vérifiez votre score p. 28 du livret.

ActiCitoyens | Les transports et l'environnement : que faire ?

Louis06 > La seule solution, c'est de limiter les voitures en ville. Ce n'est pas en proposant des transports en commun qu'on diminuera la pollution, mais c'est en interdisant les voitures dans les centres-villes. Les gens font des efforts seulement s'ils y sont obligés.

Oli Via > Ce n'est pas en interdisant les voitures en ville qu'on progressera. À mon avis, notre environnement ira mieux en créant plus de sites de covoiturage, en proposant des vélos de location et plus de transports en commun !

Théo D. > Vous ne considérez pas tous les aspects du problème ! En faisant toutes ces choses en même temps, on pourra vraiment améliorer la situation :
1. Consommer des produits locaux pour diminuer les transports
2. Développer les transports en commun électriques et les vélos gratuits
3. Encourager les gens à partager leur voiture
4. Créer plus de bus à la campagne
5. Construire des parkings pas chers à côté des villes.

---

a. Répondez aux questions et justifiez votre réponse.

1. Quels internautes préfèrent les transports en commun ?

....

2. Quel internaute s'intéresse à ce que les personnes achètent ?

....

3. Quel message parle seulement de la ville ? ....

b. Reformulez les propositions de Théo D. avec le gérondif.

On améliorera la situation :   **1.** *en consommant des produits locaux pour diminuer les transports.*

2. ....

3. ....

4. ....

5. ....

Mon score ...... /10

❯ Le gérondif pour donner des précisions

2. 🎧◄155 À l'oral. Écoutez et transformez les phrases comme dans l'exemple.

Exemple : *Je fais la cuisine et je regarde mon émission préférée.*
→ *Je fais la cuisine en regardant mon émission préférée.*

3. Complétez le tableau de correspondances verbales.

	je connais	ils prennent	tu sais	elle voyage	vous êtes	j'essaie	elles ont
Verbe à l'infinitif	connaître	....	....	....	....	....	....
Forme conjuguée au présent (nous)	nous connaissons	....	....	....	....	....	....
Gérondif	en connaissant	....	....	....	....	....	....

4. Rédigez les conseils de Jérémie pour les membres de son club de sport. Faites comme dans l'exemple.

Exemple : *Vous progresserez si vous venez régulièrement.* → *Vous progresserez <u>en venant</u> régulièrement.*

1. Vous serez meilleur car vous serez motivé. → ....

2. Vous êtes accueilli par mon assistante quand vous arrivez au club. → ....

....

3. Vous n'aurez pas mal au ventre si vous ne mangez pas juste avant le cours. → ....

....

4. Pendant les cours, nous gardons le rythme car nous écoutons de la musique. → ....

....

5. Vous serez plus à l'aise si vous avez une tenue de sport. → ....

6. Vous serez en forme si vous venez chaque semaine ! → ....

5. Exprimez les décisions d'Anna pour la nouvelle année.

1. Je vais m'occuper de ma santé.

2. Je serai plus écologiste.

économies d'énergie

sport

chocolat

produits biologiques

légumes

voiture

1 Je vais m'occuper de ma santé *en faisant du sport*, ...

....

2 Je serai plus écologiste ....

....

6. À l'oral. À tour de rôle, posez des questions sur vos habitudes : comment vous protégez l'environnement ? Comment vous préservez votre santé ? Comment vous choisissez les produits alimentaires ?

Exemple : *A. Comment protèges-tu l'environnement ?*
   → B. Je protège l'environnement en utilisant un vélo et en ne prenant pas ma voiture tous les jours.

Nous agissons

7. Répondez à cet appel à témoignages d'un magazine.

....

....

APPEL À TÉMOIGNAGES
Vous aimez une association dans votre région, faites-la connaître à nos lecteurs ! Quel est son but ? Comment améliore-t-elle la vie des gens, des animaux ou de l'environnement ?

....

....

8. 🎧 ᴴ156 Écoutez votre amie qui apprend le français et répondez-lui.

9. En France, le gouvernement encourage les citoyens à préserver l'environnement, manger mieux, etc. Des campagnes de ce type existent-elles dans votre pays ?

LEÇON 4 Vous en pensez quoi ?

Nous nous évaluons

Faire des suggestions

1. Faites les activités a, b et c. Vérifiez votre score p. 29 du livret.

a. 🎧 157 Écoutez l'émission.
Complétez l'affiche.

Le .... (date)

c'est la **journée** ....

(nom de la journée).

Ensemble, **mobilisons-nous** pour

.... (objectif).

b. **Associez les personnes à leurs suggestions.**

1er témoignage •
2e témoignage •
3e témoignage •

• changer le nom de l'événement
• permettre aux voyageurs d'utiliser gratuitement le bus, le métro et le tram
• rendre cette initiative hebdomadaire

c. **La dernière personne interrogée laisse un message sur le forum de l'événement.
Complétez ses suggestions avec les éléments proposés.**

Bonjour, j'habite à plus de 50 km de Paris et il n'y a pas de transports en commun près de chez moi.

Avant de faire des journées comme celle-là, il me semble qu'.. (falloir) développer

les transports dans la Région parisienne. .... (le gouvernement – pouvoir)

encourager le covoiturage. .... (je – devoir) acheter une voiture électrique, ça pollue moins

et en plus .... (je – faire) des économies.

Mon score ...... /10

Nous pratiquons

❯ **Le métro**

2. Trouvez un autre mot de sens proche.

un usager : un p_ _ _ _ _ _ _

un wagon : une r_ _ _

une gare : une s_ _ _ _ _ _

une affiche : une p_ _ _ _ _ _ _ _

l'heure de grand trafic : l'h_ _ _ _ d_ p_ _ _ _ _

3. Complétez le récit avec les mots de l'activité 2.

Antoine est un .... (1) du métro. Tous les jours, il prend la ligne 2 à Ménilmontant et descend

à la .... (2) Pigalle pour se rendre à son travail. Il s'installe toujours dans la première

.... (3). Il aime regarder les .... (4) pour connaître le programme

culturel. Il déteste les .... (5) pour les produits du commerce. Le soir, après le travail,

il préfère aller boire un verre à *La Cagnotte* et rentrer chez lui un peu plus tard quand ....

(6) est passée.

❯ Le conditionnel et quelques structures pour faire des suggestions

4. 🎧H158 **À l'oral. Écoutez et répondez avec les éléments entre parenthèses.**

Exemple : *Quelles sont vos idées pour réduire la pollution ? (on / devoir / utiliser plus souvent les transports en commun) → On devrait utiliser plus souvent les transports en commun.*

1. (Il / falloir / limiter le nombre d'élèves par classe)
2. (Je / suggérer / les informer sur les avantages d'une bonne alimentation)
3. (Je / proposer / organiser un apéro de quartier une fois par mois)
4. (On / pouvoir / planter des arbres)
5. (On / devoir / créer des espaces de repos)
6. (Il me semble que / il / falloir / s'engager dans une association)

5. Faites deux propositions pour chaque situation. Utilisez plusieurs structures pour exprimer vos idées.

Vos idées pour : **une meilleure alimentation**

Exemple : *Les légumes biologiques devraient être moins chers.*

1. ....
2. ....

des vacances moins chères

3. ....
4. ....

une ville plus propre

5. ....
6. ....

❯ Sons du français   Liaison ou enchaînement ?

6. 🎧H159 **Écoutez et répétez. Indiquez si la personne fait la liaison avec la consonne finale <u>muette</u> ou s'il y a un enchaînement avec la consonne finale <u>prononcée</u>.**

Exemple 1 : *Ils / Ils habitent à Lyon. → liaison (dans le mot « ils » le <u>s</u> est muet).*
Exemple 2 : *Il / Il habite à Lille. → enchaînement (dans le mot « il », le <u>l</u> est prononcé).*

	Exemple 1	Exemple 2	1	2	3	4	5	6
Liaison	✗							
Enchaînement		✗						

Nous agissons

7. 🎧H160 **Écoutez votre camarade du cours de français et répondez.**

8. **Lisez le sujet de l'enquête et répondez.**

Notre ville souhaite l'avis des habitants pour l'aménagement d'un centre-ville plus respectueux de l'environnement. Nous attendons vos suggestions !

Ma proposition : ....
....
....
....

9. En 1998, pour la coupe du monde de football, on a demandé aux Français de proposer un nom pour le nouveau stade parisien. La proposition la plus citée était *Stade Michel Platini*, mais on a sélectionné le nom *Stade de France*. Organise-t-on des concours d'idées dans votre pays ? Si oui, pouvez-vous donner des exemples ?

LEÇON **5** Pour un monde meilleur

Nous nous évaluons

Exprimer des souhaits et des espoirs

1. Faites les activités a et b. Vérifiez votre score p. 30 du livret.

a. 🎧 ⊮161 Écoutez. Cochez la bonne réponse.

1. Tous les amis de Nelly connaissent la Journée mondiale de la Terre. ☐ Vrai ☒ Faux
2. La cousine de Jean fait partie d'une association écologiste. ☐ Vrai ☐ Faux
3. Nelly s'intéresse à la protection de la campagne. ☐ Vrai ☐ Faux
4. Jean propose de collecter les déchets sur la plage. ☐ Vrai ☐ Faux
5. Le groupe d'amis veut utiliser le bateau du père de Nelly. ☐ Vrai ☐ Faux

b. Rédigez des phrases pour exprimer les souhaits et les espoirs des personnes avec les éléments proposés.

Exemple : *La cousine de Jean / vouloir / il / faire partie de son association.*
    → *La cousine de Jean voudrait qu'il fasse partie de son association.*

1. Astrid / espérer / Nelly / avoir un projet précis. → ....

2. Les amis / aimer / organiser une collecte des déchets en mer. → ....

3. Nelly / vouloir / ses amis / sortir en mer avec elle. → ....

Mon score ...... /10

Nous pratiquons

❥ Le subjonctif, l'indicatif et l'infinitif pour exprimer des souhaits et des espoirs

2. 🎧 ⊮162 Écoutez les souhaits et les espoirs de Rita et Danny pour leur retraite. Reformulez chaque phrase avec l'élément donné.

Exemple : *Pour ma retraite, j'aimerais que mon mari et moi allions en Amérique latine.*
    → *Rita espère qu'ils iront en Amérique latine.*

1. Elle espère ....

2. Elle a l'espoir ....

3. Elle a l'espoir ....

4. Danny souhaite ....

5. Il aimerait ....

6. Il voudrait ....

3. Julia écrit une carte de vœux pour sa grand-mère française. Trouvez les erreurs et corrigez-les.

> Ma chère grand-mère,
>
> Bonne et heureuse année ! J'espère que tu aies passé un bon réveillon avec tes amis. Je souhaite que ta santé
>   as
> sera toujours bonne et que tu seras toujours présente pour nous ! Mes parents pensent à toi aussi. Ils souhaitent
>
> qu'ils puissent venir te voir bientôt. Ils espèrent que tu fasses les voyages que tu as prévus !
>
> Mon frère et moi, nous espérons te voir aussi. Nous souhaitons que nous fassions tous ensemble
>
> une grande fête pour nos diplômes en juin ! Nous espérons que tu viennes !!!
>
> Nous t'embrassons bien fort !
>
>   Julia

4. Écrivez vos souhaits et vos espoirs pour vous, votre famille et vos voisins. Utilisez les éléments indiqués.

Moi connaître d'autres cultures faire des voyages	ma famille pouvoir apprendre le français avoir du temps libre	mes voisins être moins bruyants respecter l'environnement

Je souhaite – *avoir du temps libre.*

– *que ma famille fasse des voyages.*

– ....

– ....

– ....

J'espère – *que je connaîtrai d'autres cultures.*

– ....

– ....

– ....

5. À l'oral. Vous avez bientôt fini votre cours de français. À tour de rôle, posez des questions sur vos souhaits et vos espoirs concernant le français, vos études, votre profession.

Exemples : ***A.*** *Qu'est-ce que tu souhaites étudier après le livre de niveau 2 ? →* ***B.*** *Je souhaite continuer avec le livre de niveau 3.*

B. *Tu espères que les autres étudiants feront quoi ? →* ***A.*** *J'espère qu'ils continueront aussi !*

Sons du français   La prononciation des verbes au subjonctif

6. 🎧▶163 Écoutez et complétez les phrases avec le verbe conjugué au subjonctif.
Dites si la prononciation est identique ou différente. Répétez les phrases.

Exemple : ***Phrase 1*** *: J'aimerais que tu <u>sois</u> là pour moi. /* ***Phrase 2*** *: Il aimerait que tu <u>sois</u> là pour lui.*
→ La prononciation est <u>identique</u>.

1. Phrase 1 : Il faut qu'il .... là demain.   / **Phrase 2** : Il faut qu'ils .... là demain.

→ La prononciation est ....

2. Phrase 1 : Il faut qu'elle .... attention.   / **Phrase 2** : Il faut que tu .... attention.

→ La prononciation est ....

3. Phrase 1 : Il faut que vous .... de la chance.   / **Phrase 2** : Il faut qu'ils .... de la chance.

→ La prononciation est ....

4. Phrase 1 : Il faut qu'il .... comprendre la situation.   / **Phrase 2** : Il faut qu'ils .... comprendre la situation.

→ La prononciation est ....

Nous agissons

7. Vous êtes invité(e) au mariage de deux amis français. Écrivez-leur une carte avec vos souhaits et vos espoirs pour leur nouvelle vie.

8. 🎧▶164 Écoutez votre ami et répondez.

9. En France, à l'occasion de la nouvelle année, d'un anniversaire, d'un mariage ou d'une naissance, les gens échangent des souhaits et des espoirs, appelés « vœux ». À quelle(s) occasion(s) faites-vous cela dans votre pays ? Que souhaitez-vous ? Donnez des exemples.

LEÇON 6 Prix littéraires

Comprendre un article sur l'actualité littéraire

1. Faites les activités a, b et c. Vérifiez votre score p. 30 du livret.

LIVRESHEBDO   ACTUALITÉ | AGENDA | PRIX LITTÉRAIRES | ANNONCES

Thomas B. Reverdy remporte le Prix des Libraires

Le Prix des Libraires, qui existe depuis plus de 60 ans, a récompensé cette année *Il était une ville* de Thomas B. Reverdy.

Le 26 mai dernier, on a remis le Prix des Libraires dans la librairie *L'imagigraphe* (Paris 11ᵉ), à Thomas B. Reverdy pour *Il était une ville*, déjà récompensé par le prix des Lecteurs de l'Escale du livre. L'écrivain emmène le lecteur dans la ville américaine de Détroit, en 2008, où il fait le portrait de personnes très différentes. L'histoire n'a rien de joyeux mais on ne s'ennuie jamais grâce au suspens et à l'ambiance.

Le lauréat était en compétition avec Olivier Adam pour *La Renverse* et avec Brigitte Giraud pour *Nous serons des héros*. Cette année, ce sont 800 libraires qui ont été invités à voter.

---

a. Lisez l'article, et complétez l'invitation.

> Nous vous invitons à un cocktail le 26 mai pour célébrer le 62ᵉ (1) ....
>
> En présence des 3 auteurs sélectionnés : (2) ...., ..., ...
>
> Lieu : (3) ...., 84 rue Oberkampf, 75011 Paris
>
> Le lauréat est choisi par un jury composé de .... (4).

b. Dans le texte, entourez :

1. la phrase qui résume l'histoire du livre.   **2.** la phrase qui présente une critique positive du livre.

c. Reformulez ces phrases avec *on*.

1. Nous connaissons enfin le nom du lauréat du Prix des Libraires !

→ ....

2. Les gens ont apprécié le sujet traité par Thomas B. Reverdy.

→ ....

3. Quelqu'un a fait un discours avant la remise du prix.

→ ....

Mon score ...... /10

❯ Parler d'un livre qu'on aime

2. Complétez la grille de mots croisés.

1. une gagnante : une …
2. un prix : une …
3. le thème d'un livre : le …
4. l'ensemble des personnes qui sélectionnent les candidats à un concours : le …
5. le moment où un livre est publié : la …
6. obtenir
7. récit plutôt long qui raconte une histoire fictive : un …

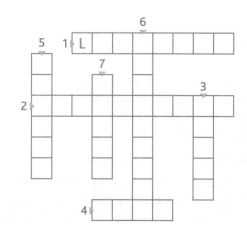

3. **Associez chaque phrase à la personne qui l'a prononcée.**

1. « Je suis tellement heureux d'avoir remporté ce prix.
Je suis très ému ! Merci beaucoup. »
2. « Notre Prix du premier roman va à Christophe Mathieu
pour son livre *Miss Papillon* ! »
3. « J'ai lu son livre en une soirée ! J'ai adoré. J'espère
qu'il y aura une suite bientôt ! »
4. « Nous avons fait le portrait de ce jeune auteur dans notre magazine du
mois de juin. Son style est dynamique et il a une très belle écriture. »
5. « Je n'ai pas obtenu cette récompense, c'est dommage.
Mais je participe à un autre concours et j'espère bien gagner ! »

a. le président du jury
b. le lauréat
c. un critique
d. un auteur
e. un lecteur

4. 🎧165 **Écoutez. De quoi parlent les personnes ? Écrivez le numéro sous le bon sujet.**

	Le style	L'écriture	L'histoire	La critique	L'opinion personnelle	Le genre	Le succès
Personne n°	*exemple*						

Les valeurs du pronom *on*

5. **Reformulez les phrases suivantes. Attention aux temps !**

Exemple : *Les gens aiment beaucoup les livres de Stephen King.* → <u>*On aime*</u> *beaucoup les livres de Stephen King.*

1. Le jury et moi félicitons Fred Vargas ! → ......
2. Les gens aimeraient que les livres soient moins chers. → ......
3. Nous avons été surpris par cet incroyable succès ! → ......
4. Quelqu'un m'a conseillé de lire cette histoire. → ......
5. Les gens lisaient plus avant. → ......
6. Quelqu'un fera une présentation de l'auteur. → ......

6. **Entourez la valeur du pronom *on* dans chaque cas.**

Dans toutes les écoles de langues, **on** (*nous* – (*les gens*) – *quelqu'un*) se pose la même question :
que peut-**on** (**1.** *nous* – *les gens* – *quelqu'un*) faire pour améliorer sa pratique de la langue ? Hier, Inge et moi,
on (**2.** *nous* – *les gens* – *quelqu'un*) est allés à la bibliothèque pour faire nos devoirs de français.
On (**3.** *Nous* – *Les gens* – *Quelqu'un*) a travaillé ensemble tout l'après-midi. En plus, il y a toujours
une personne pour aider les étudiants. **On** (**4.** *Nous* – *Les gens* – *Quelqu'un*) nous a recommandé de faire
des exercices en ligne et **on** (**5.** *nous* – *les gens* – *quelqu'un*) nous a suggéré de prendre des petits romans
faciles à lire. J'espère qu'**on** (**6.** *nous* – *les gens* – *quelqu'un*) fera des progrès rapides !

Nous agissons

7. **Observez la couverture de ce livre. Imaginez l'histoire.**

Mon tour du monde à mobylette

L'histoire : ......

8. 🎧166 **Écoutez votre amie et répondez.**

9. **Les Français aiment bien les émissions littéraires. Par exemple, « Un livre un jour » est une émission de télévision qui présente un livre en 2 minutes 30. Y a-t-il des émissions littéraires dans votre pays ?**

Nous nous intéressons à l'actualité

Compréhension orale

1 🎧 ▶167 **Vous entendez ce fait divers à la radio.**

1. Quel est le thème principal de ce fait divers ?
   a. Un maître qui a abandonné son chien.
   b. Une personne qui a volé le chien de son ami.
   c. Un maître qui a retrouvé son chien 2 ans plus tard.

2. Dans quel pays ce fait divers s'est-il passé ? ....

3. Il y a deux ans, José…
   a. a perdu son chien.   **b.** s'est fait volé sa voiture.   **c.** s'est retrouvé sans abri.

4. Qui est Chaos ?

   ....

5. Que se passe-t-il avec l'ami de José ? ....

6. Quelle bonne nouvelle José reçoit-il par téléphone ? ....

7. Comment cette bonne nouvelle a pu arriver ? ....

8. Qu'est-ce que l'animateur radio conseille de regarder sur Internet ?

   ....

Compréhension écrite

2 **Vous lisez cette annonce dans un magazine français.**

POUR OU CONTRE LES ZOOS

Les avis sont souvent très clairs quand on parle de zoos. D'un côté, on trouve ceux qui pensent que les animaux ne peuvent être heureux que dans leur habitat naturel. De l'autre, ceux qui pensent que les parcs animaliers sont une excellente opportunité de protéger certaines espèces.

Il est vrai que certains zoos font beaucoup pour la protection des espèces mais il est difficile pour un animal sauvage de vivre emprisonné dans une cage. Les zoos présentent aussi un aspect pédagogique car ils permettent de mieux connaître les espèces qui sont sur la planète. De plus, ils permettent à certaines espèces de ne pas disparaître. Mais, les cages et les environnements de vie des animaux ne sont pas toujours respectés et adaptés et le grand public n'est pas assez bien informé sur la fragilité de la biodiversité.

Et vous, quel est votre avis ? Êtes-vous pour ou contre les zoos ? Réagissez en nous envoyant votre avis (70 mots environ) à **pouroucontreleszoos@internet.com**

1. Vrai ou Faux ? Cochez la bonne réponse.
   a. Quand on demande aux personnes si elles sont pour ou contre les zoos, elles n'ont généralement pas d'avis. ☐ Vrai ☐ Faux
   b. Certaines personnes pensent que les animaux sont malheureux dans les zoos. ☐ Vrai ☐ Faux

2. Complétez le tableau suivant en recopiant des phrases de l'article.

3 points positifs	3 points négatifs

3. Vous avez envie de participer au débat. Que devez-vous faire ?

....

Production orale

3 Vous discutez avec un ami de l'article que vous avez lu « Pour ou contre les zoos » :
– Vous lui expliquez de quoi il s'agissait et vous lui donnez votre opinion sur le sujet.
– Vous lui demandez de vous aider à écrire votre avis pour participer au débat
   et vous vous mettez d'accord sur les suggestions à donner sur le sujet.
(3-4 minutes environ)

Production écrite

De : louison.laporte@yahoo.com

Salut !
Comment vas-tu ?
Je cherche un roman francophone à offrir à Sidonie. Est-ce que tu pourrais me conseiller un livre que tu as lu et que tu as aimé, s'il te plaît ?
Est-ce que tu viens à sa fête d'anniversaire samedi prochain ? Tu veux qu'on achète son cadeau ensemble ?
Merci, à bientôt !
Louison

4 Vous répondez à Louison :
– Vous lui proposez le roman d'un auteur francophone que vous connaissez et qui vous a plu.
   Vous dites de quoi parle ce roman et vous expliquez brièvement pourquoi vous avez aimé ce livre.
– Vous lui dites que vous espérez pouvoir venir à l'anniversaire de Sidonie car vous avez peut-être
   autre chose à faire et vous dites quoi.
– Vous lui faites des suggestions de rencontre pour acheter ensemble le cadeau de Sidonie
   (jour, heure, endroit).
(120 mots environ)

....

....

....

....

....

PORTFOLIO

Pour chaque affirmation, cochez une des trois cases :

😊 je peux très bien le faire !

😐 je peux le faire, mais j'ai des difficultés.

🙁 je ne peux pas encore le faire.

Quand vous cochez 😐 ou 🙁, révisez la leçon et faites à nouveau les exercices.

Dossier 1	À l'oral 😊	😐	🙁	À l'écrit 😊	😐	🙁
Je comprends…						
quand quelqu'un fait des comparaisons						
la description d'un hébergement						
la description d'un lieu						
les démarches administratives à faire pour m'inscrire dans une école de langue						
Je peux…						
faire des comparaisons						
demander des précisions						
donner des précisions						
décrire un lieu						
choisir des centres d'intérêt présents dans une ville ou une région						
exprimer des règles et des recommandations						
m'informer sur un hébergement						
expliquer le type d'hébergement que je préfère						

Dossier 2	À l'oral 😊	😐	🙁	À l'écrit 😊	😐	🙁
Je comprends…						
des conseils						
des consignes de sécurité						
quand quelqu'un raconte un souvenir						

	À l'oral			À l'écrit		
	🙂	😐	☹️	🙂	😐	☹️
quand quelqu'un exprime ses sentiments						
quand quelqu'un parle d'une expérience						

Je peux…

raconter une expérience passée, des souvenirs						
parler de mes émotions, de mes sentiments						
exprimer une obligation, une interdiction						
donner des conseils (avec « il faut que »)						
organiser un week-end à thème						
décrire un voyage insolite						
raconter un parcours de vie						

Dossier 3	À l'oral			À l'écrit		
	🙂	😐	☹️	🙂	😐	☹️

Je comprends…

une offre d'emploi						
les questions d'un recruteur						
une demande d'emploi						
l'organisation d'un CV français						
les questions formelles						
quand quelqu'un parle de parcours professionnel si son discours est clairement articulé						
les différences de registres de langue (familier, standard, soutenu)						

Je peux…

rechercher un emploi						
proposer des services						
faire des hypothèses avec « si » pour donner des conseils et indiquer une conséquence						
parler de mes études / de mon parcours professionnel						
répondre à des questions formelles						

	À l'oral			À l'écrit		
poser des questions formelles						
décrire des compétences et des qualités professionnelles						
structurer mon discours à l'aide d'articulateurs						
utiliser des adverbes pour donner une précision						
utiliser le plus-que-parfait pour raconter des événements passés						
utiliser les différents registres de langue selon la situation (langage familier, standard, soutenu)						

Dossier 4	À l'oral 😊	😐	🙁	À l'écrit 😊	😐	🙁
Je comprends…						
les résultats d'une enquête, exprimés en pourcentages						
quand quelqu'un décrit une série télévisée						
quand quelqu'un fait une appréciation						
quand quelqu'un demande des précisions, des informations						
quand quelqu'un exprime un souhait						
quand quelqu'un donne des conseils						
Je peux…						
exposer des faits						
nuancer des faits						
préciser des faits						
décrire une classe d'âges, une tranche d'âges						
répondre à une enquête sur ma consommation culturelle						
faire une appréciation (utilisation des superlatifs)						
demander des explications (informations et précisions)						
exprimer des souhaits (utilisation du conditionnel présent)						
donner des conseils (utilisation du conditionnel présent)						
rendre compte d'un événement						

présenter un événement culturel						
présenter les résultats d'une enquête avec des pourcentages						

Dossier 5	À l'oral			À l'écrit		
	🙂	😐	🙁	🙂	😐	🙁
Je comprends…						
quand quelqu'un exprime un désaccord						
quand quelqu'un me parle de son état d'esprit						
quand quelqu'un me demande mon avis						
quand quelqu'un donne son avis						
Je peux…						
caractériser des personnes						
rapporter des propos						
exprimer mon désaccord						
parler des relations entre les personnes						
donner mon avis sur des relations entre des personnes						
demander l'avis d'une personne						
parler de différences culturelles entre pays						
essayer de convaincre une personne, de la motiver						
parler de mon état d'esprit						

Dossier 6	À l'oral			À l'écrit		
	🙂	😐	🙁	🙂	😐	🙁
Je comprends…						
des tâches et des instructions						
un mode de fonctionnement						
quand quelqu'un raconte chronologiquement une suite de faits						
les indicateurs temporels						

Je peux…						
rédiger une recette de cuisine						
évoquer une réussite, un succès						
parler des produits d'hygiène et des cosmétiques						
raconter une suite d'actions						
faire des propositions						
désigner une personne, une chose, un lieu						

	À l'oral			À l'écrit		
Dossier **7**	🙂	😐	☹️	🙂	😐	☹️
Je comprends…						
les récits au passé, comme les souvenirs par exemple						
quand quelqu'un exprime une cause, une raison, un motif						
quand quelqu'un propose des solutions						
quand quelqu'un demande mon avis						
quand quelqu'un donne son avis						
les critiques						
quand quelqu'un parle d'une évolution						
Je peux…						
raconter un souvenir (raconter un événement passé)						
exposer une suite de faits						
exprimer la cause, la raison d'une action ou d'un événement (avec « parce que », « grâce à »)						
exprimer la conséquence, le résultat d'une action ou d'un événement (avec « alors »)						
formuler une critique						
proposer des solutions						

	À l'oral			À l'écrit		
demander un avis						
donner un avis						
parler d'une évolution (avec « de plus en plus » ou « de moins en moins »)						

Dossier 8	À l'oral ☺ ☺ ☹			À l'écrit ☺ ☺ ☹		
Je comprends…						
un fait d'actualité						
des informations dans la presse						
quand quelqu'un exprime un souhait, un espoir						
quand quelqu'un fait des suggestions						
quand quelqu'un parle d'un livre qu'il aime						
Je peux…						
parler de faits d'actualité (mettre en valeur un élément, mettre en avant une information)						
utiliser le gérondif pour donner des précisions						
réagir à un thème d'actualité						
utiliser le conditionnel pour faire des suggestions						
utiliser le subjonctif et l'indicatif pour exprimer des souhaits et des espoirs						
parler de l'actualité littéraire						
parler d'un livre que j'aime (dire ce que j'en pense)						

I Compréhension de l'oral   25 points

Vous allez entendre **4 enregistrements**, correspondant à **4 documents** différents.

Pour chaque document, vous aurez :

– 30 secondes pour lire les questions ;

– une première écoute, puis 30 secondes de pause pour commencer à répondre aux questions ;

– une seconde écoute, puis 30 secondes de pause pour compléter vos réponses.

Pour répondre aux questions, cochez (☒) la bonne réponse ou écrivez l'information demandée.

Exercice 1   5 points

🎧 168 **Lisez les questions. Écoutez le document, puis répondez.**

Vous entendez cette annonce à la radio française.

1. Jusqu'à quelle heure vous pouvez écouter l'émission de Benoît ?   1 point

    A. ☐   **B.** ☐   **C.** ☐

2. D'après Benoît, le Salon du Livre à Paris commence…   1 point

 A. ☐ le 20 mars.   **B.** ☐ le 24 mars.   **C.** ☐ le 27 mars.

3. Combien de jours va durer le Salon du Livre à Paris ? ....   1 point

4. D'après Benoît, quel type d'exposition pourrons-nous voir pendant le Salon du Livre à Paris ?   1 point

    A. ☐   **B.** ☐   **C.** ☐

5. D'après Benoît, il sera possible de discuter avec qui ?

 (Plusieurs réponses possibles, une seule attendue) ....   1 point

Exercice 2   6 points

🎧 169 **Lisez les questions. Écoutez le document, puis répondez.**

Vous écoutez ce message sur votre répondeur.

1. Rémi vous appelle pour…   1 point

  A. ☐ vous inviter à son anniversaire.

  B. ☐ vous proposer un endroit où faire la fête.

  C. ☐ vous décrire son prochain lieu de vacances.

2. Où se trouve le gîte dont parle Rémi ? 1 point

A. ☐

B. ☐

C. ☐

3. Pourquoi Rémi pense que plusieurs personnes peuvent dormir dans le gîte ? 1 point

....

4. Qu'est-ce que Rémi aimerait faire s'il fait beau ? 1 point

....

5. Vous devez rappeler Rémi pour… 1 point

    A. ☐ lui donner votre avis sur le gîte.

    B. ☐ lui confirmer votre disponibilité.

    C. ☐ lui indiquer vos dates de vacances.

6. Quel est le numéro de téléphone de Rémi ? 1 point

    06. ....

Exercice 3 6 points

🎧 ▶ 170 **Lisez les questions. Écoutez le document, puis répondez.**

Vous écoutez cette émission à la radio française.

1. De quel événement parle l'animatrice radio ? 1 point

....

2. L'événement annoncé par l'animatrice a eu lieu quand pour la première fois ? 1 point

....

3. La personne qui a créé cet événement vient… 1 point

    A. ☐ de France.   **B.** ☐ des États-Unis.   **C.** ☐ d'Afrique du Sud.

4. L'événement annoncé par l'animatrice concerne combien de pays ? 1 point

....

5. L'émission « Sauvons la Planète » commence à quelle heure ? 1 point

    16:00 A. ☐   16:30 B. ☐   17:30 C. ☐

6. Dans son émission « Sauvons la Planète », l'animatrice Pascaline va… 1 point

    A. ☐ donner une recette à faire avec des produits bio.

    B. ☐ expliquer quoi faire pour protéger l'environnement.

    C. ☐ citer les lieux où on peut rencontrer des écocitoyens.

Exercice 4

Vous allez entendre 2 fois 4 dialogues, correspondant à 4 situations différentes.

🎧▶171 **Lisez les situations. Écoutez le document, puis reliez chaque dialogue à la situation correspondante.**

Vous êtes en France, dans un café. Vous entendez ces conversations.

Dialogue 1 •   • **a.** Exprimer un souhait.

Dialogue 2 •   • **b.** Parler de son parcours professionnel.

Dialogue 3 •   • **c.** Décrire un lieu.

Dialogue 4 •   • **d.** Raconter un souvenir.

II Compréhension des écrits   25 points

Répondez aux questions en cochant la bonne réponse (☒) ou en écrivant l'information demandée.

Exercice 1   5 points

Vous êtes en vacances à Bordeaux avec des amis. Ce week-end, vous voulez proposer à vos amis des activités à faire pendant votre séjour. Vous avez trouvé ces informations sur le site internet de la ville :

1 Une chasse au trésor !
Avec votre carnet de route, partez à la découverte des vieux quartiers de Bordeaux. Idéale à faire en famille (accessible aux enfants à partir de 7 ans !), la chasse au trésor dure 2 h 30.

2 Bordeaux au fil de l'eau
Embarquez pour une croisière commentée et découvrez Bordeaux depuis son fleuve. Prenez le temps d'admirer son patrimoine du Moyen Âge, de la Renaissance, du XVIIIe siècle.

3 Balade gourmande à Bordeaux
Allez à la rencontre de professionnels qui vous feront découvrir la gastronomie bordelaise et, à la fin de cette promenade gourmande, dégustez un casse-croûte composé de spécialités régionales.

4 Bordeaux artistique
Pendant deux heures, laissez-vous guider dans ces lieux fascinants et mystérieux de la création de l'art du XXIe siècle. Dialoguez et échangez avec les artistes de notre temps sur leur travail et leurs créations contemporaines.

5 Vivez la ville de Bordeaux comme un Bordelais !
Votre guide local vous mènera dans le cœur du Bordeaux historique, classé au patrimoine mondial de l'UNESCO. Le vélo est le moyen de transport idéal pour déambuler dans la ville et découvrir les incontournables de Bordeaux.

Indiquez le numéro de l'activité qui correspond à chaque personne.

situations	n°
a. Luca adore se balader à vélo.	....
b. Livia est passionnée d'architecture mais n'aime pas trop marcher, elle est vite fatiguée.	....
c. Carlos est avec ses deux enfants de 7 et 8 ans et voudrait faire une activité qui les intéresse.	....
d. Cecilia est cheffe-cuisinière. Elle aimerait découvrir la gastronomie bordelaise.	....
e. Wilfried veut découvrir l'art contemporain et la culture de la ville.	....

Exercice 2

Vous étudiez à Lyon, en France. Vous avez reçu cet e-mail d'un ami français.

De : sofiane-elhimer@gmail.com

Salut,
J'espère que tu vas bien. Comment se passent tes cours de français ? J'ai rencontré un de tes professeurs, M. Tourneur. Je l'ai vu au Salon des langues. Tu as raison, il est vraiment gentil !
Je t'écris car j'ai découvert un café très sympa dans le centre-ville. Ça s'appelle « La Bicycletterie ». La décoration est originale, avec des vélos, car c'est aussi un magasin de vélos ! Ils font de très bons chocolats viennois (la chantilly est faite maison !) et les gâteaux sont délicieux. L'accueil est chaleureux et l'ambiance agréable. C'est un peu cher mais tu peux y rester le temps que tu veux. On y va samedi après-midi ?
À bientôt,
Sofiane

1. Où Sofiane a-t-il rencontré M. Tourneur ?   *1 point*

 A. ☐ dans un café.   **B.** ☐ au Salon des langues.   **C.** ☐ dans un magasin de vélos.

2. Que pense Sofiane de M. Tourneur ?   *1,5 point*

....

3. D'après Sofiane, le café qu'il a découvert est…   *1 point*

 A. ☐ banal.   **B.** ☐ insolite.   **C.** ☐ magnifique.

4. Quelle est la particularité du café que Sofiane a découvert ?   *1,5 point*

....

5. Au café qu'il a découvert, Sofiane trouve que…   *1 point*

 A. ☐ le service est assez rapide.

 B. ☐ les boissons sont peu chères.

 C. ☐ les pâtisseries sont très bonnes.

Exercice 3

Vous êtes en France, vous lisez cette affiche dans un lieu public.

Règlement du « Concours de dessin : une éducation bienveillante »

Le Ministère des Familles, de l'Enfance et des Droits des femmes (MFEDF), en partenariat avec la Caisse Nationale d'Allocation Familiale (CAF) et l'éditeur français de littérature d'enfance et de jeunesse, *L'École des loisirs*, organise un concours gratuit, sans obligation d'achat. Ce concours de dessin se déroulera entre le 20 juin et le 30 septembre, date limite de l'envoi du dessin. Il s'adresse à toutes personnes, sans limite d'âge.

Pour participer il faut :
1. aller sur le site www.caf.fr pour imprimer le support de dessin proposé pour le concours ;
2. compléter le dessin et le colorier ;
3. compléter le formulaire de participation en donnant votre nom, votre prénom, votre adresse et en notant la phrase « J'ai pris connaissance du règlement du concours et je l'accepte. » ;
4. envoyer par la poste à la CAF ou par mail à concoursdessin@feddf.gouv.fr, le dessin et le formulaire complété.

Pour gagner, vous devez être sélectionné(e) parmi les 10 premières places. Les critères de sélection du jury pour choisir les 10 gagnants sont le respect du thème et l'esthétique du dessin.

La remise des prix aura lieu à Paris :
– 1ᵉʳ prix : un appareil photo numérique + un abonnement d'un an à *l'École des loisirs*.
– du 2ᵉ au 10ᵉ prix : un abonnement d'un an à *l'École des loisirs*.

1. Il est possible de participer au concours… 1 point

    A. ☐ avant le 20 juin.

    B. ☐ jusqu'au 30 septembre.

    C. ☐ à partir du 30 septembre.

2. Le concours présenté sur l'affiche est ouvert… 1 point

    A. ☐ aux adultes seulement.

    B. ☐ aux enfants exclusivement.

    C. ☐ à tout le monde sans exception.

3. Quelle est la première chose à faire pour participer au concours présenté ? 1,5 point

....

4. Qu'est-ce que vous devez envoyer avec votre dessin ? 1,5 point

....

5. Que gagne le premier vainqueur du concours ? 1 point

    A. ☐   **B.** ☐   **C.** ☐

Exercice 4

8 points

Vous lisez cet article sur un site internet français.

> ### Le *Petit perdu*
>
> Le *Petit perdu* est une association composée de 30 étudiants bénévoles d'une école de management et qui publie chaque année un guide de la ville de Nantes. Ce guide est édité à 250 000 exemplaires et est entièrement gratuit.
>
> Mais le *Petit perdu* c'est aussi un site internet, visité plus de 300 000 fois par mois et sur lequel vous trouverez les meilleures choses de la ville à découvrir et à faire. L'application mobile, téléchargée 90 000 fois, vous aide également à trouver vos restaurants et à organiser vos sorties.
>
> L'association organise aussi des événements comme la « Semaine Gourmande » qui a lieu fin mai, ainsi que la « Nuit du Petit perdu », en octobre.
>
> Enfin, un concours de poésie est prochainement organisé sur le thème de la lumière. Si vous êtes intéressés, envoyez votre poème avant le 22 juin à **poesie@petitperdu.com**.

COSMOPOLITE **2** Cahier

Corrigés et transcriptions

DOSSIER **1** Nous allons pratiquer notre français en France

LEÇON **1** On y va ?

1. J'ai étudié le français pendant trois ans à Edimbourg. J'ai appris beaucoup de choses, mais je voulais progresser plus vite. Je voulais faire moins de grammaire et communiquer avec plus de francophones ! J'ai choisi Tours, car je suis moins stressée dans une petite ville que dans une grande ville. Et j'ai choisi une famille d'accueil, parce que c'était moins cher et parce que je voulais moins parler anglais que dans une résidence étudiante. C'était aussi sympa qu'avec ma famille ! Mon professeur à Tours était aussi bon que mon professeur à Edimbourg et tous les jours j'avais beaucoup plus de pratique. Maintenant, je fais moins d'erreurs et je connais mieux les habitudes des Français. Le français me passionne autant qu'avant !

a. 1. Faux : elle a étudié pendant trois ans à Edimbourg. *(1 point)* 2. Faux : elle est moins stressée dans une petite ville. *(1 point)* 3. Faux : elle voulait moins parler anglais. *(1 point)* 4. Vrai : elle avait plus de pratique à Tours qu'à Edimbourg. *(1 point)*
b. moins de grammaire *(1 point)* – avec plus de francophones *(1 point)* – aussi sympa que vivre avec sa famille *(1 point)* – aussi bon que dans son pays *(1 point)* – moins d'erreurs qu'avant *(1 point)* – elle connaît mieux les habitudes des Français qu'avant *(1 point)*.

2. *Exemple : Je suis plus intéressé par une université que par une école de langues.*
1. Je voudrais étudier dans cette ville, les autres sont moins grandes.
2. Il pense qu'avec une famille d'accueil, il se sentira mieux.
3. Elle fait autant de basket que de guitare.
4. Les sorties proposées sont meilleures dans cette école !
5. Dans votre école, est-ce que le français écrit est aussi pratiqué que le français oral ?
6. Ici, tu progresseras moins rapidement que dans une famille d'accueil.

Type d'école ou d'apprentissage : *exemple,* 5. Ville choisie : 1. Activités culturelles et sportives : 3 et 4. Hébergement : 2 et 6.

3. a. + : *exemple,* 2 et 4. = : 3 et 5. - : 1 et 6
b. 1. Je voudrais étudier dans cette ville, les autres sont plus grandes.
2. Il pense qu'avec une famille d'accueil, il se sentira moins bien. 4. Les sorties proposées sont moins bonnes dans cette école ! 6. Ici, tu progresseras plus rapidement que dans une famille d'accueil.

4. *Exemples de production :*
J'écoute plus de musique que toi, mais je vais moins souvent au cinéma que toi.
Tu étudies le français autant que moi.
Je lis plus de livres que toi, mais je lis des magazines sur Internet aussi souvent que toi.

5. *Exemples de production :*
1. Rezlane parle plus de langues qu'Ayoub.
2. Rezlane étudie le français depuis moins longtemps qu'Ayoub.
3. Ayoub a plus voyagé en France que Rezlane.
4. Ayoub aime autant la culture française que Rezlane.
5. Ayoub a autant d'intérêt pour la culture française que pour le sport français.

6. Rezlane aime moins le sport français que la culture française.

6. 1. Dans les grandes villes, il y a plus d'hôtels que dans les petites villes. [plys]
2. Loger chez une famille d'accueil est plus agréable que loger à l'hôtel. [plyz]
3. Pour moi, le sport est plus amusant que les jeux vidéo. [plyz]
4. En France, je parle le français plus souvent qu'avant. [ply]
5. C'est plus facile d'étudier le français quand on habite en France. [ply]
6. Je veux faire plus de progrès en français. [plys]

7. *Exemple de production :*
Pourquoi choisir ma ville pour organiser le week-end francophone ? Parce que ma ville est plus grande que les autres villes du pays. Elle est plus moderne et elle a moins de problèmes de pollution. Il y a autant d'activités culturelles que d'activités sportives : il y a plusieurs théâtres, des cinémas, des musées et aussi des clubs de sport et surtout la mer ! Il y a plus de touristes, alors les possibilités d'hébergement sont plus variées et ça coûte moins cher.

8. *Exemple de production :*

– Bonjour, vous étudiez le français depuis combien de temps ?
– J'étudie le français depuis six mois.
– Vous avez beaucoup progressé ?
– Oui, avant je ne parlais pas français ! Maintenant je parle un peu !
– Vous pouvez préciser ? Par exemple : le vocabulaire, la grammaire ?
– Il y a deux mois, je comprenais moins bien les chansons et les films. J'avais plus de difficultés en grammaire et en conjugaison. Et avec les cours sur la culture française, je comprends mieux les mentalités françaises !
– Merci beaucoup !

9. *Réponses libres*

LEÇON **2** Avant le départ

1. – Partir étudier au Québec, vous en rêvez ? Aujourd'hui, Delphine Folliet, qui travaille au service d'immigration du Québec, nous informe sur les démarches à effectuer. Alors, Delphine, comment faut-il faire pour partir étudier au Québec ?
– Eh bien, c'est une procédure en 4 temps. D'abord, il faut vous informer sur les études au Québec. Il est nécessaire de connaître le prix des études et les aides financières. Ensuite, il faut faire une demande d'entrée dans une université. Puis, vous devez obtenir le CAQ. C'est le certificat d'acceptation du Québec pour études. Ce document vous permet d'étudier au Québec. Enfin, il faut préparer votre valise avant le départ pour le Québec : il fait froid l'hiver ! Pensez donc à prendre des vêtements chauds : c'est le moment d'acheter un gros manteau et des bottes… Je vous recommande aussi d'aller sur le site immigration-quebec.gouv. Vous y trouverez aussi des informations sur le logement et sur les cours de langue française au Québec.

a. 2 – 4 – 3 – 1 *(2 points)*
b. 1. Non, elles ne sont pas gratuites, mais on peut avoir des aides financières. *(1 point)* 2. C'est le certificat d'acceptation du Québec pour études. *(1 point)* 3. Il faut prendre des vêtements chauds : un gros manteau et des bottes. *(1 point)* 4. Des informations sur le logement

et les cours de langue française au Québec. *(1 point)*
c. 1. Partir étudier au Québec *(1 point)* – 2. le Québec *(1 point)* –
3. sur le site immigration-quebec.gouv *(1 point)* – 4. aides financières
(1 point).

2. a4 – b5 – c6 – d1 et 3 – e2

3. Bonjour. Vous êtes à l'ambassade des États-Unis en France. Pour obtenir un visa, renseignez-vous sur le site internet de l'ambassade. Envoyez-nous votre dossier complet, puis inscrivez-vous en ligne pour obtenir un rendez-vous à l'ambassade. Le jour du rendez-vous, vous devrez répondre aux questions d'un employé de l'ambassade. Merci.

4 – 2 – 1 – 3

4. 1. Dans votre pays, c'est difficile de trouver du travail ? → Oui, c'est difficile d'en trouver. / Non, ce n'est pas difficile d'en trouver.
2. Vous rêvez de vous installer à l'étranger ? → Oui, j'en rêve. / Non, je n'en rêve pas.
3. Vous pensez à travailler dans un pays francophone ? → Oui, j'y pense. / Non, je n'y pense pas.
4. C'est facile de s'adapter au mode de vie des habitants de votre pays ? → Oui, c'est facile de s'y adapter. / Non, ce n'est pas facile de s'y adapter.
5. Vous êtes allé(e) à l'ambassade de France ? → Oui, j'y suis allé(e). / Non, je n'y suis pas allé(e).
6. Vous avez fait des démarches administratives pour obtenir un visa ? → Oui, j'en ai fait. / Non, je n'en ai pas fait.

5. pour y étudier – Vous en rêvez depuis longtemps ? – pour y entrer – vous y obtiendrez – vous n'en avez pas besoin.

6. a. 1. différent – 2. venir – 3. envie – 4. rencontrer – 5. mission – 6. finalement
b. 1. immigrer – 2. international – 3. itinéraire – 4. demain – 5. sympathique – 6. inscription

7. *Exemple de production :*
Bonjour Louise,
Pour entrer sur le territoire chinois, tu as besoin d'un visa. Tu dois contacter l'ambassade de Chine en France et faire un dossier. Tu peux trouver toutes les formalités sur le site internet de l'ambassade de Chine. Et pour apprendre le chinois, je te conseille de t'inscrire à l'université. On y donne de très bons cours de chinois pour les étrangers. Bonne chance !
Jiao Ya

8. *Exemple de production :*

– Vous étudiez le français où ?
– *J'étudie le français dans mon université.*
– Tous les jours ?
– *Non, le lundi et le jeudi. 4 heures par semaine.*
– Vous avez un diplôme de français ?
– *Non, je n'en ai pas.*
– Vous avez besoin du français pour le travail ou les études ?
– *J'en ai besoin pour mes études.*
– Vous pensez à vous installer en France ?
– *Oui, j'y pense !*
– Pourquoi ?
– *Je veux y étudier la médecine.*
– Je vous remercie !

9. *Réponses libres*

LEÇON **3** Brest-Quimper

1. a. 1. Elle visite Aix-en-Provence et Avignon. *(1,5 point)* 2. Son circuit dure quatre jours. *(1 point)* 3. Elle fait du vélo et du covoiturage. *(1,5 point)* 4. Paola rencontre Mathilde à Salon-de-Provence. *(1 point)*

b. 1. b. Elle lui demande des conseils pour visiter Avignon. *(1 point)*
c. Elle l'invite pour l'apéritif lundi. *(1 point)* 2. Elle le visite vendredi. *(1 point)* 3. Elle les admire à vélo samedi. *(1 point)* 4. Elle le découvre lundi. *(1 point)*

2. 1. un guide 2. le covoiturage 3. le vélo 4. la détente 5. un parc 6. une randonnée

3. – Je m'appelle Jose. Je déteste les voyages organisés, alors je voyage seul. Mais j'aime rencontrer des gens ! Je prends des guides et j'ai une application de covoiturage pour dépenser moins d'argent. Les conducteurs me conseillent des activités culturelles. Quand je suis en voiture, je vois beaucoup de paysages variés, c'est super !
– Moi, c'est Caterina. J'adore voyager en France avec ma meilleure amie. Nous choisissons souvent des chambres d'hôtes. Mon amie est française, alors elle téléphone aux propriétaires ou elle leur écrit un message. Ils nous indiquent les meilleures randonnées et ils nous donnent toujours de bonnes adresses pour manger ! C'est sympa de les rencontrer !

Jose : 1, 3, 4, 5 et 7. Caterina : 2, 3, 6 et 8

4. Construction directe (COD) : donner quelque chose, détester quelque chose/quelqu'un, rencontrer quelqu'un, prendre quelque chose, avoir quelque chose, conseiller quelque chose/quelqu'un, voir quelque chose/quelqu'un, choisir quelque chose, écrire quelque chose, expliquer quelque chose.
Construction indirecte (COI) : donner à quelqu'un, prendre à quelqu'un, conseiller à quelqu'un, téléphoner à quelqu'un, écrire à quelqu'un, expliquer à quelqu'un.

5. *Exemples de production :*
Tu expliques à tes parents ton itinéraire ? Oui, je leur explique mon itinéraire/Oui, je le leur explique./Oui, je l'explique à mes parents.
Vous voyez les réservations des autres voyageurs ? Non, nous ne les voyons pas.
Tu me donneras l'adresse de ton restaurant préféré à Paris ? Oui, je te la donnerai.
Vous prenez l'avion avec vos enfants ? Oui, nous le prenons avec nos enfants.

6. 1. l' – 2. lui – 3. lui – 4. les – 5. le – 6. l'/leur – 7. leur

7. *Exemple de production :*
L'Italie, tu dois la découvrir en train ou en voiture. Le train, tu le prends facilement dans toutes les villes du Nord. Tu peux aller à Milan, si tu aimes la mode et le luxe. Ensuite, Vérone est une belle destination, et tu peux la visiter à pied ou à vélo. C'est aussi la ville des amoureux. Va en train jusqu'à Venise. Le bateau est obligatoire après la gare, tu peux le prendre pour découvrir le Grand Canal et les îles à côté de Venise. En hiver, c'est magnifique et les hôtels sont moins chers. Passe deux ou trois jours dans cette merveilleuse ville ! Tu ne l'oublieras pas !

8. *Exemple de production :*

– Salut, je prépare mes vacances et je voudrais utiliser le site France-voyage.com. Je sais que tu le connais bien, est-ce que tu peux m'aider ?
– *Oui, je le connais un peu, je peux t'aider !*
– Je choisis le lieu en France ou en Europe ?
– *Tu le choisis en France seulement, tu peux choisir plusieurs destinations.*
– Et je sélectionne la durée que je veux ?
– *Oui, tu la sélectionnes avec la date d'arrivée et la date de départ.*
– Et ils proposent des activités adaptées à la destination ?
– *Oui, ils les proposent avec différentes catégories.*
– Merci, c'est super. Tu me conseilles un autre site ?
– *Je te conseille d'aller sur voyageforum.com, tu peux y trouver des commentaires et des conseils !*
– Merci encore, à bientôt !

LEÇON **4** Séjour linguistique

1. a. 1. Vrai : Cuisine à partager *(1 point)* 2. Faux : Sanitaires à partager

(1 point) 3. Faux : Location de draps et de serviettes *(1 point)* 4. Vrai : Chambre simple : 38 € la nuit *(1 point)* 5. Faux : Animaux interdits *(1 point)* 6. Faux : Connexion Wi-fi gratuite *(1 point)*
b. Chloé : Prix à payer : 2 x 19 = 38 ; 1 x 8 = 8 ; Total : 46 € *(2 points)*
Loïc : Prix à payer : 3 x 38 = 114 ; 3 x 17 = 51 ; Total : 165 € *(2 points)*

2. 1. Simple ou double – 2. Demi-pension – 3. Draps et serviettes fournis – 4. Toilettes et salle de bains séparés dans chaque chambre – 5. Connexion Wi-fi gratuite

3. *Exemple : Je m'intéresse beaucoup aux autres cultures, alors j'ai décidé d'accueillir chez moi des étudiants étrangers. Je leur propose une chambre avec une salle de bains indépendante et je leur prépare les repas que nous mangeons ensemble.*
1. Moi, je suis très indépendant. J'ai choisi cet hébergement parce que j'aime être seul et tranquille. C'est petit, c'est vrai, mais c'est très pratique. J'ai une chambre agréable avec un coin cuisine et une petite salle de bains.
2. Je loge ici avec Mario qui est italien et Fernanda qui est brésilienne. C'est très sympa et pas cher. On a chacun une chambre, mais on partage la cuisine et les sanitaires.
3. Ici, à la Résidence Les Fleurs, les étudiants ont une petite chambre avec un coin cuisine et une petite salle de bains. Ils ont une connexion Internet incluse dans le prix et ils peuvent laver leur linge dans la résidence.
4. Toutes les chambres que nous proposons au Miramar sont des chambres doubles avec vue sur la mer. Vous avez la possibilité de prendre la demi-pension ou seulement le petit-déjeuner.

Hôtel : 4 - Résidence universitaire : 3 – Appartement à partager : 2 – Studio indépendant : 1

4. Obligations : 1, 5 – Interdictions : 2, 6 – Possibilité : 4 – Recommandation : 3

5. *Exemples de production :*
1. Il faut bien fermer la porte de l'immeuble. Il est impératif de sortir les poubelles le jeudi. 2. Vous ne devez pas faire de bruit la nuit. Il ne faut pas laisser les enfants jouer sur le parking. 3. Vous pouvez utiliser le garage à vélo. Vous pouvez/Il est possible d'aller dans le jardin partagé. 4. N'hésitez pas à appeler le gardien pour tout problème. Vous pouvez laisser les clés à une personne de confiance en cas de longue absence.

6. 1. C'est très utile.
2. Je vais faire un super voyage !
3. C'est vraiment intéressant !
4. J'ai visité un magnifique musée !
5. Ils sont très sympas.
6. Ils m'ont beaucoup aidé.

7. *Exemple de production :*

– Tu pars où en vacances cet été ?
– Je pars à La Rochelle.
– Tu vas à l'hôtel ?
– Non, j'échange mon appartement.
– Ah, c'est génial ! Je n'ai jamais fait ça. Il y a des règles à respecter ?
– Oui, par exemple, je dois m'occuper du chat et des plantes. Et il ne faut pas faire de bruit après 22 heures.
– Ok. Mais il y a des petits avantages aussi, j'imagine ?
– Oui, on peut utiliser les vélos et manger les légumes du jardin.
– Ah, mais c'est vraiment super. Je vais faire ça aussi l'année prochaine !

8. *Exemple de production :*
Bonjour Olivier,
Bientôt les vacances, c'est super !
Chez moi, vous devez vous occuper du chien. Il est impératif de le sortir le matin et le soir. Il faut aussi arroser les plantes. Mais attention, ne mettez jamais de linge dehors, c'est interdit.

Et un petit conseil : pensez à prendre votre ordinateur, je n'en ai pas, et prenez des jeux pour vos enfants.
À bientôt !
Léo

LEÇON 5 Lieux insolites

1. – Une annonce qui va plaire aux touristes qui aiment les hébergements insolites : au cœur du nord de la France, vous pouvez maintenant passer vos vacances sur une péniche ! Expliquez-nous Caroline, qu'est-ce que c'est exactement ?
– Eh bien, une péniche, c'est un grand bateau transformé en appartement, sur une rivière.
– Mais est-ce vraiment confortable ?
– Oui Philippe ! En haut, vous avez un grand espace avec une petite piscine et en bas, il y a tous les équipements modernes : le coin cuisine ouvert sur le salon-salle à manger, et derrière la cuisine, une belle salle de bains avec une douche balnéo ! Les deux chambres sont petites mais confortables. Le bateau ne voyage plus, il reste au même endroit, proche d'une agréable petite ville. Grâce aux vélos attachés à l'extérieur du bateau, au-dessus de la salle de bains, vous pouvez partir en visite ! Dernière chose : c'est très joli car il y a des fleurs partout sur la péniche !
– Merci Caroline, donc à essayer !

a. 2. La péniche proposée est un bateau réservé à l'hébergement. *(1 point)* 3. C'est un logement avec plusieurs pièces *(1 point)*, pour plusieurs personnes *(1 point)*. 4. L'appartement décrit est près d'une ville. *(1 point)*
b. La péniche est sur une rivière *(1 point)*. – Le bateau est proche d'une petite ville. *(1 point)* – Les vélos sont au-dessus de la salle de bains *(1 point)*. – La salle de bains est derrière la cuisine. *(1 point)* – Il y a des fleurs partout. *(1 point)* – L'appartement est en bas. *(1 point)*

2. **L'hébergement** : un gîte, un pied-à-terre, une cabane
Les équipements : des sanitaires, un coin cuisine, une piscine, un lit double, une chaise longue, une douche
Les services : faire livrer, un repas de l'auberge

3. faire venir → faire livrer. un endroit pour préparer les repas → un coin cuisine. un lieu pour se laver → une douche. un lit où on peut dormir à deux → un lit double. des grands fauteuils pour s'allonger → des chaises longues.

4. non loin de Chamonix – devant la maison – en haut – en bas – À l'intérieur du gîte – le balcon est au-dessus du jardin – au-dessous de ce balcon – Derrière la maison

5. *Réponses libres*

6. 1. La piscine est à l'extérieur de l'hôtel.
2. Vous trouverez les sanitaires en bas.
3. Le jardin se trouve derrière la cuisine.
4. Le restaurant est au-dessous de l'accueil.
5. Il ne voyage nulle part.
6. Les chaises sont sur la table.

1. La piscine est à l'intérieur de l'hôtel. 2. Vous trouverez les sanitaires en haut. 3. Le jardin se trouve devant la cuisine. 4. Le restaurant est au-dessus de l'accueil. 5. Il voyage partout. 6. Les chaises sont sous la table.

7. *Exemple de production :*
Mon dernier lieu de vacances est un hôtel à Venise, au cœur d'un joli quartier, non loin de la place Saint-Marc. J'y ai passé mes dernières vacances. À l'intérieur de cet hôtel, il y a dix chambres. Il y a des appartements en haut et un restaurant en bas. La vue derrière l'accueil est magnifique et devant l'accueil, il y a un petit salon. Dans la salle à manger, les lumières sont belles et anciennes. Sous les tables, il y a des tapis très jolis.

8. *Exemple de production :*

– Salut ! J'ai un conseil à te demander : je veux faire un cadeau à mes parents pour leur anniversaire de mariage. Tu connais un lieu original pas trop loin d'ici pour passer le week-end ?
– *Oui, je connais un lieu au milieu de la campagne, proche de Grasse. C'est une réserve pour les animaux sauvages et il y a des cabanes très romantiques !*
– Tu peux me faire une description de l'hébergement ?
– *Il y a des cabanes au sol avec une terrasse devant et il y a des cabanes dans les arbres. Les animaux passent au-dessous et quand tu es en haut, tu peux les regarder. C'est confortable, mais il n'y a pas de cuisine, il faut aller au restaurant. Il est proche des cabanes.*
– Il y a aussi des activités sur place ?
– *Bien sûr, tu peux faire de la randonnée à pied ou à cheval. Il y a aussi des guides pour observer les oiseaux, et à 15 km, il y a une piscine très agréable !*
– Merci pour tes conseils, je vais me renseigner sur les tarifs !

9. *Réponses libres*

LEÇON **6** Paris autrement

1. Bonjour à tous. Bienvenue à Saint-Paul de Vence. Je m'appelle Fedora et je suis votre guide. J'habite ici depuis ma naissance. Au programme aujourd'hui : nous visiterons d'abord la Fondation Maeght qui est un musée d'art moderne. C'est un grand classique de la région. On peut y découvrir des œuvres d'art de Miro, Calder ou encore Giacometti. C'est un lieu magnifique avec un jardin superbe. Puis nous ferons une promenade dans le vieux village de Saint-Paul. Ensuite, Jacqueline, l'artiste peintre chez qui nous irons, nous fera visiter sa galerie. Elle nous montrera ses tableaux. Elle s'inspire de son village pour ses peintures. C'est une personne qui aime parler de Saint-Paul et à qui vous pourrez poser vos questions. Nous terminerons notre journée au Tilleul, un restaurant que j'aime beaucoup et qui propose une excellente cuisine locale. La meilleure adresse de Saint-Paul !

a. c – d – a – b *(2 points)*
b. 1. Faux : Elle y habite depuis sa naissance. *(1 point)* 2. Faux : C'est un grand classique. *(1 point)* 3. Vrai : Elle s'inspire de son village. *(1 point)* 4. Vrai : la meilleure adresse de Saint-Paul/restaurant qui propose une excellente cuisine locale *(1 point pour l'une des deux justifications)*
c. 1. chez qui *(1 point)* – 2. à qui *(1 point)* – 3. que *(1 point)* – 4. qui *(1 point)*

2. 2. comptoir 3. bistrot 4. restos 5. adresse 6. balade originale 7. lieu inhabituel 8. grands classiques

3. 1. un musée 2. un pays 3. un restaurant 4. original 5. vivre 6. animé

4. 1. C'est quelqu'un qui habite à Paris.
2. C'est quelqu'un que je paye pour me faire découvrir la ville.
3. C'est le lieu qui est le plus visité à Paris.
4. C'est la langue qu'on parle en France.
5. Ce sont les personnes à qui le guide donne des explications.
6. Ce sont les personnes avec qui je sors le soir et le week-end.

1. un(e) Parisien(ne) 2. un(e) guide 3. la tour Eiffel 4. le français 5. les touristes/les visiteurs 6. mes amis

5. *Exemples de production :*
Un professeur : C'est la personne à qui on pose des questions en classe. – Notre-Dame de Paris : C'est la cathédrale que les touristes veulent voir à Paris. – Un acteur : C'est une personne qu'on voit dans les films. – Un restaurant : C'est un lieu qui propose des repas à des clients.
Un bistrot : C'est un endroit que je fréquente pour boire un verre avec mes amis. – Un New Yorkais : C'est une personne qui habite à New York. – Une bibliothèque : C'est un lieu qu'on fréquente pour lire des

livres ou pour étudier. – Un collègue : C'est une personne avec qui je travaille.

6. 1. Je connais un bon guide qui fait découvrir des lieux inhabituels. 2. Ce sont des touristes à qui vous devez parler en anglais. 3. Je vis dans le 20ᵉ arrondissement qui est dans l'est de Paris. 4. C'est Myriam avec qui j'ai visité Paris. 5. Je vous présente Louise et Sacha avec qui j'irai au Louvre. 6. Je connais des bistrots sympas que les Parisiens fréquentent.

7. *Exemple de production :*
Quelques mots sur moi : Je suis berlinoise depuis 12 ans. Turque d'origine, je connais très bien Berlin que j'adore. Mes propositions de visites : Je peux vous faire découvrir les grands classiques comme le mur de Berlin, le parc du Tiergarten ou le parlement allemand. Mais je peux aussi vous emmener dans des bars et des clubs que les touristes ne connaissent pas. Vous rencontrerez de vrais Berlinois avec qui vous pourrez discuter !

8. *Exemple de production :*

– Bonjour, je vais vous poser quelques questions. Pourquoi voulez-vous devenir guide ?
– *Parce que j'adore ma ville et j'aime rencontrer des gens du monde entier.*
– Quels sont les lieux que vous préférez dans cette ville ?
– *J'adore l'Église du Souvenir, les bords de la rivière Spree et les quartiers de Berlin est.*
– Imaginez. Vous avez un groupe, c'est une famille de 4 personnes. Les parents aiment la culture, l'art, l'histoire et la gastronomie. Quelles visites leur proposez-vous ?
– *On peut aller au Bundestag ou dans les galeries d'art de Berlin est. On peut aller manger des spécialités berlinoises dans des restos à côté de la rivière.*
– Et les enfants, qui ont 18 et 20 ans, aiment les quartiers populaires et les lieux insolites. Où les emmenez-vous ?
– *On peut faire une promenade dans les jardins urbains de Prinzessinnenstrasse ! C'est vraiment insolite ! Je peux les emmener dans le quartier de Prenzlauerberg. On peut y rencontrer des gens, c'est très cool.*
– Merci ! On vous recontactera.

BILAN **1**

1. 1. Dans le centre-ville. 2. b. moins récente que l'école *InSitu*. 3. b. moins grande que l'école *Accent aigu*. 4. *InSitu* : Cours individuels, cours en petits groupes, cours en classe, cours en extérieur, activités culturelles, découvertes de la région. *Accent aigu* : Cours individuels, cours en petits groupes, cours en classe, activités culturelles, découvertes de la région. 5. Le nom de l'école qui me plaît le plus.

2. *Exemple de production :*
Bonjour Stéphane,
Je te remercie beaucoup pour les informations que tu me donnes. Je préfère l'école *InSitu* parce qu'on peut faire les cours dans le jardin. Est-ce que tu peux me donner le prix des cours des deux écoles, s'il te plaît ? Quelles sont les possibilités de logement ? Est-ce que tu peux aussi me dire quelles activités on peut faire à Montpellier et quels endroits on peut découvrir ? Est-ce que tu peux m'appeler la semaine prochaine pour me donner ces précisions, s'il te plaît ?
Merci, à bientôt !
Camille

3. Salut, c'est Stéphane. J'ai bien reçu ton message et je voulais te donner les informations que tu m'as demandées. Pour les tarifs, regarde le site internet des deux écoles parce qu'il y a des tarifs différents selon les cours. L'école *Accent aigu* propose plusieurs types d'hébergements, chez l'habitant ou en logement indépendant. À l'école *InSitu*, tu peux choisir la formule *French BnB* pour vivre et apprendre au même endroit. Regarde le programme d'une journée sur le site internet de l'école. Tu sais, la ville de Montpellier est très animée, il y a beaucoup de choses à visiter et la météo est souvent belle. Tu ne peux pas t'ennuyer ! Les deux écoles sont dans le centre-ville donc tu peux facilement te déplacer dans la ville à pied ou en transports en commun. Bon, ben, voilà… Allez, à bientôt !

1. c. de consulter le site internet des écoles. 2. Chez l'habitant ou en logement indépendant. 3. C'est une formule pour vivre et apprendre au même endroit. 4. Très animée. 5. Il est facile de se déplacer dans la ville à pied ou en transports en commun.

4. *Exemple de production :*
Bonjour ! Tu sais, je vais partir un mois en France pour étudier le français. Je vais aller à Montpellier. C'est une ville très animée et il y a beaucoup d'endroits à découvrir dans la région. J'ai choisi l'école *InSitu* parce que c'est une petite école et parce qu'on peut faire des cours dans le jardin quand il fait beau temps. L'école est dans le centre-ville, c'est pratique pour se déplacer dans la ville !

DOSSIER 2 Nous partageons nos expériences insolites

LEÇON 1 Balades insolites

1. a. À Ajaccio, je me suis baignée dans une eau magnifique *(1 point)* et je me suis promenée sur le marché *(1 point)*. À Corte, je suis entrée dans le musée de la Corse *(1 point)*, je me suis baladée sur un âne *(1 point)* et j'ai découvert des spécialités corses *(1 point)*. À Bastia, j'ai visité le vieux port *(1 point)* et je suis allée au stade de foot *(1 point)*.
b. À la plage, je me suis reposée *(1 point)*. Au musée, j'ai appris beaucoup de choses *(1 point)*. En Corse, j'ai vécu un moment agréable *(1 point)*.

2. *Exemple :* À Nouméa, j'ai trouvé un covoiturage pour aller au nord de l'île.
1. Nous avons marché sous les arbres et nous sommes arrivés devant un lac.
2. C'était vraiment magnifique, tu dois y aller !
3. Le voyage était fatigant mais j'ai bien profité de l'hôtel !
4. Avant la visite d'un village traditionnel, nous avons dégusté des fruits sur le marché.
5. Le musée était vraiment intéressant, j'ai appris des choses que je ne connaissais pas !
6. Dans le château, le guide nous a expliqué l'histoire de la famille royale.

A. Raconter une expérience : *exemple*, 1, 4 et 6
B. Donner ses impressions : 2, 3 et 5

3. Il est sorti – a décidé – il a rencontré – Il n'a pas vu – il est tombé – Elle s'est excusée – ils se sont assis – elle a découvert – Elle a écrit – ils se sont retrouvés

4. nous ~~sommes~~ marché → nous avons marché. nous avons ~~découvri~~ → nous avons découvert. nous avons ~~mangés~~ → nous avons mangé. La randonnée a ~~plaît~~ → la randonnée a plu. Je ~~m'ai~~ assise → je me suis assise. Mes amis ~~sont~~ ri → mes amis ont ri.

5. *Exemples de production :*
Qu'est-ce que tu as fait pour tes dernières vacances, Maria ? → Je suis allée à la montagne.
Comment tu es allée là-bas ? → J'ai pris le bus.
Tu as fait quelles activités ? → J'ai fait une randonnée et j'ai fait du ski !
Tu as découvert des choses intéressantes ? → J'ai vu des animaux dans la forêt et le soir, je suis allée dans un restaurant pour goûter des spécialités locales !

6. a. 1. recommander – 2. amateur – 3. francophone – 4. nous apprenons – 5. original – 6. ambiance

b. 1. émotion – 2. promenade – 3. rédaction – 4. transforme – 5. montagne – 6. moment

7. *Exemple de production :*
À 18 ans, j'ai vécu une super expérience. Je suis allé(e) à un festival de rock avec trois amis. Nous avons pris le train, c'est moins cher. Nous nous sommes beaucoup amusés ! Nous sommes restés trois jours. Nous avons vu nos groupes préférés. Nous avons rencontré beaucoup de gens. Puis, nous avons visité un joli village. On y fabrique des objets traditionnels. Finalement, nous sommes rentrés chez nous.

8. *Exemple de production :*

– Salut, c'est super de te voir ici. Ça va ?
– *Oui, ça va très bien, merci !*
– Je cherche une sortie originale à organiser pour mon nouveau collègue. Tu en as déjà fait une ?
– *Oui ! J'ai passé un week-end à la montagne avec des amis !*
– Raconte-moi ! C'était où, et quand ? Qu'est-ce que tu as fait d'intéressant ? Comment tu es allé(e) là-bas ?
– *C'était à Annecy, le mois dernier. Nous avons fait du covoiturage pour y aller. Il y a un lac alors nous avons nagé. Nous avons fait du bateau et nous avons aussi profité du paysage magnifique !*
– Tu penses que c'est une bonne idée pour mon collègue et sa femme ?
– *Oui, bien sûr ! J'ai vécu un moment inoubliable à Annecy !*
– Pourquoi ?
– *Parce que j'ai adoré le lac, les montagnes sont magnifiques aussi, et nous nous sommes régalés avec les spécialités locales.*
– Merci !

9. *Réponses libres*

LEÇON 2 Safari gorilles

1. a. 1. Vrai : safari baleines en bateau *(1 point)* 2. Faux : du 1er avril au 31 octobre *(1 point)* 3. Vrai : à 10 h et à 14 h *(1 point)* 4. Faux : guides spécialistes de la mer *(1 point)*
b. il ne faut pas que *(1 point)* – Il faut que *(1 point)* – devez *(1 point)* – il est interdit de *(1 point)* – Il faut que *(1 point)* – Réservez *(1 point)*

2. 1a – 2c – 3e – 4d – 5j – 6b – 7f – 8i – 9g – 10h

3. *Exemple : Pour cette randonnée, vous devez être en bonne condition physique.*
1. Par mesure de sécurité, vous devez rester avec le groupe.
2. Ne prenez rien dans le parc. C'est interdit.
3. Les photos sont autorisées.
4. Il faut que vous emmeniez 3 litres d'eau par personne.
5. N'oubliez pas votre petite trousse à pharmacie.
6. Nous pouvons vous fournir une carte si vous voulez.
7. Choisissez des vêtements confortables.

Obligations : *exemple*, 1 et 4. Interdiction : 2. Possibilités : 3 et 6. Conseils : 5 et 7

4. 2. Il ne faut pas que vous allumiez un feu. 3. Il ne faut pas que vous entriez dans le parc en voiture. 4. Il ne faut pas que vous vous déplaciez à vélo. 5. Il faut que vous apportiez votre nourriture. 6. Il ne faut pas que vous preniez des fleurs. 7. Il ne faut pas que vous écoutiez de la musique. 8. Il faut que vous jetiez les détritus à la poubelle. 9. Il ne faut pas que vous campiez. 10. Il ne faut pas que vous jetiez des détritus.

5. 1. tu t'inscris 2. tu payes/tu paies 3. tu viennes 4. le moniteur comprenne 5. tu sois 6. nous soyons 7. ton copain et toi y participiez 8. il te l'offre 9. vous soyez

6. *Exemple de production :*

– Au fait, tu t'es inscrit à la randonnée du mois de novembre ?
– *Oui !*
– C'est où exactement ?
– *C'est dans le Parc du Mercantour.*

– Qu'est-ce qu'il faut que j'emporte ?
– Il faut que tu prennes de bonnes chaussures de marche et un bâton. Il faut que tu portes des vêtements chauds. Prends aussi des gants et un bonnet.
– D'accord. Tu crois que je peux emmener mon chien ?
– Ah non, les chiens ne sont pas autorisés dans le parc...

7. *Exemple de production :*
Lieu : Écosse
Sécurité : Si vous êtes malade, il faut que vous alliez dans un centre médical. Faites attention aux pick-pockets dans les grandes villes comme Glasgow ou Edinburgh. Appelez le 999 si vous avez un problème.
Il ne faut pas que vous restiez le soir près des lacs parce qu'il y a des « midges » (des petits insectes qui piquent).

8. *Réponses libres*

LEÇON **3** Rencontres

1. – Bonjour Florence, et merci de témoigner dans notre émission qui s'adresse aux expatriés.
– Bonjour !
– Alors, racontez-nous pourquoi vous êtes partie vivre à Hong Kong.
– J'habitais en France, je travaillais dans un centre de langues, et j'étais satisfaite. Mais je voulais vivre une aventure différente, et l'Asie m'intéressait beaucoup. Alors j'ai regardé des annonces et j'ai trouvé un poste à Hong Kong pour 18 mois !
– Comment s'est passée votre arrivée ?
– Eh bien, d'abord, j'étais très étonnée de voir cette ville immense. Et puis j'étais inquiète, parce que je ne parlais pas bien chinois. J'étais nerveuse aussi car le travail était différent de la France ! Quand je suis arrivée, une collègue a cherché un appartement avec moi. J'avais peur de ne pas trouver de logement mais finalement, nous avons trouvé un joli studio ! J'étais très heureuse car la ville était dynamique, et mon travail à l'école se passait bien. Plus tard, j'ai rencontré beaucoup de personnes très sympathiques !

a. 1. elle voulait découvrir l'Asie. *(1 point)* 2. son travail se passait bien. *(1 point)* 3. Elle ne parlait pas bien chinois. *(1 point)* 4. elle était étonnée. *(1 point)* 5. Elle était inquiète. *(1 point)* 6. Elle était heureuse. *(1 point)*
b. peur 4 *(1 point)*, nervosité 3 *(1 point)*, bonheur 5 *(1 point)*, inquiétude 2 *(1 point)*

2. La fierté : B – la peur : E – la surprise : A – le bonheur : F – l'inquiétude : C – la tristesse : D.

3. 1. L'étonnement : nous étions surpris/étonnés (au féminin pluriel : surprises/étonnées). 2. La nervosité : vous étiez nerveux/stressé. 3. Le bonheur : j'étais heureux/heureuse ! 4. L'inquiétude : Antoine était inquiet. 5. La peur : il avait peur. 6. La tristesse : elles étaient tristes.

4. 1. Marco sort de l'aéroport.
2. Il fait beau.
3. Mais Marco est stressé par son rendez-vous.
4. Il prend un taxi.
5. Le chauffeur est sympathique.
6. Marco pratique son français avec le chauffeur.

1. Marco est sorti de l'aéroport. 2. Il faisait beau. 3. Mais Marco était stressé par son rendez-vous. 4. Il a pris un taxi. 5. Le chauffeur était sympathique. 6. Marco a pratiqué son français avec le chauffeur.

5. 1. il habitait à Bruxelles 2. Il ne parlait pas bien français. 3. J'étudiais l'histoire 4. j'avais beaucoup d'amis 5. quand j'ai rencontré 6. nous sommes devenus amis 7. J'ai décidé de visiter les États-Unis 8. nous nous sommes promenés

6. 1. **J'étais** heureuse. / **J'ai été** heureuse.
2. Il **parlait** un peu français. / Il **a parlé** un peu français.
3. **J'ai trouvé** ça bien. / **Je trouvais** ça bien.
4. **J'étudiais** beaucoup. / **J'ai étudié** beaucoup.

7. *Exemple de production :*
J'étais au lycée. Caroline était dans ma classe, mais nous n'étions pas très proches. Un jour, j'ai été malade. Caroline habitait près de chez moi et elle est venue. Elle m'a apporté les devoirs et des chocolats. C'était très gentil ! J'étais très émue ! Nous avons passé beaucoup de temps ensemble et nous sommes devenues amies ! Et aujourd'hui, c'est toujours ma meilleure amie !

8. *Exemple de production :*

– Bonjour, commençons notre entretien. Vous êtes candidat au stage, c'est bien ça ?
– *Oui, c'est ça.*
– Je vais vous poser quelques questions sur votre pratique du français. Quand avez-vous commencé les cours de français ?
– *J'ai commencé en septembre.*
– Très bien. Quand avez-vous parlé en français pour la première fois à l'extérieur de la classe ? Avec qui ?
– *C'était en janvier, avec la secrétaire d'une université française.*
– Quelles étaient vos impressions ? Que ressentiez-vous ?
– *J'étais très stressée et j'avais un peu peur.*
– Pourquoi ?
– *Je ne parlais pas bien, et je voulais avoir des informations, c'était difficile de se comprendre !*
– Finalement, vous avez réussi à communiquer ?
– *Oui, elle a répété calmement, j'ai posé mes questions et elle a répondu ! Elle était patiente et très gentille !*
– Merci, nous allons maintenant...

LEÇON **4** Un peu de sport !

1. Salut à tous ! Merci d'avoir choisi Sport Évasion pour votre première plongée sous-marine ! Alors moi, c'est Laurent. C'est moi qui vais vous présenter l'activité d'aujourd'hui. Pour cette séance d'initiation, des moniteurs super expérimentés vont vous encadrer. Y faut que vous mettiez votre combinaison avant de monter sur le bateau. On va mettre une demi-heure pour arriver sur le lieu de la plongée. On restera entre 0 et 5 mètres pendant 20 minutes. Vous allez expérimenter de bonnes sensations ! C'est une super expérience que vous allez vivre ! Après, on remontera sur le bateau et on rentrera au port. Hésitez pas à poser toutes les questions que vous voulez. On est là pour répondre !

a. Séance d'initiation *(1 point)* – Moniteurs expérimentés *(1 point)* – 20 minutes *(1 point)* – entre 0 et 5 mètres *(1 point)*
b. C'est une activité de plongée que Sport Évasion propose aux participants *(1 point)* – C'est Laurent qui fait la présentation de l'activité./C'est Laurent que les participants ne connaissent pas encore. *(1 point)* – Ce sont des moniteurs qui encadrent le groupe./Ce sont des moniteurs que les participants ne connaissent pas encore. *(1 point)*. – Ce sont des sensations nouvelles que les participants ne connaissent pas encore./Ce sont des sensations nouvelles que Sport Évasion propose aux participants. *(1 point)*
c. 1. Il faut mettre une combinaison./Vous devez mettre une combinaison./Il faut que vous mettiez une combinaison. *(1 point)* 2. N'hésitez pas à poser des questions aux moniteurs./Vous pouvez poser des questions aux moniteurs. *(1 point)*

2. **Sports collectifs** : *le football*, le basket, le rugby
Sports individuels : la natation, l'équitation, le tennis, la randonnée, le cyclisme
Sports extrêmes : l'escalade, la plongée sous-marine, le canyoning, la voile

3. – Salut Vincent, j'veux partir en week-end aux fêtes de Bayonne. T'as envie de venir avec moi ?
– Ouais ! C'est une bonne idée ça Mathieu ! C'est un truc que j'ai jamais fait !
– Bon, c'est super loin pour un week-end... Mais on peut prendre un covoiturage de nuit.
– Y a beaucoup de covoiturages Paris-Bayonne en été ?
– Y en a plein. Mon pote Jean-Michel fait souvent ça.

1. Tu as envie – 2. Oui – 3. quelque chose – 4. je n'ai – 5. très – 6. Il y a – 7. Il y en a – 8. ami

4. 1. T'as déjà fait du char à voile ? → Tu as déjà fait du char à voile ?
2. Tu vas faire un truc le week-end prochain ? → Tu vas faire quelque chose le week-end prochain ?
3. J'aime pas les sports extrêmes. Et toi ? → Je n'aime pas les sports extrêmes. Et toi ?
4. J'trouve que le canyoning c'est super dangereux. → Je trouve que le canyoning c'est très dangereux.
5. Y a des clubs de sports près d'chez toi ? → Il y a des clubs de sports près de chez toi ?
6. Ouais, je pratique le tennis en club. → Oui, je pratique le tennis en club.

5. 1. Une randonnée de 10 jours dans les Cévennes, c'est une aventure extraordinaire que vous n'oublierez jamais.
2. Descendre l'Ardèche en kayak, c'est une expérience sympa que vous pouvez partager avec des amis.
3. Une promenade à cheval sur les plages de Camargue, c'est un moment romantique qui vous laissera un beau souvenir.

6. *Réponses possibles :*
L'escalade, c'est un sport que je ne connais pas. – L'escalade, c'est un sport qui est extraordinaire. – Une randonnée dans la forêt brésilienne, c'est une expérience que je n'oublierai jamais. – Une randonnée dans la forêt brésilienne, c'est une expérience qui me plaît. – Une randonnée dans la forêt brésilienne, c'est une expérience que je ne connais pas. – Une randonnée dans la forêt brésilienne, c'est une expérience qui est extraordinaire. – La natation et la plongée, ce sont des activités qui se pratiquent dans l'eau. – La natation et la plongée ce sont des activités que je ne connais pas.

7. *Exemple de production :*
Salut Léa ! Tu peux lui offrir une séance d'initiation à la plongée ! C'est un sport qui est incroyable ! Pierre pourra voir beaucoup de poissons ! C'est une bonne expérience avec des sensations super sympas ! Le club de plongée n'est pas loin d'ici. Renseigne-toi. Bises. Isabella

8. *Exemple de production :*

– Bonjour ! Je peux vous renseigner ?
– *Oui, je veux bien. Je souhaite faire une nouvelle activité.*
– Quel(s) sport(s) vous intéresse(nt) ?
– *J'aime bien les sports avec des sensations fortes.*
– Vous êtes un sportif débutant ou expérimenté ?
– *Je suis assez expérimenté. Je fais de l'escalade depuis 10 ans.*
– Alors, je peux vous proposer du char à voile, du canyoning ou du kayak de rivière pour les sensations fortes. Ou sinon, quelque chose de plus traditionnel comme la randonnée. Qu'est-ce que vous en pensez ?
– *Je vais choisir le char à voile. Je ne connais pas ce sport.*

9. *Réponses libres*

LEÇON **5** Voyages aventure

1. Vous adorez la nature ? Vous voulez de l'aventure ? Nordic Tour vous propose le voyage idéal en Suède ! Nous organisons tout pour vous : la location de voiture, l'itinéraire, les repas et l'hébergement ! À votre arrivée à Stockholm, vous rencontrerez votre guide. Après la préparation du matériel et de la nourriture, vous partirez vers le nord. Vous dormirez dans une cabane. Le lendemain, vous commencerez la fabrication de votre bateau naturel : du bois, des plantes, vous utiliserez seulement l'environnement, sans pollution ! Ensuite, vous commencerez votre expédition : vous descendrez une rivière sur votre bateau ! Le dépaysement sera total. C'est un voyage unique ! Pour les informations pratiques et les tarifs, allez sur nordictour.com.

a. 1. l'itinéraire / l'hébergement *(2 points)* 2. Vous fabriquez votre bateau. *(1 point)* 3. Le bateau est naturel. *(1 point)* 4. Vous dormirez dans une cabane. *(1 point)*
b. le voyage – le tourisme insolite – le dépaysement – la nature – la destination – la nourriture – l'hébergement – La recette – la liberté – l'évasion *(0,5 point par mot)*

2. *Exemple :* J'aime découvrir des lieux nouveaux et très différents de ma culture.
1. J'en fais beaucoup : sportives, culturelles, extrêmes…
2. C'est le sport que je pratique quand je marche dans la nature.
3. Avec ce moyen de transport, on peut rencontrer des personnes super sympas. En plus, il ne coûte pas cher.
4. Elle est nécessaire avant votre voyage pour avoir une chambre à l'hôtel.
5. Chaque région, chaque pays en a une différente, avec la musique, la littérature, l'art, etc. J'adore les découvrir pendant mes voyages !
6. C'est une activité économique importante pour la France, surtout pour Paris et pour la Côte d'Azur.

1. des activités 2. la randonnée 3. le covoiturage 4. une réservation 5. la culture 6. le tourisme

3. *Réponses libres*

4. 1. dynamisme 2. nervosité 3. moniteur 4. fromage 5. musée 6. image

5. du tourisme sportif – La culture traditionnelle – le dépaysement réel – l'aventure totale – la meilleure évasion – ma destination préférée – Ma plus belle émotion !

6. 1. un reportage 2. le dynamisme 3. une incroyable expédition 4. de la randonnée 5. cette recette 6. une grande émotion

7. *Exemple de production :*
Je connais Harold, c'est un voisin qui adore les sports extrêmes et l'aventure. Il a vécu des expériences incroyables dans les montagnes et sur l'océan. Dans les montagnes, il fait du ski, et du snowboard. C'est très dangereux, mais il est prudent. Quand il était plus jeune, il a acheté un bateau et il a traversé l'océan Atlantique avec sa famille. Il a appris à faire de la voile et à réparer le bateau. Ce n'est pas un garçon ordinaire !

8. Et maintenant, notre jeu-concours ! Vous désirez vivre une aventure extraordinaire ? Vous voulez découvrir des lieux et des activités vraiment incroyables ? Radio Sensation vous offre le voyage de votre choix pour deux personnes. Pour gagner, laissez un message sur notre répondeur : dites-nous la destination de vos rêves, les moyens de transport que vous préférez, les activités que vous adorez et avec qui vous voulez voyager. Le projet le plus original gagnera le voyage !

Exemple de production :
Bonjour, c'est Manashi. Je rêve d'aller à Hawaï pour pratiquer mes activités préférées. Je voudrais plonger dans la mer avec le volcan à côté de moi, faire du buggy dans les montagnes et passer entre les arbres. Je rêve de faire une randonnée sportive dans les montagnes. J'aimerais sauter en parachute dans la mer ! Pour ce voyage idéal, j'ai un compagnon : mon frère !

LEÇON **6** C'est ma vie !

1. – Salut ! Bienvenue au meet-up de français ! On va commencer par se présenter… Edward, tu commences ?
– Bonjour à tous, je m'appelle Edward. Je me suis installé en France il y a trois ans. Je suis serveur dans un restaurant depuis deux ans. Avant ça, j'ai travaillé comme réceptionniste dans un hôtel à New York pendant 10 ans. Puis, j'ai rencontré une Française il y a un an et demi et on va se marier dans trois mois. Après notre mariage, on va faire un grand tour d'Europe pendant un an.

a. Réceptionniste (pendant 10 ans) – il y a 3 ans (arrivée en France) – Serveur (depuis 2 ans) – Rencontre avec une Française (il y a 1 an) – Mariage (dans 3 mois) – Pendant 1 an (tour de l'Europe). *(1 point par élément bien placé)*
b. Je m'appelle Irina. Je suis arrivée en France **il y a** 6 mois *(1 point)*. J'étudie la médecine **depuis** 6 ans *(1 point)*. J'espère obtenir mon

diplôme **dans** un an *(1 point)*. Ensuite, je prendrai des cours de français **pendant** 9 mois *(1 point)*.

2. 1e – 2c – 3f – 4a – 5b – 6d

3. 1. Quand les premiers hommes sont apparus sur Terre ?
2. Quand pourrons-nous voyager facilement dans l'espace ?
3. Combien de temps peut-on rester sans boire ?
4. Depuis quand l'électricité existe ?
5. Quand est née la télévision ?
6. Depuis quand les femmes portent des pantalons ?

1. Il y a 7 millions d'années. 2. Dans 100 ans environ. 3. Pendant 3 jours environ. 4. Depuis 140 ans environ. 5. Il y a 90 ans environ. 6. Depuis 120 ans environ.

4. *(Pour le corrigé, l'année de référence est 2017. Modifiez vos réponses en fonction de l'année actuelle.)* Elle s'est mariée avec un Français il y a 5 ans. Elle est arrivée en France il y a 3 ans. Elle travaille à Paris depuis 2 ans. Elle veut/souhaite arrêter de travailler dans 8 ans. Elle veut faire un tour du monde pendant 5 ans.

5. Phrases incorrectes : 1 b et c – 2 a et b – 3 a et c – 4 b et c.

6. 1. La Chine, c'est un immense pays, et c'est mon voyage le plus incroyable !   [t] [n]   [z]
2. J'ai fait une partie de mes études en Australie.
             [z]   [n]
3. La Croatie, c'est un pays jeune et les habitants sont très accueillants.
            [t]   [z]   [z]
4. En Argentine, j'étais un expatrié mais j'avais des amis de toutes
   [n]   [n]   [z]
les nationalités.

7. *Exemple de production :*
Vos études (votre spécialité) : Master webdesign et infographie
Nombre d'années d'études : 5 ans
Année d'arrivée dans l'entreprise : 2011
Votre poste actuel : Webmaster
Nombre d'années : 2 ans
Votre ancien poste : Informaticien
Nombre d'années : 3 ans
Votre projet professionnel : Développer la communication et le marketing

8. *Exemple de production :*

– Alors, dites-moi… Qu'avez-vous étudié ?
– *J'ai étudié le webdesign et l'infographie.*
– Pendant combien de temps ?
– *Pendant 5 ans.*
– Quand êtes-vous arrivé(e) dans l'entreprise ?
– *Il y a 6 ans.*
– Depuis combien de temps êtes-vous à votre poste ?
– *Je suis webmaster depuis 2 ans.*
– Quel poste occupiez-vous avant ?
– *J'étais informaticien.*
– Pendant combien de temps ?
– *Pendant 3 ans.*
– Comment imaginez-vous votre vie professionnelle dans quelques mois ou quelques années ?
– *J'ai l'intention de développer le site web de l'entreprise dans quelques mois. J'aimerais travailler dans le marketing dans un ou deux ans.*

9. *Réponses libres*

BILAN 2

1. *Exemple de production :*
Bonjour les amis !
Je suis de retour ! Je viens de passer un mois à Montpellier. J'étais dans une école de langue française dans le centre-ville. C'était super ! L'école

était belle et les professeurs très gentils. J'ai rencontré des personnes de nationalités différentes. Nous avons fait des activités culturelles pour découvrir la région. L'Occitanie est une belle région ! On a fait des balades insolites, des randonnées dans la nature. J'étais heureuse de découvrir cette région. Je suis contente d'avoir fait cette expérience !
Et vous, comment allez-vous ?
À bientôt,
Kitri

2. – Alors vous, Adèle, vous êtes originaire de Toulouse, et vous vivez en Italie. Quel est votre parcours ?
– Eh bien, il y a 16 ans, je suis partie à Palerme pour faire un séjour Erasmus. Au début, la ville ne me plaisait pas beaucoup et je n'avais pas d'amis. Mais je suis vite tombée amoureuse des habitants et de leur culture. En Sicile, les gens sont accueillants, il y a des paysages magnifiques et les spécialités gastronomiques sont excellentes ! Je devais rester quelques mois seulement, mais je n'avais pas envie de rentrer en France. Donc je me suis inscrite à l'université de Palerme.
J'ai étudié l'histoire de l'art. J'ai ensuite fait un Master pour enseigner le français et, deux ans après, j'ai trouvé un travail à l'Institut français de Palerme. En fait, j'ai la nationalité italienne depuis un an aujourd'hui !

1. En Italie. 2. Il y a 16 ans. 3. c. n'appréciait pas beaucoup la ville. 4. Les habitants : accueillants. Les paysages : magnifiques. La gastronomie : excellente. 5. c. A continué ses études à Palerme. 6. Deux ans après son Master. 7. Il y a un an.

3. 1. Une semaine. 2. b. chez l'habitant. 3. Image C. 4. Il est magnifique. 5. Avec un Français et un Libanais. 6. Des passages insolites. 7. a. surpris.

4. *Exemple de production :*
Salut Ivana ! J'ai réfléchi pour ton séjour dans un pays francophone. Je te conseille d'aller en Belgique. Les Belges sont des gens très gentils et très chaleureux. Tu peux visiter des musées et faire des balades dans la nature, à pied ou à vélo. Il y a des marchés aux fleurs très colorés et beaucoup de festivals.
Il n'est pas nécessaire d'être vacciné pour aller en Belgique.

DOSSIER 3 Et en plus, nous parlons français !

LEÇON 1 Poste à pourvoir

1. – Bonjour à tous. Nous sommes réunis aujourd'hui pour parler des postes à pourvoir. Donc, nous recherchons une assistante ou un assistant de direction pour notre entreprise Toulouse-monde Export. Avant de mettre l'annonce en ligne, on va vérifier ensemble. Alors… Quelles sont les missions pour ce poste ?
– Bon, c'est facile : il faut premièrement gérer le planning du directeur, deuxièmement préparer ses réunions.
– Et aussi répondre aux entreprises qui travaillent avec nous et envoyer les mails aux clients !
– D'accord. Et le profil, qu'est-ce que vous en pensez ?
– Il faut absolument maîtriser trois langues : le français bien sûr, l'anglais et l'espagnol.
– Et pour les qualités : de la rigueur et de l'organisation. De l'autonomie aussi.
– Ok, merci pour vos idées. Je vais rédiger l'annonce. Le directeur propose un CDI pour ce poste à Toulouse, mais avec un essai de trois mois. Et à temps plein bien sûr. Pour le salaire, ce sera à négocier.

Missions : Préparer les réunions du directeur *(1 point)*, répondre aux entreprises partenaires *(1 point)*, envoyer les mails aux clients *(1 point)*. **Profil recherché :** organisé *(1 point)* – autonome *(1 point)*. **Langues :** l'anglais *(1 point)* – l'espagnol *(1 point)*. **Type de contrat :** CDI *(1 point)*. **Temps de travail :** temps plein *(1 point)*. **Salaire :** à négocier *(1 point)*

2. **ANNONCE A**
Missions : Créer des relations avec les écoles de langues.
Profil : Être dynamique et sportif. Avoir le sens des responsabilités avec des jeunes.
Langues : Maîtrise de l'anglais.

ANNONCE B
Missions : Expliquer la culture et l'histoire chinoises.
Profil : Faire preuve de qualités relationnelles avec les clients. Être organisé et autonome avec les clients.
Langues : Maîtrise du chinois à l'oral et à l'écrit.

3. *Exemple : J'ai étudié en Angleterre et j'ai obtenu un niveau B2 en anglais. Pendant mes études, j'ai travaillé dans un club de sport et j'aime m'occuper des jeunes !*
1. J'ai fait des études de traduction, je parle anglais couramment.
2. J'ai étudié pendant 6 mois en Chine, je parle bien le chinois mais je ne l'écris pas parfaitement.
3. J'adore le sport et les activités dans la nature, mais je n'ai pas beaucoup d'expérience avec les jeunes.
4. J'ai du mal à parler anglais en public, je préfère communiquer par écrit.
5. À mon avis, préparer un circuit touristique prend du temps, il faut être bien organisé.
6. Travailler seul dans un pays étranger, sans équipe ?!?

a. Annonce A : *exemple*, 1, 3 et 4. Annonce B : 2, 5 et 6.
b. 1. Je respecte les délais. 2. J'ai une bonne présentation. 3. J'ai le sens des responsabilités. 4. Je fais preuve de rigueur. 5. J'ai la capacité à travailler en équipe. 6. Je suis autonome et organisé./Je suis organisé et autonome.

4. **Candidat :** CV, compétences, qualités professionnelles
Salaire : 13e mois, à négocier, salaire net, rémunération, salaire brut
Poste : temps plein, CDD, temps partiel, CDI, période d'essai

5. ~~respecter les qualités relationnelles~~ → faire preuve de qualités relationnelles/avoir des qualités relationnelles ; ~~avoir le sens énergique~~ → être énergique ; ~~avoir la capacité de l'anglais~~ → maîtriser l'anglais ; ~~avoir autonomes~~ → être autonomes ; ~~avoir la maîtrise des responsabilités~~ → avoir le sens des responsabilités ; ~~avoir des délais~~ → respecter les délais

6. 1. les réseaux sociaux : [z] – [s]
2. un examen réussi : [z] – [s]
3. un assistant bien organisé : [s] – [z]
4. les étudiants français : [z] – [s]
5. une situation maîtrisée : [s] – [z]
6. 2 500 euros par mois : [s] – [z]

7. *Exemple de production :*
En France, il y a deux types de contrats de travail. Le contrat à durée déterminée (CDD), pour plusieurs mois par exemple, et le contrat à durée indéterminée (CDI) qui peut être pour toute la vie ! Pour le salaire, tu reçois chaque mois un salaire net. Le salaire brut est plus élevé, mais il y a des charges sociales. Alors finalement, c'est le salaire net qui est plus important pour toi ! Bonne chance pour ton travail !

8. *Exemple de production :*

– Tu sais, j'ai trouvé un stage qui m'intéresse, c'est en Belgique. Tu veux bien m'aider à préparer ma réponse ?
– *Oui, je t'écoute !*
– C'est sympa, merci ! C'est un stage d'animateur l'été prochain. J'ai un peu d'expérience, mais je dois montrer mes compétences et mes qualités. Quelles compétences il faut pour être animateur ?
– *Il faut avoir le sens des responsabilités et l'esprit d'équipe. Il faut aussi faire preuve de qualités relationnelles et de rigueur, c'est important avec des jeunes !*
– Et quelles qualités je dois avoir ?
– *Tu dois être créatif, organisé et sportif !*
– Merci beaucoup pour ton aide, je vais écrire ma lettre de motivation !

9. *Réponses libres*

LEÇON 2 Je me présente…

1. a. 1. un CV *(2 points)* 2. l'enseignement et la santé *(1 point)*
b. [...] et en 2001, j'ai obtenu le baccalauréat *(1 point)*. **Après,** j'ai étudié l'histoire à Sibiù et j'ai obtenu mon diplôme en 2006 *(1 point)*. **Ensuite** j'ai travaillé comme professeure d'histoire de 2007 à 2014 à l'université de Bucarest *(1 point)*. **De plus,** j'ai suivi une formation de 200 heures en médecine chinoise *(1 point)*, **puis** j'ai pratiqué la médecine chinoise pendant 3 ans *(1 point)*. **Enfin,** je sais faire preuve de qualités humaines importantes : je suis organisée, calme, attentive et créative *(1 point)*. Et je parle trois langues : le roumain est ma langue maternelle, je maîtrise parfaitement le français et j'ai un bon niveau d'anglais./le roumain (langue maternelle), le français (maîtrise parfaite) et l'anglais (bon niveau). *(1 point)*

2. *Exemple : J'ai suivi une formation en hôtellerie et j'ai fait un stage. Il consistait à accueillir les clients quand ils arrivaient à l'hôtel. Pour ce métier, il faut faire preuve de qualités relationnelles, être agréable et parler plusieurs langues.*
1. Je pense avoir le profil pour le poste. J'ai travaillé dans plusieurs restaurants et bars. J'ai une très bonne présentation, j'ai l'esprit d'équipe et je suis énergique.
2. J'ai effectué plusieurs stages dans différentes entreprises où je gérais la comptabilité. Je suis organisé et rigoureux.
3. Après des études d'anglais, j'ai choisi le domaine du tourisme. Je suis passionnée par la culture et l'histoire de ma ville. Ce poste est parfait pour moi. Il me permettra de partager mes connaissances et de parler anglais avec les touristes étrangers.
4. J'ai un diplôme en sciences de l'éducation. De plus, je suis mère de trois enfants et je pense que c'est un atout pour ce poste… Je suis créative et patiente.

1. serveur 2. comptable 3. guide touristique 4. professeur en cours particuliers

3. **Formation :** baccalauréat, Master en psychologie, formation en enseignement du yoga
Expériences professionnelles : psychologue dans une maison de retraite, professeure de yoga pour enfants
Langues : maîtrise de l'anglais (C1), espagnol scolaire (A2)
Qualités : patiente, sens de l'écoute et du contact, organisée

4. *Exemple :* 1. Deuxièmement 2. Tout d'abord 3. Après 4. À la fin de 5. Ensuite 6. Enfin 7. En plus

5. 5 – 3 – 4 – 6 – 8 – 9 – 2 – 1 – 7

6. **Ensuite/Puis** elle est partie en Italie pour étudier l'histoire de l'art/elle a fait ses études en histoire de l'art en Italie. **Ensuite/Puis,** elle a travaillé pendant 4 ans au Musée des Offices à Florence. **De plus,** elle a suivi une formation de guide touristique. **Puis/Ensuite** elle a suivi une formation de guide touristique. **De plus/Enfin,** elle parle anglais, italien et français. **Pour conclure,** elle cherche un travail à Paris ou dans une autre ville de France.

7. *Exemple de production :*
Bonjour,
Je m'appelle Gabriela, j'ai 28 ans et je suis argentine.
Tout d'abord, j'ai fait mes études secondaires à Buenos Aires. Après mon baccalauréat, j'ai suivi des études d'économie aux États-Unis et j'ai obtenu un Master dans ce domaine. De plus, j'ai une formation d'enseignement du Pilates. Je souhaite trouver un stage en France.
Cordialement,
Gabriela Mendez

8. *Exemple de production :*

– Allô ! Bonjour, je suis Elisabeth Berthier d'atoustages.
– *Bonjour. Enchanté(e) !*
– J'ai reçu votre présentation sur le site atoustages. Et je vous appelle parce que j'ai quelques questions à vous poser. Vous avez quelques instants à m'accorder ?
– *Absolument ! Je vous écoute.*

– Pourquoi voulez-vous faire un stage en France ?
– *Je souhaite compléter mon expérience professionnelle internationale et améliorer mon français.*
– Quel domaine vous intéresse ?
– *Le domaine financier.*
– Vous avez des expériences professionnelles dans ce domaine ?
– *Oui, j'ai fait un stage de 6 mois à Wall Street.*
– Et dans d'autres domaines ?
– *Ah, oui. J'ai pratiqué le shia tsu dans un hôpital avec des malades.*
– Quelles langues parlez-vous ?
– *Ma langue maternelle est l'espagnol. Je maîtrise l'anglais et je parle un peu français.*
– Quelles sont vos principales qualités ?
– *Je suis rigoureux(se), organisé(e) et je sais respecter les délais.*
– Merci. Je vais voir quel stage nous pouvons vous proposer. Je vous rappellerai bientôt.

LEÇON 3 La nouvelle économie

1. **a.** 1. Elena est étudiante. *(1 point)* 2. Elena propose des cours. *(1 point)* 3. Elena parle espagnol. *(1 point)* 4. Elena a une expérience d'enseignement dans différentes écoles. *(1 point)* 5. Elena est disponible la semaine en soirée. *(1 point)*
b. Bonjour, je m'appelle David, je suis américain et j'étudie **actuellement** la littérature française à l'université de Rennes. *(1 point)* Je cherche un petit job. **Évidemment**, je propose des cours d'anglais *(1 point)*, mais je peux **également** garder des enfants. *(1 point)* Je suis disponible tous les week-ends. *(1 point)* Mon tarif est entre 15 et 25 €/heure. *(1 point)*

2. 1. une annonce 2. suivre un cours 3. un client 4. intérêt 5. un directeur 6. avoir besoin d'un service

3. **a. Consonne finale** : actuel, égal, actif, immédiat, financier. **Voyelle finale** : rapide, vrai. **-ent/ant** : courant, fréquent.
b. *Exemple :*
1. également 2. financièrement 3. activement 4. immédiatement 5. rapidement 6. fréquemment 7. vraiment 8. couramment

4. 1. Il aide gratuitement des étudiants.
2. Nous répondons rapidement à vos demandes.
3. Vous vous déplacez facilement ?
4. Elles s'habillent différemment.
5. C'est une méthode absolument nouvelle !
6. Je parle français couramment.

1. une aide gratuite 2. des réponses rapides 3. un déplacement facile 4. des vêtements différents 5. une nouveauté absolue 6. un français courant

5. 1. Tu réponds de manière négative ?
2. Vous travaillez de manière sérieuse ?
3. Il progresse de manière lente ?
4. Elle parle de manière tranquille ?
5. Elles voyagent de manière régulière ?
6. Ils réussissent de manière brillante ?

1. Oui, je réponds négativement. 2. Oui, je travaille/nous travaillons sérieusement. 3. Oui, il progresse lentement. 4. Oui, elle parle tranquillement. 5. Oui, elles voyagent régulièrement. 6. Oui, ils réussissent brillamment.

6. *Réponses libres*

7. *Exemple de production :*
Bonjour ! Ici, on ne trouve pas facilement de petit job comme en France, mais pour une personne étrangère ça se passe différemment.
Normalement, les étudiants demandent directement des cours particuliers aux professeurs ou à des assistants de langue. Il n'y a pas vraiment de site web pour ça.
Attendez le début de vos cours, et vous verrez : les étudiants de français sont intéressés et généralement ils demandent des cours !

8. *Exemple de production :*

– *Je voudrais te demander des conseils. Pour les vacances, ma famille vient me voir. Mon neveu de 3 ans vient aussi ! Tu connais quelqu'un pour le garder un ou deux soirs ? Ou bien un site web ?*
– Oui, ma sœur fait régulièrement du babysitting. Mais je ne connais pas de site web.
– *D'accord. Et ici, comment on fait pour trouver un petit boulot ? Généralement, on a besoin d'un diplôme ? d'avoir de l'expérience ?*
– Pour du babysitting, habituellement on n'en demande pas, parce qu'on choisit une personne qu'on connaît.
– *Normalement, quels sont les tarifs ?*
– Ça dépend du nombre d'heures et du nombre d'enfants à garder.
– *Merci beaucoup !*

9. *Réponses libres*

LEÇON 4 Nous osons !

1. **a.** Image 1-b *(0,5 point)* ; image 2-d *(0,5 point)* ; image 3-a *(0,5 point)* ; image 4-c *(0,5 point)*

b. Si vous cherchez un emploi, il y a des passages obligés. Tout d'abord, parlons des annonces. Il faut sélectionner les annonces qui correspondent à votre profil. Ensuite, pour le CV, il est important d'en rédiger plusieurs pour les différents postes. Et puis, il faut écrire une lettre de motivation différente pour chaque annonce. Enfin, pour l'entretien, il faudra se préparer pour bien présenter ses qualités et ses compétences.

1. sélectionnez les annonces qui correspondent à votre profil/on vous conseille de sélectionner les annonces qui correspondent à votre profil. *(2 points)* 2. n'hésitez pas à rédiger plusieurs CV pour les différents postes/on vous conseille de rédiger plusieurs CV pour les différents postes/rédigez plusieurs CV pour les différents postes. *(2 points)* 3. écrivez une lettre de motivation différente pour chaque annonce/ n'hésitez pas à écrire une lettre de motivation différente pour chaque annonce/on vous conseille d'écrire une lettre de motivation différente pour chaque annonce. *(2 points)* 4. on vous conseille de vous préparer à l'entretien et de bien présenter vos qualités et compétences/ préparez-vous à l'entretien et présentez bien vos qualités et compétences/n'hésitez pas à préparer à l'entretien et à bien présenter vos qualités et compétences. *(2 points)*

2. Centres d'intérêts, expérience professionnelle, langues, état civil, compétences, diplômes, qualités humaines, poste recherché, coordonnées

3. 1. 37 rue du Cap 06600 Antibes 2. Marié, 2 enfants 3. 2000, Master de Français Langue étrangère 4. 2000/2017, professeur de français, Centre international d'Antibes 5. Parfaite connaissance des méthodes d'enseignement, maîtrise parfaite des outils Word et Excel 6. anglais (C1), italien scolaire (A2) 7. dynamique, organisé, excellentes qualités relationnelles 8. jogging, littérature française

4. Bonjour à tous ! Vous écoutez « La boîte à outils de l'emploi ». Aujourd'hui : comment trouver un job d'été ? Voici nos conseils :
1. *Rédiger un CV clair.*
2. *Écrire une lettre de motivation.*
3. *Regarder les petites annonces à l'université.*
4. *Se renseigner sur les emplois saisonniers de votre région.*
5. *Aller dans des villes touristiques.*
6. *Être réactif et disponible.*

Si vous voulez trouver un job d'été,
1. rédigez un CV clair. 2. écrivez une lettre de motivation. 3. n'hésitez pas à regarder les petites annonces à l'université. 4. on vous conseille de vous renseigner sur les emplois saisonniers de votre région. 5. n'hésitez pas à aller dans des villes touristiques. 6. soyez réactif et disponible.

5. 1. Conséquence 2. Conséquence 3. Conseil. 4. Conséquence 5. Conseil 6. Conseil

6. 2. les recruteurs remarqueront votre profil. 3. vous pourrez parler avec des francophones du monde entier. 4. ce sera plus agréable de visiter les pays francophones. 5. la littérature française et francophone n'aura plus de secrets pour vous. 6. vous apprendrez d'autres langues plus facilement. 7. vous comprendrez les médias en langue française.

7. *Exemple de production :*

– Allô ? Salut c'est Hugo. J'ai une bonne nouvelle ! Demain, j'ai un entretien pour un travail de réceptionniste dans un hôtel.
– *Super. Félicitations !*
– Mais j'ai besoin de conseils. Si le recruteur me demande pourquoi je n'ai pas travaillé de 2015 à 2016 (tu sais, pour mon tour du monde), je dis quoi ?
– *Dis-lui que tu as fait un tour du monde parce que tu t'intéresses aux voyages et aux autres cultures.*
– Et s'il me demande quelles sont mes qualités ?
– *N'hésite pas à dire que tu es organisé et que tu as le sens du contact.*
– Si je mets un jean avec une chemise, ça ira, tu crois ?
– *Non, tu ne donneras pas bonne impression. Je te conseille de porter un costume.*
– Merci ! Souhaite-moi bonne chance !

8. *Exemples de production :*
Si vous cherchez un petit job, n'hésitez pas à aller dans les restaurants et les bars. Ils ont souvent besoin de serveurs. – Si vous perdez vos papiers, contactez la police. – Je vous conseille d'aller à l'hôpital ou de prendre rendez-vous avec un médecin francophone.

9. *Réponses libres*

LEÇON **5** Francophonies

1. Je suis née en Suisse. Je parle allemand et français. J'ai choisi de faire des études de psychologie en français, à Genève. Là, j'ai rencontré un Américain, mon futur mari. J'ai obtenu mon diplôme en 1975 et nous nous sommes mariés. Nous voulions rester en Suisse, mais en 1985, il a obtenu un poste important aux États-Unis. Quand je suis arrivée là-bas, j'ai voulu travailler, mais avec mon diplôme suisse, c'était impossible ! Quand j'étais enfant, j'avais rêvé d'être professeur d'école, alors j'ai appris ce métier. J'ai ensuite suivi une demande d'inscription dans un programme d'enseignement. J'avais reçu la nationalité américaine, donc j'ai pu trouver un emploi dans une école d'immersion française. Aujourd'hui, je suis à la retraite, et je garde de merveilleux souvenirs de ma carrière !

a. Étudier la psychologie 2 *(1 point)* – Se marier 3 *(1 point)* – Suivre un programme pour enseigner 4 *(1 point)* – Obtenir la nationalité américaine 5 *(1 point)* – Devenir professeur 6 *(1 point)*
b. 1. elle avait étudié/elle a étudié *(1 point)* 2. elle s'est mariée *(1 point)* 3. elle a suivi *(1 point)* 4. elle est devenue *(1 point)* 5. elle avait obtenu *(1 point)*

2. j'ai ~~obtenu~~ un programme → suivi. j'ai ~~suivi~~ une demande → fait. J'ai ~~appris~~ mon master → obtenu/eu. j'ai ~~suivi~~ ma candidature → proposé

3. *Exemple : Je n'avais jamais parlé français !*
1. Il a obtenu le poste.
2. Elle préparait le dossier d'inscription.
3. Tu étais déjà allée en Afrique.
4. Vous étiez fiers.
5. Ils sont partis sur le campus.
6. Nous ne nous étions jamais rencontrés.

Plus-que-parfait : 3 et 6. Imparfait : 2 et 4. Passé composé : 1 et 5

4. 1. il avait demandé l'année précédente. 2. elle avait reçu de la République tchèque. 3. et l'année dernière, tu as fait un stage à Ouagadougou. 4. parce que vous aviez obtenu votre diplôme. 5. qu'ils avaient visité l'été d'avant. 6. et cinq ans plus tard, nous sommes devenus collègues.

5. *Exemples de production :*
Superfrenchie : Il est devenu le héros des Français parce qu'il avait aidé la population, parce qu'il était allé sur la Lune, parce qu'il était très fort.
Victor Legourmet : Il a gagné le prix parce qu'il avait préparé la meilleure recette, parce que les journalistes s'étaient régalés dans son restaurant, parce qu'il était bon cuisinier.

6. 1. Est-ce que ta cousine va bien ?
2. C'est un ancien professeur de piano italien.
3. J'ai une amie canadienne qui est pharmacienne.
4. C'est un bon étudiant qui réussit ses études.

1. Phrase entendue au féminin : « Est-ce que ta cousine va bien ? »
Phrase transformée : « Est-ce que ton cousin va bien ? »
2. Phrase entendue au masculin : « C'est un ancien professeur de piano italien. »
Phrase transformée : « C'est une ancienne professeure de piano italienne. »
3. Phrase entendue au féminin : « J'ai une amie canadienne qui est pharmacienne. »
Phrase transformée : « J'ai un ami canadien qui est pharmacien. »
4. Phrase entendue au masculin : « C'est un bon étudiant qui réussit ses études. »
Phrase transformée : « C'est une bonne étudiante qui réussit ses études. »

7. *Exemple de production :*
Mon père a beaucoup voyagé. Il a fait ses études à Tokyo parce qu'il avait étudié le japonais au lycée. Quand il a eu son diplôme, une entreprise lui a proposé un travail. Il a fait des voyages professionnels pendant toute sa carrière, et parfois je suis allé avec lui. Il a appris 5 langues ! Il connaît beaucoup de cultures différentes !

8. *Exemple de production :*

– Bonjour, je suis votre nouveau professeur de sport. Quand avez-vous commencé vos cours ici ?
– *J'ai commencé en septembre.*
– Vous aviez entendu parler de notre club avant ?
– *Oui, mon ami était venu et j'avais lu la liste de vos activités.*
– Et pourquoi avez-vous choisi ce sport ?
– *J'avais découvert le badminton avec des amis, et j'avais envie de progresser !*
– Vous aviez fait d'autres sports avant de choisir celui-ci ?
– *Oui, j'avais fait de la natation et du rugby, mais je n'aimais pas trop ça.*
– Bien ! Alors allons-y !

LEÇON **6** Parlez-nous de vous

1. a. Luxembourgeoise *(0,5 point)* – Les langues *(0,5 point)* – Traductrice stagiaire *(0,5 point)* – Entreprise Takeshi, Tokyo, Japon *(0,5 point)*
b. 1. Faux : a vécu quelques années au Japon. *(1 point)* 2. Faux : faire un stage de plusieurs mois. *(1 point)* 3. Vrai : Dans le domaine du travail, tout est différent. *(1 point)*
c. 1. Est-ce une histoire vraie ou imaginaire ? *(1 point)* 2. Avez-vous des amis au Japon ? *(1 point)* 3. Avez-vous eu une autre expérience de travail au Japon ? *(1 point)* 4. Combien de langues parlez-vous ? *(1 point)* 5. Quand avez-vous écrit le livre ?/En quelle année avez-vous écrit le livre ? *(1 point)*

2. 1. stagiaire 2. durée 3. vendre 4. informations 5. contacter 6. envoyer 7. Prise en charge

3. attention – secteur – domaine – compétences – formation – matière

4. 1. Est-ce que vous avez une expérience professionnelle dans ce domaine ?
2. Qu'est-ce que vous faites pendant votre temps libre ?
3. Pourquoi est-ce que vous avez répondu à notre annonce ?
4. Qu'est-ce que vous connaissez de notre entreprise ?
5. Vous êtes disponible quand ?
6. Vous pouvez me dire quelles sont vos qualités ?

1. Avez-vous… – 2. Que faites-vous… – 3. Pourquoi avez-vous répondu… – 4. Que connaissez-vous… – 5. Quand êtes-vous… – 6. Pouvez-vous me dire…

5. 1. tous 2. plusieurs/quelques 3. toute 4. plusieurs/quelques 5. Tous 6. plusieurs/quelques 7. Tout 8. toutes

6. 1. Je sais que tous, vous aimez la ville de Londres. [tus]
2. Tout est parfait dans cette organisation. [tut]
3. Tous les grands écrivains sont présents au Salon du livre à Paris. [tu]
4. C'est vrai que tout est de plus en plus cher pour vivre ici. [tut]
5. Est-ce que vous allez voyager tous les mois pendant votre retraite ? [tu]
6. Je crois bien que tous ensemble, vous pourrez réussir votre projet. [tus]

7. *Exemple de production :*
Bonjour,
Votre offre d'emploi m'intéresse mais j'ai quelques questions.
Quels sont les horaires ? Travaille-t-on le soir ? Quel est le salaire ? Faut-il avoir un excellent niveau de français ? Doit-on parler d'autres langues étrangères ?
Merci pour vos réponses.
Bien cordialement,
Leonardo Di Napoli

8. *Exemple de production :*

– Allo ? Bonjour. Je vous appelle pour le poste à l'Office de tourisme. Pour commencer, pouvez-vous me parler de vous ?
– *Bonjour. Je m'appelle Leonardo. J'ai 24 ans. Je suis étudiant. Je suis motivé, dynamique et j'adore le contact avec les gens.*
– Pourquoi avez-vous répondu à notre offre d'emploi ?
– *Parce que je fais des études dans le domaine du tourisme et que j'apprends le français.*
– Quel est votre niveau de français ?
– *J'ai un niveau intermédiaire en français.*
– Quels jours êtes-vous disponible pour ce travail ?
– *Je suis disponible le vendredi toute la journée, parce que je n'ai pas cours. Je suis aussi disponible tous les week-ends.*
– Merci. Nous vous recontacterons.

9. *Réponses libres*

BILAN 3

1. Vous êtes à la recherche d'un emploi ? Avant de rédiger votre CV, je vous conseille de faire la liste de vos compétences professionnelles et de vos qualités personnelles. Vous devez dans cette première étape, écrire des informations sur 3 points : votre formation, vos expériences et vous-même !
Quand votre CV est prêt, vous pouvez commencer à chercher des offres d'emploi. Vous pouvez consulter sur Internet des sites spécialisés. Si vous envoyez votre CV par e-mail, il y a 4 règles à suivre : utilisez une adresse électronique qui comporte votre prénom et votre nom, indiquez dans l'espace objet de votre e-mail la phrase « candidature au poste de », donnez un titre aux documents que vous envoyez en pièces jointes et enfin, faites attention aux fautes d'orthographe !

1. a. Compétences professionnelles. b. Qualités personnelles. 2. a. Sa formation. b. Ses expériences. c. Soi-même. 3. c. après avoir rédigé son CV. 4. b. caroline-dubois@yahoo.fr 5. Candidature au poste de. 6. À l'orthographe.

2. 1. Animateur du réseau des établissements scolaires français en Espagne. 2. a. à l'ambassade de France. 3. a. Animation du portail web. b. Lancement d'une page Facebook. 4. a. tous les jours. 5. L'espagnol et le français. 6. Dynamisme, rigueur et patience. 7. a. Vrai b. Faux.

3. *Exemple de production écrite :*
Bonjour,
Je m'appelle Marc Valdès. J'ai 24 ans. Je suis étudiant en Master de communication et édition numérique. Je suis franco-cubain et connais un peu la langue portugaise. Je vis actuellement en France mais je suis prêt à venir m'installer à Madrid pour faire le stage que vous proposez. Je suis libre dès le mois de mars et jusqu'au mois de juillet. Je suis une personne dynamique, patiente et je suis très organisé. Est-il possible d'avoir un entretien téléphonique avec vous ?
Je reste disponible pour tout complément d'information.
Bien cordialement,
Marc Valdès

4. *Exemple de production orale :*
– Je m'appelle Marc Valdès. J'ai 24 ans. J'ai fait mes études secondaires à Cuba et après mon baccalauréat, je suis parti en France pour suivre mes études de communication et édition numérique. Je suis actuellement étudiant en Master et je suis très intéressé par votre offre de stage.
– Merci. Vous parlez quelles langues ?
– Je suis bilingue espagnol-français. Ma mère est cubaine et mon père est français. Je parle un peu portugais.
– Quelles sont vos qualités ?
– Je suis rigoureux et très patient.
– Est-ce que vous savez créer une page Facebook et animer un site internet ?
– J'ai déjà créé une page Facebook pour une école de langue à Paris et j'animais cette page à l'attention des étudiants de l'école.

DOSSIER 4 Nous échangeons sur nos pratiques culturelles

LEÇON 1 Silence, on tourne !

1. – Les séries françaises marchent bien à l'étranger ! Je viens de lire un article qui parle de ce succès.
– Ah oui ? Tu parles des séries *Engrenages* ou *Les Revenants*, c'est ça ?
– Oui, mais il y en a actuellement d'autres ! *Versailles* par exemple, c'est une série franco-canadienne. Tu connais ?
– Hum… Non. C'est une série historique ?
– Oui. L'article dit que c'est très réaliste. Et *La Trêve*, tu regardes ? C'est une série belge. Elle raconte l'enquête d'un policier qui recherche patiemment un homme très dangereux…
– J'ai déjà entendu ce titre… Elle a récemment obtenu un prix au festival Séries Mania je crois.
– C'est ça ! C'est la meilleure série francophone ! Et l'article explique également que le Burkina Faso est un grand producteur de séries francophones ! À Ouagadougou, la capitale, il y a régulièrement le plus grand festival de cinéma et de télévision d'Afrique !

a. *Versailles* : nationalité franco-canadienne *(1 point)*, genre historique *(1 point)*
La Trêve : nationalité belge *(1 point)*, genre policier *(1 point)*, un prix au festival Séries Mania *(1 point)*
b. 1. Il y en a actuellement d'autres. *(1 point)* 2. L'article dit que c'est une série très réaliste. *(1 point)* 3. Cette série a récemment obtenu un prix au festival Séries Mania. *(1 point)* 4. L'article explique également que le Burkina Faso est un grand producteur de séries. *(1 point)*

5. À Ouagadougou, il y a régulièrement le plus grand festival de cinéma et de télévision d'Afrique. *(1 point)*

2. Un scénario : C'est le document qui décrit le film qui sera tourné. Un comédien : C'est une personne qui joue dans une série ou un film. Un épisode : C'est une partie d'une série. Une fiction : C'est une histoire qui n'est pas réelle. Un sous-titre : C'est la traduction des dialogues en bas de l'écran. Un tournage : C'est l'action de filmer.

3. 1. comédie 2. série fantastique 3. fiction historique 4. série policière

4. Dans notre rubrique « Télé », retour aujourd'hui sur la série *Baron noir*. La première saison de ce drame politique a été diffusée en février 2016. Cette série raconte l'histoire de deux hommes politiques. Ils sont amis, mais pendant l'élection présidentielle, ils rencontrent des difficultés financières…
Le réalisateur, Ziad Doueiri, dirige les comédiens avec beaucoup de talent. On y retrouve les célèbres acteurs Niels Arestrup et Kad Merad. Kad Merad a souvent joué des rôles comiques. Mais dans *Baron noir*, il joue un personnage dramatique. Une série à voir et à revoir.

1. Drame politique 2. Réalisateur 3. Acteurs (principaux) 4. Février 2016

5. un accueil vraiment positif – Canal+ a récemment annoncé – un très grand réalisme – le drame politique se développe progressivement – propose actuellement les épisodes – une série véritablement réussie

6. 1. J'ai tardivement obtenu un grand rôle. 2. C'était vraiment le plus beau jour de ma vie ! 3. Je suis rapidement devenu célèbre. 4. Puis, j'ai malheureusement eu moins de succès. 5. Un réalisateur m'a heureusement proposé un rôle intéressant. 6. Le jury d'un festival de séries m'a finalement donné une récompense.

7. *Exemple de production :*
J'aime vraiment les séries parce que le rythme est généralement rapide. Le scénario est souvent original. J'aime particulièrement les séries fantastiques et les fictions historiques. Je regarde actuellement des séries francophones et anglophones. Je préfère la langue originale avec des sous-titres. Il y a toujours des nouveaux épisodes à découvrir !

8. *Exemple de production :*

– J'ai fini de regarder ma série préférée ! J'ai envie d'en découvrir une nouvelle ce week-end. Qu'est-ce que tu me conseilles ?
– *Dix pour cent.*
– C'est quel genre ?
– *C'est une comédie dramatique.*
– Et tu la regardes souvent ?
– *Oui, je la regarde régulièrement, toutes les semaines.*
– Elle est sortie récemment ? Elle continue actuellement ?
– *Elle est sortie en 2015, mais la deuxième saison sort prochainement.*
– Tu peux rapidement me raconter le scénario ?
– *C'est l'histoire d'un groupe de professionnels qui travaillent avec des artistes français très célèbres.*
– Et je peux la trouver facilement ?
– *Oui, elle est actuellement diffusée sur Netflix.*
– Merci, j'ai envie de la regarder. Je te dirai ce que j'en pense !

9. *Réponses libres*

LEÇON **2** Faites de la musique !

1. a. **Les Francofolies** : Lieu : La Rochelle *(0,5 point)* – Thème : Musique francophone – Point positif : Découvrir de nouveaux chanteurs et musiciens du monde francophone *(0,5 point)* – Point négatif : Il ne dure que 5 jours. *(0,5 point)*
Le Festival d'Avignon : Lieu : Avignon – Thème : Théâtre *(0,5 point)* – Points positifs : Il y a des pièces de théâtre dans toute la ville. *(0,5 point)* On peut y voir des pièces classiques et des petites créations plus originales. *(0,5 point)* Point négatif : C'est difficile de dormir avec toutes ces activités ! *(0,5 point)*

Le Festival de Sziget : Lieu : Hongrie *(0,5 point)* – Thème : Musique internationale *(0,5 point)* – Points positifs : La programmation avec de nombreux artistes internationaux. *(0,5 point)* L'ambiance : les fêtards de l'Europe se retrouvent là-bas. *(0,5 point)* – Point négatif : c'est loin. *(0,5 point)*
b. Ce que j'adore, c'est le lieu : dans les jardins historiques de Saint-Cloud. *(1 point)* Ce qui est surprenant, ce sont les groupes de rock internationaux. *(1 point)* Ce qui est très cher, ce sont les billets pour les concerts. *(1 point)* Ce que j'apprécie surtout, c'est l'ambiance. *(1 point)*

2. *Exemple : Au programme des Musicales de Colmar cette année : Wagner, Mozart, Vivaldi… C'est l'opéra Carmen qui ouvrira le festival.*
1. Au festival d'Aurillac, pas besoin de salle de théâtre, les spectacles sont dans la rue ! Un festival populaire et gratuit pour toute la famille dans les rues de cette charmante ville d'Auvergne.
2. À Montreuil, comme chaque année, nous accueillons des auteurs de livres pour enfants pendant une semaine. Au programme : des rencontres et des ateliers.
3. Pour la neuvième fois, Angoulême accueillera son festival de cinéma avec des réalisateurs et des acteurs venus de Suisse, du Burkina Faso, de France ou du Canada. L'invité d'honneur sera Denys Arcand.
4. Cannes, ce n'est pas seulement le festival de cinéma ! L'été, nous vous proposons les plages électro avec une sélection d'artistes internationaux. Venez écouter des DJ exceptionnels et danser sur la plage !

1. Festival de théâtre de rue 2. Fête du livre jeunesse 3. Festival du film francophone 4. Festival de musique électro

3. 1. amateurs 2. festival 3. chanteurs 4. concerts 5. professionnels 6. invité d'honneur 7. musicien 8. public

4. 1. Ce qui est sympa, c'est l'ambiance. 2. Ce que j'adore, ce sont les différents lieux des spectacles. 3. Ce que j'apprécie, c'est la qualité de la programmation. 4. Ce que j'aime particulièrement, ce sont les rencontres avec les chanteurs et les musiciens. 5. Ce qui a été fantastique, c'est ma rencontre avec un chanteur égyptien. 6. Ce qui est une bonne idée, ce sont les concerts gratuits.

5. Je suis pour la première fois au Printemps de Bourges. C'est un festival de musique que j'aime beaucoup. ~~Ce qui~~ (Ce que) j'apprécie, ~~c'est~~ (ce sont) les concerts de hip-hop français. ~~Ce que~~ (Ce qui) est intéressant, c'est la possibilité d'assister aux répétitions les après-midis. Et pour finir, ce que je trouve génial, ~~ce sont~~ (c'est) l'ambiance du festival. C'est parfait pour les gens qui aiment faire la fête !

6. 1. Les meilleures places !
2. Un projet intéressant !
3. Restons plus longtemps !
4. Une célébration unique !
5. On a réussi l'événement !
6. Organisation fantastique !

1. 3ᵉ syllabe – 2. 2ᵉ syllabe et 6ᵉ syllabe – 3. 1ʳᵉ syllabe – 4. 4ᵉ syllabe – 5. 3ᵉ syllabe – 6. 1ʳᵉ syllabe

7. *Exemple de production :*

– Bonjour. Je fais une enquête sur les événements culturels. J'ai quelques questions à vous poser. Quel genre de spectacles vous intéresse généralement ?
– Ce que j'apprécie particulièrement, ce sont les concerts. J'adore découvrir de nouveaux artistes francophones.
– Vous avez assisté à quels événements culturels récemment ?
– *La saison dernière, j'ai vu plusieurs films français et québécois. Et je suis allé à la fête de la Musique.*
– Et qu'est-ce que vous avez préféré ?
– *Ce que j'ai préféré, c'est la fête de la Musique.*
– Pourquoi ?
– *Ce qui me plaît, c'est l'ambiance. Et puis, c'est chouette de pouvoir écouter des concerts gratuitement !*

8. *Exemple de production :*
Nom de l'événement : Lollapalooza – Type d'événement : Festival international de musique – Lieu : Chicago, Millenium Park – Pourquoi vous conseillez cet événement : Ce que j'adore, c'est le lieu et l'ambiance. C'est à l'extérieur. En général, il fait beau et on peut pique-niquer ! Il y a aussi un espace pour les enfants. En plus, ce qui me plaît, ce sont les concerts d'artistes fantastiques comme les Red Hot Chili Peppers, Radiohead ou Lana Del Rey !

LEÇON **3** La culture et nous

1. a. 1. La majorité de la population. *(1 point)* 2. Une minorité de la population. *(1 point)* 3. 45 %. *(1 point)* 4. La moitié de la population. *(1 point)* 5. Une personne sur trois. *(1 point)* 6. Six Français sur dix. *(1 point)*
b. lesquelles *(1 point)* – lequel *(1 point)* – lesquels *(1 point)* – laquelle *(1 point)*

2. Bibliothèques et médiathèques : 3, Spectacles vivants : 4, Lieux d'exposition et bâtiments historiques : 2

3. Spectacles de danse : 4 ; Jardins du MIP : 2 ; Animations de Noël et animations d'été : 1 ; Musée d'art et d'histoire de Provence 2 ; Bibliothèque du patrimoine local : 3 ; Chapelle Victoria : 2

4. *Exemples de production :*
Parmi les lieux d'exposition, lequel veux-tu visiter ?
Laquelle des sorties t'intéresse le plus ?

5. 1a – 2g – 3c – 4e – 5d – 6b – 7h – 8f

---

6. 1. un lecteur sur deux
2. 20 % des spectacles
3. la moitié des festivals
4. les 12-18 ans
5. les adultes de 30 à 50 ans
6. les 65 ans et plus

---

1. la moitié des lecteurs/50 % des lecteurs 2. une minorité des spectacles/un spectacle sur cinq 3. un festival sur deux/50 % des festivals 4. les jeunes de 12 à 18 ans 5. les 30-50 ans 6. les seniors

7. *Exemple de production :*
Dans mon pays, la majorité des jeunes qui habitent en ville préfèrent aller au cinéma le week-end pour s'amuser avec leurs amis. La qualité des films est meilleure au cinéma. En général, tous les 15-24 ans adorent Internet pour regarder des vidéos et des séries. Une minorité des jeunes regardent des DVD à la maison.

8. *Exemple de production :*

– Salut ! J'ai hâte de te voir le week-end prochain ! Qu'est-ce qu'on va faire quand je serai là ? On ira visiter des musées ou des lieux historiques ?
– On visitera les lieux historiques et on se promènera en ville.
– Et toi, parmi toutes les activités possibles, tu préfères laquelle ?
– Moi j'aime me promener près de la rivière.
– Et habituellement, qu'est-ce qu'on fait le soir ? La majorité des personnes préfèrent sortir ou rester tranquillement à la maison ?
– Le samedi soir, la moitié des habitants vont au café, au restaurant ou au cinéma. Il fait trop chaud à la maison !
– Très bien, je suis très content de venir te voir bientôt !

LEÇON **4** La France s'exporte

1. Claire : Moi, ce que j'aime le plus, c'est la danse contemporaine. J'ai la chance d'habiter à Lyon où il y a le meilleur festival de danse. L'année dernière, j'ai vu un spectacle du chorégraphe Mourad Merzouki, c'était le plus beau spectacle de ma vie ! Mais j'aime bien aussi le théâtre et le cirque. Je choisis les spectacles les plus adaptés aux enfants pour pouvoir y emmener mes deux filles Emma et Juliette.

Georges : Je suis allé une ou deux fois voir des spectacles de danse contemporaine avec Claire pour lui faire plaisir… Mais c'est ce que j'apprécie le moins. Dans la danse, je préfère le hip-hop. C'est vraiment spectaculaire ! J'aime bien aussi le théâtre. Je choisis les pièces les plus drôles parce que je veux m'amuser quand je sors… Mais le plus souvent, quand je sors, je vais voir des concerts. Le rap et le rock, c'est ce qui me plaît le plus.

a. Claire : Spectacle de danse contemporaine *(1 point)* – Théâtre : « Bulle » *(1 point)* – Le Cirque Baretti *(1 point)* ; **Georges :** Spectacle de hip-hop *(1 point)* – Théâtre, comédie « Le malade imaginaire » *(1 point)* – Festival de musique « Le printemps du rock » *(1 point)*
b. Ce qui était le plus intéressant, c'était le spectacle de danse classique. *(2 points)*
Ce que j'ai apprécié le moins, c'est le concert de musique classique. *(2 points)*

2. Arts plastiques : dessin, photographie, peinture – Spectacle vivant : danse classique, danse contemporaine, théâtre, cirque – Musique : guitare, piano

---

3. 2. J'ai joué dans trois films l'année dernière.
3. Il y a cinquante danseurs dans mon nouveau spectacle.
4. Je m'inspire beaucoup de Monet pour mes tableaux.
5. Mon dernier livre s'est bien vendu.
6. Je viens de publier mon dernier roman.
7. J'adore interpréter les chansons d'amour.
8. C'était super que Leila Bekhti accepte de jouer dans ma série.

---

1. comédienne 2. acteur 3. chorégraphe 4. peintre 5. écrivain 6. auteure 7. chanteuse 8. réalisateur

4. 1. Charles Cuisin est le peintre le moins connu du Louvre. 2. Michel Houellebecq est l'auteur français le plus traduit dans le monde. 3. *L'Étranger* d'Albert Camus est le meilleur roman français. 4. Les écrivains sont les artistes qui gagnent le moins. 5. Adele est la chanteuse la mieux payée du Royaume-Uni. 6. Drake, le chanteur de hip-hop canadien, est l'artiste qui vend le plus d'albums.

5. 1. Cinéma : C'est Mina qui va le moins souvent au cinéma./C'est Hugo qui va le plus souvent au cinéma. 2. Théâtre : C'est Mina qui a vu la meilleure pièce de théâtre cette année./C'est Hugo qui a vu la moins bonne pièce de théâtre cette année. 3. Exposition : C'est Mina qui a visité l'exposition la plus petite/la plus petite exposition./C'est Hugo qui a visité l'exposition la plus grande/la plus grande exposition. 4. Concert : C'est Mina qui a dépensé le plus dans des billets de concerts l'année dernière./C'est Mina qui a dépensé le plus d'argent dans des billets de concerts l'année dernière./C'est Hugo qui a dépensé le moins dans des billets de concerts./C'est Hugo qui a dépensé le moins d'argent. 5. Pratique artistique personnelle : C'est Mina qui chante le mieux./C'est Hugo qui chante le moins bien./C'est Mina qui danse le moins bien./C'est Hugo qui danse le mieux.

---

6. a. 1. artiste – 2. romantique – 3. populaire – 4. rigoureux – 5. connu – 6. futur
b. 1. rigoureux – 2. footballeur – 3. deuxième – 4. auteur – 5. curieux – 6. meilleur
c. 1. lecture – 2. football – 3. écouter – 4. fondateur – 5. humour – 6. Nobel

---

7. *Exemple de production :*

– Je crois qu'il y a un bon programme en ville en ce moment ! Quelles sont les deux sorties que tu voudrais faire la semaine prochaine ?
– Il y a une exposition de peinture au Louvre : c'est Picasso et les femmes. À la Cité des sciences, il y a une exposition sur les bébés animaux.
– Qu'est-ce qui t'intéresse le plus ?
– Moi, je préfère l'exposition de peinture.
– Moi aussi ça m'intéresse ! Mais je ne veux pas aller trop loin. Qu'est-ce qui est le plus proche pour moi ?

– C'est l'exposition sur les bébés animaux.
– Et ce n'est pas trop cher ? Parce que j'ai un petit budget…
– Non, c'est l'expo la moins chère.

8. *Exemple de production :*
1. La plus insolite : concert de musique classique dans une ancienne usine de vélos 2. La plus internationale : Festival international du film fantastique 3. La plus rare : exposition de livres rares 4. La plus vivante : compétition des meilleurs comédiens

9. *Réponses libres*

LEÇON **5** Vous aimez la BD ?

1. – Maricel, vous avez choisi aujourd'hui la bande dessinée *Aya de Yopougon*. C'est une lecture pour tous les âges ?
– Oui, Jules, c'est super ! Vous avez lu cette BD ?
– Non, pas encore ! Comment avez-vous découvert *Aya* ?
– C'est mon fils, Gaspard, qui a trouvé ce livre à la bibliothèque. Et vous savez pourquoi je suis surprise ?
– Non, dites-moi…
– C'est vraiment une histoire de jeunesse en Côte d'Ivoire, ma famille est ivoirienne mais je ne connaissais pas ces livres !
– Il y a plusieurs livres dans cette série ?
– Oui, six !
– Et quand l'histoire commence-t-elle ?
– Dans les années 70, une période très agréable dans ce pays.
– Dernière question, comment s'appelle le dessinateur ?
– C'est Clément Oubrerie le dessinateur. Et la scénariste s'appelle Marguerite Abouet.

a. 2. Vous avez lu cette BD ? *(1 point)* 3. Comment avez-vous découvert *Aya* ? *(1 point)* 6. Il y a plusieurs livres dans cette série ? *(1 point)* 7. Et quand l'histoire commence-t-elle ? *(1 point)* 10. Comment s'appelle le dessinateur ? *(1 point)*
b. Questions orales : *exemple, 2, 6 et 10 (3 points)*. Questions formelles : 3 et 7 *(2 points)*

2. *Exemple : Vous lisez souvent des BD ?*
1. Connaissez-vous ce dessinateur ?
2. Vous le connaissez comment ?
3. Il vient d'où ?
4. Combien de livres a-t-il écrits ?
5. L'histoire se passe où ?
6. Pourquoi les lecteurs aiment-ils ces BD ?

Registre familier : *exemple, 2, 3 et 5*. Registre soutenu : 1, 4 et 6.

3. b4 – c6 – d2 – e5 – f1 – g3

4. Comment les personnages s'appellent-ils ? – Pourquoi aimez-vous cette bande dessinée ? – Quand avez-vous découvert cette BD ? – L'auteur a-t-il écrit beaucoup de livres ? – D'où vient-il ? – Avez-vous vu l'adaptation télévisée ?

5. 1. La France est-elle un pays spécial pour les BD ? 2. Pourquoi y a-t-il deux auteurs ? 3. Comment le dessinateur choisit-il le nom des personnages ? 4. Quand allez-vous rencontrer le scénariste ? 5. Combien de fois cette série de BD a-t-elle remporté un prix ? 6. Les BD sont-elles votre genre de lecture préféré ?

6. *Exemples de production :*
Aimes-tu les bandes dessinées ?
Connais-tu une bande dessinée francophone ?
As-tu déjà lu la bande dessinée *Aya* ?

7. *Exemple de production :*
Bonjour, j'ai quelques questions sur le festival. À quelle heure pouvons-nous rencontrer les auteurs ? Des dédicaces sont-elles prévues pour tous les auteurs ? Je voudrais rencontrer Marguerite Abouet et Clément Oubrerie car *Aya de Yopougon* est ma BD préférée. Comment doit-on s'inscrire ? Merci beaucoup pour votre réponse !

8. *Exemple de production :*

– Bonjour ! J'ai corrigé vos devoirs. C'est bien en général, mais il y a encore des erreurs quand vous écrivez des phrases interrogatives formelles. Je vous propose de corriger ensemble certaines phrases. Première phrase : corrigez « Vous travaillez où ? »
– *Où travaillez-vous ?*
– Il faut bien penser à mettre le pronom interrogatif, puis le verbe et le sujet. Deuxième phrase : « Vous aimez cette bande dessinée ? »
– *Aimez-vous cette bande dessinée ?*
– Dans cette question, on met le verbe en premier, puis le sujet, puis le complément. Dernière phrase : « Le dessinateur a fait d'autres livres ? »
– *Le dessinateur a-t-il fait d'autres livres ?*
– Cette fois, on doit bien mettre la lettre t entre le verbe avoir et le sujet.

9. *Réponses libres*

LEÇON **6** Quel cirque !

1. a. familial *(1 point)* – différent *(1 point)* – amusant *(1 point)* – moderne *(1 point)* – beau *(1 point)* – créateur d'émotions *(1 point)*
b. **Conseils :** 1. Vous devriez acheter vos places rapidement. *(0,5 point)* 2. Il faudrait parler d'eux plus souvent dans la presse. *(0,5 point)*
Souhaits : 1. J'aimerais voir plus de spectacles comme ça ! *(0,5 point)* 2. Je rêverais de voir d'autres spectacles de cette troupe ! *(0,5 point)*
c. La compagnie « Les 7 doigts de la main » devrait organiser un spectacle en collaboration avec le Cirque du Soleil. *(1 point)* – Je rêverais de/J'aimerais/Je souhaiterais voir des spectacles comme ça dans mon pays. *(1 point)*

2. troupe – comédien – tournée – public – compagnie – spectateurs– cirque

3. compagnie/troupe – tournée – spectacle – cirque – troupe/compagnie – spectateurs

4. *Exemple : J'aimerais aller voir le dernier film de Guillaume Canet.*
1. Tu devrais lire les critiques avant d'aller voir cette exposition.
2. Il faudrait programmer plus souvent des spectacles de danse contemporaine.
3. Nous souhaiterions visiter des musées de peinture.
4. Mon mari et moi rêverions d'aller au festival de Cannes.
5. C'est vraiment trop cher le théâtre. Vous devriez proposer un tarif spécial pour les étudiants !
6. Nous voudrions laisser un avis sur ce spectacle.

Conseils : 1, 2 et 5. Souhaits : *exemple, 3, 4 et 6.*

5. 1. aimerais – devrais 2. faudrait – souhaiteriez 3. voudrions – devriez 4. rêveraient – pourrais

6. 1. Tu pourrais venir demain soir ?
2. Il aimerait visiter des musées plus souvent.
3. Nous rêvions de voir un spectacle du Cirque du Soleil.
4. Qu'est-ce que tu voudrais faire ce soir ?
5. Il fallait prendre son temps et réfléchir avant de se décider.
6. Vous souhaiteriez réserver des places pour dimanche ?

Imparfait : *exemple, 3 et 5*. Conditionnel présent : 1, 2, 4 et 6.

7. *Exemple de production :*

– Bonjour. Bienvenue à la Maison de la Danse. Je peux vous renseigner ?
– *Bonjour. Je souhaiterais deux places pour Cirkopolis, s'il vous plaît.*
– Vous voudriez venir quel jour ?
– *Nous aimerions venir le 3 mars.*
– Où souhaiteriez-vous être assis dans la salle ?
– *Nous voudrions être devant.*
– Très bien. Ça fait 80 €. Vous payez comment ?
– *Je souhaiterais payer par carte.*

8. *Exemple de production :*
J'aimerais voir des spectacles de danse de chorégraphes français. Vous devriez aussi organiser un festival de cinéma francophone. Il faudrait proposer plus d'événements gratuits.

9. a. a2 ; b3 ; c1. b. *Réponses libres*

BILAN **4**

1. Vous ne savez pas quoi faire ce week-end ? Je vous conseille d'aller voir *Les Franglaises*. Le concept de ce spectacle est le suivant : chanter des chansons anglaises traduites en français. Le spectacle est vraiment très amusant et interactif ! Interactif parce que les spectateurs sont invités à deviner le titre des chansons anglaises traduites en français. Si je vous dis, par exemple, « Il pleut des hommes, Alléluia » vous pensez tout de suite au succès « It's raining men ». Puis, les quatre filles et les huit garçons des *Franglaises* se mettent à chanter les chansons en français. Ils ont des voix magnifiques, les musiciens sont excellents et ils sont tous drôles ! La mise en scène est très dynamique ! Vous passerez un très bon moment ! C'est samedi soir à partir de 19 h 30.

1. Chanter des chansons anglaises (les plus connues) traduites en français. 2. a. Amusant. b. Interactif. 3. Le titre des chansons. 4. c. plus de garçons que de filles. 5. Très dynamique. 6. Samedi à 19 h 30.

2. *Exemple de production :*
Salut Stephen,
J'ai entendu une annonce à la radio sur le spectacle *Les Franglaises*. Pendant le spectacle, les artistes chantent des chansons anglophones traduites en français. Il paraît que c'est très drôle. J'aimerais bien y aller avec toi. Le spectacle est samedi prochain à 19 h 30 au théâtre Bobino. On pourrait se retrouver à la station de métro Edgar Quinet, puis y aller ensemble ? Appelle-moi !
Selma

3. *Exemple de production :*
Salut ! Tu sais, samedi soir je suis allée voir un spectacle au théâtre Bobino avec Stephen. Ça s'appelle *Les Franglaises*. En fait, c'est un groupe de chanteurs qui traduisent des chansons américaines ou anglaises en français ! On a passé une super soirée ! On a chanté, on a ri, l'ambiance était géniale. Les chanteurs chantent vraiment très bien ! …

4. 1. Un week-end. 2. 4 €. 3. Date de création : 1985 ; Auteur : Jack Lang ; Organisateur : FNCF. 4. Balades, ateliers, débats. 5. Parce que l'esprit d'origine de la fête c'est aussi des rencontres et des échanges autour de la culture.

DOSSIER **5** Vivons ensemble !

LEÇON **1** Opinions

1. – Mon ami Jorgen est suédois. C'est un jeune homme de 28 ans qui est toujours joyeux. C'est quelqu'un qui travaille dans le tourisme et qui parle 5 langues différentes.
– Mon frère, Juan, c'est une personne qui se plaint souvent mais qui aime faire la fête avec ses amis. C'est aussi quelqu'un qui cuisine très bien.
– Carolina, c'est ma voisine. C'est une femme qui est très sportive et très positive. C'est quelqu'un qui adore la musique, elle en écoute toute la journée !
– Ma collègue Marlène est très cultivée. C'est quelqu'un qui aime beaucoup lire et qui est passionné par le cinéma.

a. 1. Jorgen : f et i *(1 point)* 2. Juan : j, e et g *(1,5 point)* 3. Carolina : h, d et b *(1,5 point)* 4. Marlène : a et c *(1 point)*.

b. 1. Matthew, c'est quelqu'un/c'est une personne/c'est un homme qui adore regarder le foot *(1 point)* et qui n'aime pas les films romantiques *(1 point)*. 2. Rosina, c'est quelqu'un/c'est une personne/c'est une femme qui sourit toujours *(1 point)*, qui aime discuter pendant des heures *(1 point)* et qui voyage souvent *(1 point)*.

2. B. Il se plaint. C. Elle est cultivée. D. Ils sont élégants. E. Il sait présenter ses idées. F. Il est nerveux.

3. *Exemple : Quand j'ai quitté la France pour mes études, je pensais que c'était le meilleur pays du monde.*
1. Les Français, ce sont des personnes cultivées et élégantes.
2. Mais j'ai rapidement réalisé que les Français râlaient plus que les Australiens !
3. Les Australiens, ce sont des personnes plus prudentes sur la route.
4. Mais les Australiens, ce ne sont pas des gens qui aiment cuisiner.
5. Pour les Australiens, le Français, c'est quelqu'un qui est agressif et toujours de mauvaise humeur.
6. Pour moi, les Australiens et les Français, ce sont des personnes qui ont des qualités différentes.

a. Idées positives : *exemple*, 1, 3 et 6. Idées négatives : 2, 4 et 5.
b. 1. ce sont 2. ce sont 3. ce sont 4. c'est 5. ce sont 6. c'est

4. 1. Je pense que les Français, ce sont des personnes très cultivées. 2. Moi, je pense que le Français, c'est quelqu'un qui ne fait pas de sport. 3. Mon frère, c'est quelqu'un qui a le sens de l'écoute. 4. Eleanor, c'est une femme qui sait parfaitement cuisiner. 5. Justin et Antoine, ce sont deux hommes qui sont toujours pessimistes. 6. Le vendeur parfait, c'est quelqu'un qui peut rapidement me conseiller.

5. *Réponses libres*

6. 1. Elle est de mauvaise humeur. son [v]
2. Il boit du thé tous les jours. son [b]
3. Elle voit que je suis optimiste. son [v]
4. Ils vivent à Paris. son [v]
5. Elles parlent finnois. son [f]
6. C'est un Européen célèbre. son [b]
7. C'est faux de croire ça ! son [f]
8. C'est beau de croire ça ! son [b]

7. *Exemple de production :*
Le meilleur ami, c'est une personne qui est là pour moi. C'est quelqu'un qui m'écoute et que je veux aider. C'est une personne qui est agréable et drôle. L'amitié, c'est quelque chose qui est très important. Je ne peux pas vivre sans amitié !

8. *Exemple de production :*

– Excuse-moi de te déranger. Je prépare un article sur les relations au travail pour le magazine de l'entreprise. J'ai besoin de ton témoignage. Je peux te poser quelques questions ?
– *Oui !*
– Pour toi, le ou la meilleur(e) collègue, c'est quelqu'un qui est drôle ou qui est sérieux ?
– *Pour moi, c'est quelqu'un qui est sérieux.*
– Et le meilleur directeur ou responsable ?
– *C'est quelqu'un qui est énergique, qui a de l'organisation et de la rigueur.*
– Et pour finir : le meilleur client, c'est une personne qui pose beaucoup de questions ou qui achète beaucoup de choses ?
– *Le meilleur client, c'est une personne qui ne pose pas trop de questions mais qui achète !*
– Merci pour tes réponses !

LEÇON **2** Très français !

1. a. 1. Pour prendre des nouvelles. *(1 point)* 2. Elle étudie. *(1 point)* 3. Pour ses études. *(1 point)*
b. 1. Elle lui reproche de communiquer moins souvent depuis qu'il est

parti au Portugal. *(1 point)* 2. Elle lui dit qu'elle a repris les cours à la fac de Milan. *(1 point)* 3. Elle lui demande de tout lui raconter. *(1 point)* 4. Elle lui demande comment est la ville. *(1 point)* 5. Elle lui demande ce qu'il fait les week-ends. *(1 point)* 6. Elle lui demande s'il a rencontré d'autres étudiants. *(1 point)* 7. Elle lui demande quand il commence les cours à la fac. *(1 point)*

2. 1. C'est un exercice.
2. C'est une partie d'un examen.
3. C'est la personne qui fait passer un examen.
4. On l'obtient si on réussit l'examen.
5. C'est l'épreuve de production orale où on nous demande de nous présenter.
6. C'est un test qui sert à connaître son niveau.

1. activité 2. épreuve 3. examinateur 4. diplôme 5. entretien dirigé 6. évaluation

3. Les étudiants lui demandent comment ils peuvent faire pour bien se préparer à l'examen. – Il leur conseille de s'entraîner et il leur explique qu'il y a beaucoup de livres d'exercices. – Ils lui demandent ce qu'ils doivent faire s'ils ne comprennent pas un mot. – Il leur dit de ne pas stresser et il leur propose d'essayer de comprendre le mot dans le contexte.

4. 1. répondent 2. disent 3. reprochent 4. demandent 5. propose 6. explique

5. a. 1. s'ils, leurs – 2. leur, ils
b. 1. lui, nous, notre – 2. lui, s'il, notre

6. 1. « Es-tu content de partir ? »/« Est-ce que tu es content de partir ? »/ « Tu es content de partir ? » 2. « Envoie-moi une carte postale ! » 3. « Combien de temps vas-tu partir ? »/« Combien de temps est-ce que tu vas partir ? »/ « Combien de temps tu vas partir ? »/ « Tu vas partir combien de temps ? » 4. « Tu as de la chance. » 5. « Pourquoi ne viens-tu pas avec moi ? »/ « Pourquoi tu ne viens pas avec moi ? » 6. « Je dois préparer mon examen. »

7. *Exemple de production :*

– Salut, c'est Albert !
– *Salut !*
– J'ai oublié de parler à ta colocataire de la fête que j'organise samedi soir. Je dois tout préparer aujourd'hui. Je sais que toi tu vas venir, mais tu peux lui demander tout de suite si elle vient, s'il te plaît ?
– *Tu viens à la soirée d'Albert samedi soir ?*
– Ah oui, bien sûr !
– J'ai entendu, c'est super. Demande-lui aussi ce qu'elle va apporter à manger !
– *Qu'est-ce que tu vas apporter à manger ?*
– J'apporterai du pain et du fromage !
– C'est noté. Dernière question : tu peux lui demander quelle est sa boisson préférée ?
– *Quelle est ta boisson préférée ?*
– Du jus d'orange, ça me va !
– Merci beaucoup ! À samedi !

8. *Exemple de production :*
Salut ! J'ai passé le TCF l'année dernière. L'épreuve dure 12 minutes et il y a 3 activités. La première est un entretien dirigé avec l'examinateur. Il va te demander de te présenter. Ensuite, il y a un exercice en interaction : on t'explique une situation et tu dois poser des questions à l'examinateur. Enfin, la dernière activité consiste à donner son opinion sur un sujet. Par exemple, l'examinateur peut te demander ce que c'est un pays agréable à vivre pour toi. Si tu ne comprends pas une question, demande à l'examinateur de t'expliquer ou de répéter. Bonne chance !

LEÇON **3** D'accord, pas d'accord !

1. – Bonjour madame, je peux vous demander ce que vous pensez du projet de tramway sur la Promenade des Anglais ?

– Ah, le tramway, je suis tout à fait contre ! On ne l'entend pas, alors il peut y avoir des accidents. J'ai peur de ça, moi ! Et puis un tramway, ce n'est pas beau au bord de la mer !
– Merci madame. Et vous monsieur, quelle est votre opinion ?
– Je suis du même avis que la municipalité : il y a de la place sur la Promenade des Anglais, et l'image du tramway est bonne pour notre ville et pour le tourisme. C'est un bon projet !
– Merci beaucoup ! mademoiselle, et vous ?
– Bon, il y a des points positifs et des points négatifs. C'est vrai que nous sommes fiers de la Promenade des Anglais. On ne veut pas que le paysage change. Mais il y a des tramways qui sont assez jolis. Nice est une grande ville, nous avons tous besoin d'un transport efficace !

a. 1. *b, e, h (1 point)* 2. a *(1 point)*, g *(1 point)* 3. c *(1 point)*, d *(1 point)*, f *(1 point)*
b. 1. g. où il y a de la place *(1 point)* 2. e. dont l'apparence est un problème *(1 point)* – f. dont les habitants ont besoin *(1 point)* – h. dont certaines personnes ont peur *(1 point)*

2. *Exemple : Moi, je suis d'accord avec ce projet, la pollution est trop importante actuellement !*
1. Non, vraiment, ce n'est pas bien. Les employés ont raison de refuser.
2. Je ne partage pas du tout cet avis, on en a besoin, par exemple pour transporter des courses.
3. Ah, ils ont tout à fait raison ! La ville sera tellement plus calme et agréable !
4. Je suis en partie d'accord avec les employés mais… il faut être moderne et les étudiants, eh bien ils seront contents !
5. Je suis du même avis que la municipalité, nous avons peur des accidents, tous les jours !
6. Je suis d'accord avec cette idée. Beaucoup d'étudiants pourront avoir un petit job le soir !

a. Interdiction des voitures en ville : *exemple,* 2, 3 et 5.
Ouverture des bibliothèques jusqu'à minuit : 1, 4 et 6.
b. POUR : *exemple,* 3, 4, 5 et 6. CONTRE : 1 et 2.

3. 1. je partage l'avis du gouvernement 2. vous avez raison 3. je ne suis pas du même avis 4. je ne partage pas votre avis 5. je ne suis pas d'accord 6. Je suis d'accord

4. dont les habitants – où on présente – où on expose des artistes – dont on parle – où on fera – dont on a besoin

5. 1. […] et dont le succès du restaurant « L'Adresse » dépend.
2. […] qui travaille dans un café. C'est une personne dont Louis est proche et que ses petits-enfants adorent.
3. […] que Louis et Michel admirent et où ils ne sont jamais allés. C'est un pays dont Michel rêve depuis longtemps.

6. *Réponses libres*

7. *Exemple de production :*
Mon parc préféré, c'est le parc de la Tête d'Or. C'est le parc où je fais du jogging et où je lis parfois. L'équipement sportif dont j'ai besoin, c'est un terrain de basket pour jouer avec mes amis. J'aimerais plus de parcs dans la ville !

8. *Exemple de production :*

– Pour moi, c'est vraiment important d'entendre plus souvent les langues étrangères. Je pense qu'à la télé, on devrait aussi proposer des films en version originale sous-titrée. Tu es du même avis que moi ?
– *Oui, je suis d'accord avec toi !*
– Et pour les enfants, ça les aiderait à apprendre les langues, non ?
– *Je suis en partie d'accord avec toi, car c'est difficile pour les enfants.*
– Et si on interdisait les films doublés dans notre langue ?
– *Non, je ne partage pas du tout ton avis !*
– Pourquoi ?
– *On doit être libre de choisir.*

9. *Réponses libres*

LEÇON 4 Vivre ensemble

1. – Vous êtes sur Radio Canada. « Vie de Parents » vous parle aujourd'hui de la famille intergénérationnelle. Alors, qu'est-ce que c'est qu'une famille intergénérationnelle ? C'est une famille qui regroupe plusieurs générations, par exemple les grands-parents, les parents et les enfants. Écoutons Ana Kleinman, psychologue. Alors, à votre avis, toutes ces personnes peuvent-elles vivre ensemble ?
– Oui, c'est possible, bien sûr. Mais j'ai remarqué que dans certains pays, comme en France, c'est très rare. Il me semble que la vie moderne est moins adaptée à ce modèle.
– Pourquoi ? Il y a des différences de styles de vie trop importantes ?
– Pour moi, il y a deux difficultés principales. D'abord, je crois que vivre ensemble, ça demande toujours des efforts. Et puis je pense qu'à des âges différents, on n'a pas les mêmes envies ! Pourtant, je trouve que les membres d'une famille ont beaucoup d'expériences à partager. Chacun peut apporter une aide à l'autre. À mon avis, avec du respect et suffisamment de vie privée, tout est possible !

a. 1. Faux *(1 point)* 2. Faux *(1 point)* 3. Vrai *(1 point)* 4. Faux *(1 point)* 5. Vrai *(1 point)*
b. 1. À mon avis, il permet de se sentir moins seul. *(1 point)* 2. Je crois qu'il fixe les règles de vie en société. *(1 point)* 3. J'ai remarqué que le modèle de vie intergénérationnel offre une meilleure vie aux personnes âgées. *(1 point)* 4. Je pense qu'il peut apprendre beaucoup de choses aux enfants. *(1 point)* 5. Pour moi, il devrait être international ! *(1 point)*

2. à faire : *respecter les besoins des autres*, ranger ses affaires, partager les dépenses, faire un planning pour le ménage, dialoguer en cas de conflit, être amical.
À ne pas faire : faire preuve d'individualisme, être égoïste, être radin, écouter de la musique très fort, ne pas communiquer, ne pas payer les dépenses communes.

3. *Exemple : Je loge dans une grande maison depuis l'année dernière. J'ai ma chambre et les deux autres sont louées par une jeune femme vietnamienne et un Italien. C'est sympa d'être avec eux.*
1. Je loue un petit appartement. Pour moi, l'indépendance et le calme sont très importants.
2. Je trouve que c'est beaucoup plus sympa d'habiter à plusieurs. Je me suis fait de nouveaux amis et en plus, c'est moins cher.
3. J'ai 40 ans. Les colocs changent souvent. Ce sont toujours des étudiants. Nous sommes très différents. Il me semble que je suis trop vieux pour ce mode de logement maintenant. J'ai besoin de vie privée.
4. Un cauchemar !!! Le ménage pas fait, les affaires des autres partout dans le salon et du bruit toutes les nuits ! Je dis « stop ». Je cherche un nouveau logement… CALME !
5. C'est génial. Ici, on mange ensemble, on discute, on cuisine les uns pour les autres. Et on partage les dépenses ! À mon avis, c'est une expérience que tout le monde doit vivre une fois dans sa vie.
6. Je suis arrivée ici il y a 6 mois. Mais je crois que je vais changer bientôt. Pour moi, c'est vraiment une contrainte de me retrouver seule tous les soirs et de ne pouvoir parler à personne.

a. Vit seul(e) : 1 et 6. Vit en colocation : *exemple*, 2, 3, 4 et 5.
b. Témoignages positifs : *exemple*, 1, 2 et 5. Témoignages négatifs : 3, 4 et 6.

4. 1. Pour moi, elles sont correctes. 2. Quelle est votre opinion sur le restaurant d'entreprise ? 3. Je trouve que la nourriture est très bonne. 4. Pouvez-vous nous donner votre avis sur le bâtiment ? 5. Je pense que les équipements ne sont pas assez modernes. 6. À votre avis, que doit-on faire pour améliorer la vie des employés ? 7. Il me semble que vous ne proposez pas beaucoup d'activités conviviales pour les employés.

5. *Exemples de production :*
1. À ton avis, quelles sont les différences entre la vie dans une grande ville et la vie à la campagne ? 2. Quelle est ton opinion sur la vie dans un appartement ? C'est mieux ou moins bien que la vie dans une maison ? 3. Je peux avoir ton avis sur l'achat d'un logement ? C'est mieux que la location ? 4. Que penses-tu de vivre en famille ? Tu préfères vivre seul ?

6. 1. Quel est ton sentiment sur la colocation ? / oui, consonne [l]
2. Je crois que c'est la meilleure solution. / non
3. Moi, je partage une vraie amitié avec mes deux colocataires. / oui, consonne [ʒ]
4. Les colocataires étrangers sont aussi sympas que les Français. / oui, consonne [r]
5. Tu penses vraiment que c'est la solution idéale ? / non
6. Je pense à beaucoup d'avantages et peu d'inconvénients. / oui, consonne [s]

7. *Exemple de production :*
– On voudrait te connaître un peu plus et savoir pourquoi tu as choisi la colocation. Tu viens de quel pays ?
– Je viens de Chine.
– Pourquoi tu veux habiter en colocation ?
– Je veux rencontrer de nouvelles personnes et je veux progresser en français.
– À ton avis, comment est le colocataire idéal ?
– Pour moi, le colocataire idéal respecte les autres, il range ses affaires et il partage les dépenses.
– Tu penses qu'il y a des contraintes à la vie en colocation ?
– Oui, bien sûr. Je pense que c'est difficile de s'adapter aux autres.
– Pour toi, comment peut-on faire pour trouver une solution en cas de conflit ?
– À mon avis, il faut communiquer et ne pas se mettre en colère.

8. *Exemple de production :*
Salut ! À mon avis, tu dois parler à ton colocataire et lui expliquer que tu as choisi d'habiter avec lui mais pas avec elle. Et puis, je pense que tu dois aussi lui rappeler les règles de la colocation. La première règle est de partager les dépenses… Courage !

9. *Réponses libres*

LEÇON 5 France-Autriche

1. – Alors, Adèle, tu as trouvé un club de sport pour la rentrée ?
– Oui, j'ai hésité entre celui de mon quartier et celui qui propose des cours de gym avec une prof qui donne les cours en français… J'ai finalement choisi les cours en français ! C'est plus loin de chez moi, mais ça m'intéresse plus.
– Normal, la langue française c'est celle de ta famille. Je pense que tu as choisi le meilleur cours. Tu feras du sport et en plus, tu pratiqueras la langue française.
– Merci beaucoup pour tes conseils Sandra ! Et toi alors, tu continues les cours de danse ? Ceux du centre culturel ou tu changes de club ?
– Je n'ai pas encore décidé… J'ai envie de m'inscrire dans une école de samba…
– Quelle école ? Celle que je t'ai recommandée ?
– Oui, c'est ça ! Ils ont un programme vraiment intéressant et il y a même des cours pour enfants ! Maintenant, il faut que je prenne une décision !

a. 2. le club francophone *(1 point)* 3. Sandra est d'accord avec le choix d'Adèle. *(1 point)* 4. la samba *(1 point)* 5. Sandra n'a pas encore choisi. *(1 point)* 6. Adèle a recommandé une école de samba à Sandra. *(1 point)*
b. 1. celle *(1 point)* 2. ceux *(1 point)* 3. ceux *(1 point)* 4. celui *(1 point)* 5. celles *(1 point)*

2. vous vous rendez compte – Et en plus – Et ce n'est pas tout – Il y a même – vous ne le regretterez pas – à ne pas manquer

3. ceux qui vous intéressent – celui de chaque minute ou celui de chaque communication – celles qui précisent – celle qui est la plus efficace – celle qui vous semble la plus sérieuse

4. 1. qui 2. que 3. de 4. des 5. des 6. qui

5. *Exemples de production :*
Quel est ton cinéma préféré ? Celui qui est à côté de l'école.
Quels sont les parcs que tu préfères ? Ceux qui ont des équipements sportifs.

Quelles sont les boutiques de shopping que tu fréquentes le plus ?
Celles du centre commercial.
Quelle est ta salle de sport préférée ? Celle où je retrouve mes amis.

6. 1. Notre association est vraiment la meilleure ! / avec enthousiasme
2. Vous pouvez voir comment fonctionne l'association. / sans enthousiasme
3. Quelle chance que tu parles au nom de tous ! / avec enthousiasme
4. Tu viens de faire un beau discours. / sans enthousiasme
5. Je partage les valeurs de l'association. / sans enthousiasme
6. Votre aide a été vraiment précieuse ! / avec enthousiasme

7. *Exemple de production :*
Qui sommes-nous ?
Notre association a pour but de promouvoir le français dans les entreprises qui travaillent avec la France. Nous voulons aider les employés à comprendre la culture et la langue françaises. Nous finançons des stages en France à ceux et celles qui veulent développer leur travail en langue française. Nos valeurs sont la curiosité et la communication. Si vous voulez également faire un stage en France ou aider ceux et celles qui s'intéressent à la France, devenez membre de notre association !

8. *Exemple de production :*

– Bonjour, comment ça va aujourd'hui ?
– *Bien, merci !*
– J'aime beaucoup ton smartphone, c'est celui qui est sorti la semaine dernière ?
– *Non, c'est celui de l'année dernière !*
– Et tu préfères quelle application ? Celle qui donne la météo ou celle qui donne des informations ?
– *Je préfère celle qui donne des informations.*
– Sur les téléphones, il y a beaucoup de programmes pour le français. Tu utilises ceux qui traduisent les mots ou ceux qui conjuguent les verbes ?
– *J'utilise surtout ceux qui traduisent les verbes, c'est trop difficile !*
– Tu as raison ! Moi aussi !

LEÇON **6** On y va !

1. 1. Moi, c'est Iwan. J'ai décidé de quitter Marseille pour habiter à Paris il y a trois mois. Je viens de commencer un nouveau travail dans un hôpital. J'aime bien ce que je fais. Le mois prochain, je vais m'inscrire à un cours de sport et je vais faire la connaissance de nouvelles personnes. Je suis en train de m'habituer à cette ville. Je ne regrette pas le soleil et la mer du sud de la France ! Je pense que je vais me sentir chez moi ici.
2. Je m'appelle Chris et j'ai quitté mon village pour habiter à Paris. Je viens de m'inscrire à un cours de sport qui me plaît bien. Je suis en train de commencer un nouvel emploi dans la vente. Je vais rencontrer de nouvelles personnes avec ce travail, et ça me rend heureux. Je pense que je vais m'adapter facilement à la ville.

a. Iwan : commencer un nouveau travail : passé *(0,5 point)* – s'inscrire à un cours de sport : futur *(0,5 point)* – rencontrer de nouvelles personnes : futur *(0,5 point)* – s'adapter à la ville : présent *(0,5 point)*.
Chris : commencer un nouveau travail : présent *(0,5 point)* – s'inscrire à un cours de sport : passé *(0,5 point)* – rencontrer de nouvelles personnes : futur *(0,5 point)* – s'adapter à la ville : futur *(0,5 point)*.
b. 1. est en train de *(1 point)* – va *(1 point)* 2. vient de *(1 point)* – est en train de *(1 point)* 3. viennent de *(1 point)* – vont *(1 point)*

2. *Exemple :* J'étais dans le métro et j'ai compris que j'étais perdue. Quelle panique, je ne pouvais pas trouver mon chemin !
1. Quel étonnement ! Je n'imaginais pas ça !
2. Mais c'est incroyable ! Vraiment, je ne suis pas content !
3. C'est merveilleux, je suis tellement contente d'être ici !

4. C'est difficile pour moi, j'ai souvent envie de pleurer quand je pense à ma famille…
5. Ben… C'est tellement différent de ce que je pensais, je ne sais pas si je vais m'habituer.
6. Bah, pour moi, c'est la même chose, ce n'est pas important.

1. la surprise, l'étonnement 2. la colère 3. la joie, le bonheur 4. la tristesse 5. la déception 6. l'indifférence

3. 1. Les bénévoles viennent d'arriver. L'ambassadeur va les recevoir.
2. L'association Ensemble vient de terminer un projet. Elle va organiser une conférence. 3. Tu viens de faire un long voyage. Tu vas te reposer.
4. Vous venez de trouver un logement en colocation. Vos colocataires vont préparer une fête de bienvenue. 5. Je viens de recevoir la confirmation. Je vais partir étudier aux États-Unis. 6. Nous venons de quitter l'aéroport en taxi. Nous allons arriver dans 10 minutes.

4. 2 septembre : Je viens de trouver une colocation. Je suis heureux et je ne suis pas stressé.
3 septembre : Je suis en train de m'habituer à ma nouvelle vie. Demain, je vais rencontrer mes collègues et participer à une réunion.

5. sont en train de travailler – est en train de créer – es en train de chercher – es en train d'organiser – suis en train de réaliser – nous sommes en train de chercher

6. 1. Je viens de parler avec la responsable de l'association « Le sport pour tous ». 2. Je viens d'avoir la confirmation de mon stage. 3. Je suis en train d'écrire des SMS pour annoncer la bonne nouvelle. 4. Je suis en train de chercher un logement pour mon séjour. 5. Je vais animer des formations pour les bénévoles. 6. Je vais écrire la lettre d'information.

7. *Exemple de production :*

– Allô ? C'est Laura. Ça va ? Tu fais quoi ?
– *Oui, ça va. Je suis en train de prendre mon petit-déjeuner.*
– Quels sont tes projets pour aujourd'hui ?
– *Je vais peut-être aller au cinéma, mais il faut que je regarde le programme d'abord.*
– Je viens de lire dans le journal qu'il y a le forum des associations aujourd'hui et demain. Tu as envie de m'accompagner ?
– *Ah, pourquoi pas.*
– J'ai envie d'avoir une activité bénévole. Pour quelle association tu voudrais donner de ton temps, toi ?
– *Une association pour l'éducation. Par exemple pour aider les enfants qui ont des difficultés d'apprentissage.*
– Pourquoi ?
– *J'adore les enfants. Et puis, il y a un vrai besoin à mon avis. Je me sentirai utile si je fais ça.*
– Alors tu viens avec moi au forum ?
– *D'accord.*

8. *Exemple de production :*
Salut. Ne sois pas inquiet ! Ça va bien se passer. L'année dernière, j'ai fait un stage pendant 3 mois au Sénégal. Avant le départ, j'étais comme toi : j'étais super content mais j'avais peur. Je me suis habitué pendant la première semaine. Et au bout de quelques semaines, je me suis senti chez moi. Les gens étaient très accueillants. J'ai eu du mal à rentrer en France. Mais l'expérience était fantastique et je rêve de repartir. Bonne chance !

9. *Réponses libres*

BILAN **5**

1. – Alors, comment s'est passé ton examen du DELF ?
– Je pense que ça s'est bien passé. Mais, ce n'est pas fini ! Hier, j'ai passé les épreuves collectives. L'épreuve individuelle, c'est demain, à 15 h.
– C'est quoi la différence ?
– J'ai passé des épreuves écrites et demain, je passerai l'oral.
– C'était difficile ?

– Hmm… Pas tellement. Le surveillant nous a bien expliqué ce qu'on devait faire et ce qu'il était interdit de faire. Par exemple, il nous a dit qu'on devait écrire au stylo sur notre sujet d'examen et pas au crayon à papier. Il nous a aussi dit d'éteindre nos téléphones portables et qu'il était interdit de communiquer avec les autres !
– Et ça a duré combien de temps ?
– 1 h 40. On a commencé par 4 exercices de compréhension orale (il y avait un document sur le bénévolat très intéressant !) puis, 4 exercices de compréhension écrite et enfin 2 exercices de production écrite.
– Ouah ! Tu devais être fatiguée après, non ?
– Un peu, oui, mais je trouve que c'est une bonne expérience !

1. a. doit encore passer une épreuve DELF. 2. Image C. 3. Peu difficile. 4. À faire : écrire au stylo sur le sujet d'examen, éteindre son téléphone portable. À ne pas faire : écrire au crayon à papier sur le sujet d'examen, communiquer avec les autres. 5. Les épreuves collectives ont duré 1 h 40. D'abord il y a eu la compréhension orale, puis la compréhension écrite et enfin la production écrite. 6. C'est une bonne expérience.

2. 1. A-2 ; B-3 ; C-1. 2. Quand elle avait 30 ans (ou : il y a 30 ans). 3. Écoutante à SOS Amitié. 4. De la satisfaction. 5. c. Il était en train de chercher un emploi. 6. C'était deux expériences magnifiques.

3. *Exemple de production :*
Bonjour Manuela,
J'espère que tu vas bien. Je t'écris car j'ai lu un article très intéressant sur le bénévolat. 3 personnes ont raconté leur expérience dans le domaine du bénévolat. Une personne rend visite aux malades à l'hôpital ou accueille dans sa ville des personnes d'autres pays. Elle aime aider les autres, rendre service. Une autre personne est éducateur spécialisé et travaille à la Croix-Rouge. La troisième personne a beaucoup voyagé et travaille avec des enfants. Avec cet article, j'ai découvert plusieurs types d'association. J'aimerais en trouver une et je te propose d'en chercher une avec moi.

4. *Exemple de production :*
– Salut Manuela,
– Salut !
– Alors, tu as réfléchi à ma proposition ?
– Oui, j'aimerais venir en aide aux personnes âgées, et toi ?
– Moi, j'aime m'occuper des enfants, je pourrais les aider à faire leurs devoirs par exemple.
– J'ai trouvé une association qui s'occupe de ces deux types de public. Elle s'appelle…

DOSSIER **6** Nous mettons en scène notre quotidien

LEÇON **1** En cuisine !

1. – Bonjour à tous ! Bienvenue au cours de cuisine d'aujourd'hui. On va commencer par l'entrée : nous allons faire une salade niçoise.
– Quels sont les ingrédients?
– Il y a de la salade et des légumes. Regardez, ils sont sur la table. Ensuite, il faut des œufs, et deux sortes de poisson déjà cuits.
– Par quoi on commence ?
– Il faut laver la salade et les légumes. Après, on les découpe en très petits morceaux. Mais pas la salade, hein !!!
– Chef, je les coupe comme ça, c'est bien ?
– Oui oui, parfait. Maintenant, vous mélangez la salade et les morceaux de légumes dans un saladier. Ensuite, faites cuire les œufs.
– Combien de temps ?
– Faites bouillir l'eau et ajoutez les œufs. Attention, c'est chaud ! Vous laissez les œufs cuire 10 minutes, puis vous les plongez dans l'eau froide. Après vous les coupez en quatre morceaux. Placez le mélange de salade et de légumes dans une assiette. Ajoutez les morceaux d'œufs et le poisson. Salez et poivrez. C'est prêt.

a. 1. des légumes *(0,5 point)*, du poisson *(0,5 point)*, de la salade *(0,5 point)*, des œufs *(0,5 point)* 2. les poissons *(1 point)* 3. la salade *(0,5 point)* et les légumes *(0,5 point)* 4. les légumes *(0,5 point)* et les œufs *(0,5 point)*
b. nous plongeons *(1 point)* ; nous découpons *(1 point)* ; nous les mélangeons *(1 point)* ; nous les plaçons *(1 point)* ; nous ajoutons *(1 point)*

2. a. A : une casserole. B : une poêle. C : un balai. D : un couteau. E : une éponge. F : un torchon. G : un saladier. H : des ciseaux. I : un four.
b. **Les objets pour cuisiner :** *des ciseaux,* un couteau, un saladier.
Les objets pour faire cuire : une poêle, une casserole, un four.
Les objets pour nettoyer : une éponge, un torchon, un balai.

3. BALAYER : il balaie/il balaye, nous balayons, elles balaient/elles balayent – PLONGER : tu plonges, vous plongez, ils plongent – COMMENCER : je commence, elle commence, nous commençons – RINCER : il rince, vous rincez, elles rincent – ESSUYER : tu essuies, nous essuyons, ils essuient – MANGER : tu manges, elle mange, vous mangez.

4. 1. nous mangeons 2. nous commençons 3. nous rinçons 4. nous plongeons 5. j'essuie 6. je balaie (ou balaye)

5. vouvoyent → vouvoient ; tutoyent → tutoient ; rangons → rangeons ; essaions → essayons ; interrogons → interrogeons ; annonçons → annonçons ; corrigons → corrigeons

6. 1. Dans ma cuisine, on trouve des ustensiles de cuisine très utiles. / On entend le son [ɥ] 2 fois.
2. C'est une jeune Suisse instruite qui traduit des ouvrages de cuisine. / On entend le son [ɥ] 4 fois.
3. Toutes les nuits, je fuis le bruit de mes voisins en écoutant Mozart. / On entend le son [ɥ] 3 fois.
4. La spécialité culinaire de ce fameux restaurant, ce sont les cuisses de grenouilles. / On entend le son [ɥ] 1 fois.

7. *Exemple de production :*
Bonjour Julien,
Vous pouvez préparer un tajine simple. Les ingrédients sont : de l'agneau (ou du poulet), des oignons, des épices, de l'huile, des figues, des courgettes et des aubergines. Vous rincez les légumes et les figues et vous les découpez. Vous coupez aussi l'oignon finement. Vous faites revenir la viande, les légumes et les figues dans l'huile. Vous ajoutez les épices. Bon appétit !

8. *Exemple de production :*

– Bonjour, tu vas bien ?
– *Bonjour, ça va bien, merci.*
– Mes voisins cherchent une jeune fille au pair française pour garder leur fils cet été. Ils m'ont demandé d'écrire une annonce en français, tu peux m'aider ?
– *Oui, bien sûr !*
– Alors, pour les activités avec l'enfant, je n'ai pas besoin d'aide. Mais la candidate doit aussi acheter la nourriture et tout préparer le soir. Comment je peux écrire ça en français ?
– *Tu peux écrire : « Vous faites les courses et vous préparez le dîner. »*
– Et pour le ménage dans la cuisine, qu'est-ce que je dois écrire précisément ?
– *Tu peux écrire : « Vous nettoyez la cuisine, vous faites la vaisselle. Vous balayez le sol et vous le lavez. »*
– Super, merci beaucoup !

LEÇON **2** Au travail !

1. a. 1. Épluchez 2. Rincez ; coupez 3. Faites bouillir 4. Remuez 5. Ajoutez 6. Salez et poivrez 7. Faites cuire. *(1 point par verbe)*
b. 1. à *(0,5 point)* 2. de *(0,5 point)* ; de *(0,5 point)* 3. d' *(0,5 point)* 4. à *(0,5 point)* 5. de *(0,5 point)*

2. 1. une pincée de sel 2. 250 grammes de bœuf 3. une cuillère à soupe d'huile 4. 2 kilos de pommes 5. un litre de lait 6. un morceau de viande

3. a. 1. spatule en bois 2. œuf 3. ratatouille 4. barbecue
b. 1. ingrédients : œuf 2. mode de cuisson : barbecue 3. matériel : spatule en bois 4. plat : ratatouille

4. 1. 3-1-2 ; 2. 3-1-2 ; 3. 2-3-1 ; 4. 3-2-1

5. 1. à 2. de 3. à 4. à 5. à 6. à 7. de 8. d'

6. 1. Créez des recettes originales. → Essayez de créer des recettes originales.
2. Utilisez différents modes de cuisson. → Pensez à utiliser différents modes de cuisson.
3. Ne faites pas cuire la viande trop longtemps. → Faites attention à ne pas faire cuire la viande trop longtemps.
4. Soyez organisé et créatif en cuisine ! → Cherchez à être organisé et créatif en cuisine.
5. Ne changez pas les recettes. → Évitez de changer les recettes.
6. Ne salez pas trop. → Évitez de trop saler.

7. *Exemple de production :*
Plat : Salade italienne. Nombre de personnes : 4
Ingrédients : 3 tomates, 300 g de mozzarella, basilic, huile d'olive, sel, poivre. Instructions : Coupez la mozzarella en fines tranches. Coupez les tomates. Mettez les tomates dans une grande assiette ; ajoutez les tranches de mozzarella. Ajoutez de l'huile d'olive. Salez, poivrez. Décorez avec du basilic.

8. *Exemple de production :*

– J'ai vu la recette que tu as publiée sur le site de Marmiton. C'est une entrée ?
– *Oui, c'est une entrée.*
– Combien de temps faut-il pour la préparer ?
– *Il n'y a pas de cuisson. Je pense qu'il faut 10 minutes pour réaliser cette recette.*
– Qu'est-ce qui prend le plus de temps ?
– *Le plus long, c'est de couper les légumes.*
– Quels conseils tu peux me donner pour bien la réussir ?
– *Pense à utiliser de la mozzarella fraîche et essaye de préparer ce plat au dernier moment.*

9. *Réponses libres*

LEÇON **3** Vie pratique

1. – Bonjour tout le monde. On va commencer notre atelier de réparation de vélos. Quelqu'un vient ici pour la première fois aujourd'hui ?
– Oui, moi ! Je m'appelle Anna. J'ai lu quelque part que vous savez tout réparer ! Mon vélo est vieux, je ne trouve nulle part les pièces de rechange. Et personne ne peut m'aider !
– Vous êtes au bon endroit ! On trouve dans la rue des vieux vélos et Malik, le spécialiste de notre association, n'a aucun problème pour les réparer !
– Donc vous ne jetez rien, c'est super pour l'environnement… et pour nos vélos !
– Alors, bienvenue Anna ! J'espère qu'on pourra faire quelque chose pour vous aider…
– Et si on commençait aujourd'hui par réparer le vélo d'Anna ?

a. Affirmations vraies : 4, 6 *(1 point par réponse)*. Affirmations fausses : 1, 2, 3, 5, 7 *(1 point par réponse)*
b. Anna a lu quelque part qu'il existait un atelier de réparation d'objets cassés. *(1 point)* – Anna ne connaît personne capable de l'aider. *(1 point)* – Malik pense qu'il pourra faire quelque chose pour Anna. *(1 point)*

2. **Les appareils électroménagers** : un aspirateur, un lave-vaisselle, un lave-linge
Les équipements électroniques : une tablette, un ordinateur, un téléphone
Autres : une table, une chaise, un jean, un meuble, un jouet, un vélo, un vêtement, la vaisselle

3. 1. Non, je n'ai trouvé le réparateur informatique nulle part. 2. Non, je ne connais personne au Repair Café. 3. Non, il n'a aucun objet à réparer. 4. Non, elles ne trouvent des associations écologistes nulle part. 5. Non, je n'ai rien réparé/nous n'avons rien réparé. 6. Non, ils n'ont aucune solution pour les vélos.

4. *Exemples :*
Tu as rencontré quelqu'un le week-end dernier ?
Tu es allé(e) quelque part ?

5. 1. Et s'ils faisaient attention ?
2. Et si nous demandions des conseils ?
3. Et si tu cherchais en ligne ?
4. Et si vous preniez ces vieux vêtements ?
5. Et si tu écoutais cette émission ?
6. Et si elle était plus écologiste ?

6. 1. Et si on essayait tous de donner un peu de notre temps ? / phrase interrogative
2. Ah, si seulement c'était gratuit ! / phrase exclamative
3. Si on pouvait faire quelque chose, on le ferait ! / phrase exclamative
4. Et si on faisait quelque chose pour la planète ? / phrase interrogative
5. Et si tu prenais tout ton temps pour te décider ? / phrase interrogative
6. Si tu avais plus de temps, tu viendrais avec nous ! / phrase exclamative

7. *Exemple de production :*
J'ai remarqué quelque chose. Dans les salles de classe, on jette beaucoup de papiers. Et il n'y a pas de recyclage. On devrait arrêter de gaspiller le papier. Et si on trouvait une autre utilisation au papier ? On pourrait faire les exercices sur les côtés qui ne sont pas utilisés. Ou on pourrait chercher un lieu en ville pour le recyclage !

8. *Exemple de production :*

– Bonjour, je fais une enquête sur les habitudes écologistes dans votre ville. Vous avez quelques minutes à m'accorder ?
– *Oui, bien sûr.*
– Est-ce que vous avez des poubelles partout dans votre ville ?
– *Oui, nous avons des poubelles partout.*
– Vous connaissez quelqu'un qui est membre d'une association écologiste ?
– *Non, je ne connais personne.*
– Vous avez fait quelque chose pour l'environnement récemment ?
– *Non, je n'ai rien fait.*
– Vous avez une proposition pour qu'on ne gaspille rien dans votre ville ?
– *Et si on proposait des lieux d'échange de vêtements dans les quartiers ?*
– Merci beaucoup !

9. *Réponses libres*

LEÇON **4** Un beau succès !

1. a. 1. un chef d'entreprise *(1 point)* 2. mode hommes et femmes *(1 point)* 3. en France *(1 point)* 4. en France et à l'étranger *(1 point)* 5. se développer dans le monde *(1 point)*
b. connaît une énorme réussite – marche très bien – le produit a conquis les habitants – « Le Slip Français » trouve rapidement ses clients *(3 réponses parmi les 4 possibilités ; 1 point par réponse)*
c. 1. Les produits que j'ai achetés *(1 point)* 2. l'entreprise que j'ai créée *(1 point)*

2. 1. C'est une des plus belles réussites industrielles dans le domaine de la cuisson des plats.
2. Notre meilleur ami en cuisine : il permet de couper, mélanger, remuer, mixer… sans se fatiguer. C'est un produit qui marche vraiment très bien en France comme à l'étranger.

3. Direction Grasse où vous pourrez visiter les usines où il est fabriqué. Essayez d'identifier les odeurs. Un vrai succès depuis longtemps.
4. Très utile pour dessiner ou pour écrire, ce petit objet en bois est bien connu des élèves.
5. Cet objet trouve sa place dans les salles de bains. On l'utilise plusieurs fois par jour.
6. Ce célèbre objet qui sert à couper cartonne en France et à l'étranger. Il se range facilement dans une poche et se transporte partout.

1. une cocotte-minute 2. un robot ménager 3. un parfum 4. un crayon à papier 5. une brosse à dents 6. un couteau

3. 1. marque 2. connaît 3. cartonne 4. a conquis 5. à l'export 6. représente

4. 1. Ce sont les casseroles que nous avons commandées. → Nous les avons commandées. 2. Ce sont les objets que les Coréens ont adorés. → Les Coréens les ont adorés. 3. C'est la société qu'ils ont créée. → Ils l'ont créée. 4. C'est le robot ménager que les clients étrangers ont adoré. → Les clients étrangers l'ont adoré. 5. C'est l'idée que les entreprises américaines ont adoptée. → Les entreprises américaines l'ont adoptée. 6. Ce sont les produits qu'il a choisis. → Il les a choisis.

5. 1. filmée 2. vécu 3. consommés 4. utilisé 5. fait 6. accrochés 7. achetés 8. trouvées 9. arrêté 10. achetée 11. coûté

6. *Exemple de production :*
Les tongs Havaianas représentent bien le Brésil. J'en possède 3 paires. Je les ai commandées sur Internet. Je les ai choisies dans des couleurs différentes. Je les ai payées 15 € la paire parce qu'elles sont originales. Elles sont parfaites pour l'été. Elles ne sont pas très chères, de bonne qualité et très confortables.

7. *Exemple de production :*

– Vous êtes sur Radio Canada. Bienvenue dans notre émission « Histoire d'objets ». Nos auditeurs témoignent aujourd'hui. Pouvez-vous me parler d'un objet qui marche très bien dans votre pays ?
– *Bonjour. Les tongs Havaianas connaissent un énorme succès. C'est l'objet que tous les Brésiliens possèdent.*
– Pourquoi connaît-il ce succès à votre avis ?
– *Elles sont confortables, pas trop chères et de bonne qualité.*
– Où est fabriqué cet objet ?
– *C'est un produit 100 % brésilien.*
– C'est une réussite dans d'autres pays ?
– *Oui, bien sûr. Les clients du monde entier les ont adoptées !*
– Et vous, l'avez-vous acheté ?
– *Oui, je les ai achetées et je les mets en été.*

LEÇON **5** Je prends soin de moi

1. a. 1. a *(1 point)* 2. b *(1 point)* 3. c *(1 point)*
b. 1. N'utilise pas le sien ! *(1 point)* 2. Prends les siennes *(1 point)*. Et ne prends pas les miennes ! *(1 point)* 3. Essaie les nôtres. *(1 point)* Ils sont mieux que les vôtres. *(1 point)* 4. Partage le tien ! *(1 point)* Laisse le mien ! *(1 point)*

2. *Exemple : Sous la douche, je la préfère. Pour se laver c'est plus agréable qu'un gel douche !*
1. Moi, je suis classique. Le mien est à la lavande, je l'utilise pour la douche et pour me laver les mains aussi !
2. J'achète toujours ce produit pour mes cheveux.
3. Je ne peux pas sortir sans en mettre, c'est une odeur importante pour moi.
4. Monsieur, même les hommes peuvent l'utiliser, elle protègera votre visage !
5. Le mien est liquide, c'est beaucoup plus pratique sous la douche.
6. En hiver, il fait froid et j'en ai besoin pour protéger mes mains.

1. un savon 2. un shampoing 3. une eau de toilette/un parfum 4. une crème 5. un gel douche 6. une crème pour les mains

3. 2c – 3g – 4d – 5f – 6a – 7e – 8i – 9b

4. 1. les leurs 2. le sien 3. les nôtres 4. La sienne 5. la vôtre 6. la mienne

5. *Réponses libres*

6. a. 1. charmant – 2. jolie – 3. enchanté – 4. argent – 5. gel douche – 6. séchage
b. 1. gommage – 2. vintage – 3. Chanel – 4. massage – 5. j'imagine – 6. nous achetons

7. *Exemple de production :*
Pour les vacances avec ma famille, ce n'est pas toujours facile. Pour la destination préférée : mon mari et moi avons la nôtre, c'est la montagne ! Mais notre fils a la sienne. C'est la plage. Pour le moyen de transport, le nôtre c'est la voiture. Et pour les activités, je préfère la culture ; mon mari et mon fils ont les leurs : des activités sportives !

8. *Exemple de production :*

– Dis, j'ai des questions sur le programme de français. J'ai des amis qui suivent le cours de B1. Qu'est-ce qui est le plus facile : le nôtre ou le leur ?
– *Le nôtre est plus facile. C'est A2. Le leur est plus difficile !*
– Et les livres, alors ? Ils sont différents ?
– *Oui, le nôtre c'est le livre 2 et le leur, c'est le livre 3.*
– Et notre prof, tu crois qu'il parle plus lentement que le leur ?
– *Oui, le nôtre parle plus doucement.*
– J'ai une autre question : je veux acheter un dictionnaire. Le tien est bien ? ou tu utilises une application sur ton téléphone ?
– *Le mien est bien mais j'utilise aussi une application.*
– OK. Merci beaucoup pour ton aide !

9. *Réponses libres*

LEÇON **6** La culture du vintage

1. – Allez Dominique, imagine comment cet objet pourrait se présenter s'il pouvait parler. Vas-y, je t'écoute.
– D'accord ! Je suis né en 1966 et le succès est arrivé très vite après ma naissance car la même année, mon auteur a reçu le prix Goncourt ! Incroyable, n'est-ce pas ? L'année suivante, c'est la famille Martin qui m'a sorti de la librairie pour m'installer dans sa bibliothèque familiale et m'y oublier pendant un long moment. Les Martin adoraient collectionner les prix littéraires mais n'aimaient pas trop la lecture. Dommage pour moi. C'est seulement à l'âge de 8 ans qu'on m'a ouvert pour la première fois ! Et oui, j'étais au programme du baccalauréat du fils Martin cette année-là… Puis, j'ai retrouvé ma place, dans la bibliothèque. 40 ans ont passé puis les parents Martin sont morts. En 2016, le fils Martin a vendu l'appartement de ses parents et il m'a donné à la boutique « Si les objets pouvaient parler ». Depuis, j'attends un nouveau propriétaire. Cette fois-ci, j'espère que j'aurai la chance d'habiter chez quelqu'un qui aime lire…
– Bravo ! Toi aussi, tu as de l'imagination…

a. un livre *(1,5 point)*
b. **Avant :** 3. Prix Goncourt *(0,5 point)*, 5. installation chez la famille Martin *(0,5 point)*
Après : 2. mort des parents Martin *(0,5 point)*, 4. vente de l'appartement *(0,5 point)*, 6. installation à la boutique « *Si les objets pouvaient parler* » *(0,5 point)*
c. 1966 : Prix Goncourt *(1 point)* ; 1967 : installation chez la famille Martin *(1 point)* ; 1974 : première utilisation *(1 point)* ; 2014 : mort des parents Martin *(1 point)* ; 2016 : vente de l'appartement des Martin *(1 point)* ; 2016 : déménagement à la boutique *(1 point)*

2. 1. un quartier 2. un commerce 3. la vaisselle 4. un artisan 5. une vitrine 6. un objet neuf

3. 1. avant de devenir une librairie. 2. après avoir été un magasin de lampes. 3. après avoir travaillé comme professeur. 4. après avoir passé

15 ans dans un garage. 5. avant d'arriver chez nous. 6. avant d'ouvrir sa boutique d'objets vintage.

4. 1. J'ai cherché l'objet sur Internet, puis je suis allé au marché aux puces.
2. C'était une petite boutique, puis c'est devenu un grand magasin.
3. Ce fauteuil était dans notre magasin, puis il est allé dans un grand hôtel.
4. J'ai travaillé comme banquière, puis je suis devenue brocanteuse.
5. On répare les objets, puis on les revend.
6. La boutique était loin du centre, puis elle a déménagé dans le centre.

1. Avant d'aller au marché aux puces, j'ai cherché l'objet sur Internet./ Après avoir cherché l'objet sur Internet, je suis allé au marché aux puces.
2. Avant de devenir un grand magasin, c'était une petite boutique./ Après avoir été une petite boutique, c'est devenu un grand magasin.
3. Avant d'aller dans un grand hôtel, ce fauteuil était dans notre magasin./ Après avoir été dans notre magasin, ce fauteuil est allé dans un grand hôtel.
4. Avant de devenir brocanteuse, j'ai travaillé comme banquière./Après avoir travaillé comme banquière, je suis devenue brocanteuse.
5. Avant de revendre les objets, on les répare./Après avoir réparé les objets, on les revend.
6. Avant de déménager dans le centre, la boutique était loin du centre./ Après avoir été loin du centre, la boutique a déménagé dans le centre.

5. 1. Faux 2. Faux 3. Vrai 4. Faux 5. Faux 6. Vrai

6. 1. en 1981 2. pendant 3. Quelques années 4. puis 5. à l'âge de 6. la même année 7. Depuis

7. *Exemple de production :*
Je suis né en 2012. Trois mois après ma naissance, un vieux monsieur m'a adopté. Quatre ans ont passé. Puis le vieux monsieur est mort. Je suis arrivé ici l'année dernière et depuis, j'attends un nouveau propriétaire.

8. *Exemple de production :*

– Allô, bonjour. Je vous téléphone au sujet de votre annonce sur Leboncoin. Je suis intéressé par votre table. Elle est encore à vendre ?
– *Oui, bien sûr.*
– Quand a-t-elle été fabriquée ?
– *Elle a été réalisée dans les années 20.*
– Où l'avez-vous achetée ?
– *Je ne l'ai pas achetée. Elle appartenait à mon grand-père.*
– Vous l'avez depuis quand ?
– *Depuis 2012.*
– Pourquoi voulez-vous la vendre ?
– *Je vais partir au Japon pour un an et je vends tous mes meubles.*
– Vous pouvez baisser le prix ?
– *Oui, je vous propose 400 €.*

BILAN 6

1. 1. A, B, D. 2. Ils ont 10 ans d'expérience minimum. 3. c. tous les jours de la semaine. 4. c. 4 heures. 5. a. Consulter le site www.atelier-des-sens. com ; b. Téléphoner au 01 40 21 29 73.

2. *Exemple de production :*
– Bonjour Silvia !
– Bonjour !
– Tu connais l'Atelier des sens ?
– Non, qu'est-ce que c'est ?
– Ce sont des cours de cuisine, mais tu peux aussi apprendre la pâtisserie. Tu ne veux pas y aller avec moi pour essayer ?
– Pourquoi pas ! C'est quand ?
– Il y a des cours la journée ou le soir et même le week-end ! Chaque cours dure entre 1 heure et 4 heures.
– Et c'est cher ?
– 36 euros minimum le cours.
…

3. Salut, c'est Silvia, je suis désolée, je ne pourrai pas venir à l'atelier cuisine, demain. J'ai oublié, je dois acheter un cadeau pour l'anniversaire de Frédérique. J'aimerais lui offrir un objet ancien. Je vais donc aller à la brocante demain après-midi. Le mois dernier, j'avais repéré un vieux réveil des années 60, je sais que ça lui fera plaisir, mais je ne suis pas sûre de le retrouver demain. Et si tu venais avec moi à la brocante ? On pourrait aller à l'atelier cuisine la semaine prochaine ? Qu'en penses-tu ? Au fait, c'est samedi que tu organises ta soirée dégustation de plats de ta région ?
Rappelle-moi, bises.

1. Elle ne peut pas venir à l'atelier cuisine demain. 2. À la brocante. 3. Image B. 4. a. Venir à la brocante avec elle ; b. Aller à l'atelier cuisine la semaine prochaine. 5. Une soirée dégustation des plats de sa région. 6. La rappeler.

4. *Exemple de production :*
Bonjour Paul,
Je suis contente de voir que tu as aimé la soirée ! Merci pour les compliments.
Alors, pour faire un tajine de poulet, tu mets d'abord les cuisses de poulet dans un peu d'huile d'olive. Attends un peu : les cuisses doivent être dorées. Après, tu ajoutes les oignons, puis les carottes, les épices et enfin tu verses un peu d'eau pour faire le jus. Laisse mijoter pendant 20 minutes. Puis ajoute les pommes de terre et les petits pois. Laisse cuire encore 15 minutes et ajoute au dernier moment des olives.
Bon appétit !
Wafa

DOSSIER 7 Nous nous souvenons… et nous agissons !

LEÇON 1 Ils écrivent en français

1. François Cheng est né en Chine en 1929. Ses parents étaient professeurs d'université. En Chine, François étudiait la littérature. En 1948, son père a obtenu un poste à Paris et toute la famille est venue en France. François parlait bien français et un an après son arrivée en France, il a décidé de s'y installer définitivement.
C'était un homme passionné par la linguistique, l'étude du langage. Il traduisait des textes puis un jour, il a changé de langue d'écriture et a choisi d'écrire en français. Pourquoi ? Parce que plus jeune, il avait lu de grands écrivains français. Ces lectures lui avaient donné envie d'utiliser la langue française. Quand il a trouvé que son français était devenu suffisamment bon, il a pris sa décision. C'était une très bonne idée, puisqu'il est entré à l'Académie française en 2002.

a. 1. avant de vivre en France *(1 point)* 2. pour traduire des livres – avant d'écrire en français *(2 points)* 3. parce qu'il parlait bien français *(1 point)*
b. parlait *(1 point)* – avait étudié *(1 point)* – a fait *(1 point)* – aimait *(1 point)* – avait lu *(1 point)* – a choisi *(1 point)*

2. 1f – 2c – 3d – 4b – 5a – 6e

3. *Exemple : Je faisais les études que mes parents avaient choisies pour moi. J'ai rencontré mon auteur préféré pendant ma troisième année.*
1. Elle avait décidé de devenir écrivaine, mais sa mère n'était pas d'accord. Alors elle a choisi de quitter sa famille.
2. Nous avons contacté l'université mais ce n'était pas l'adresse que vous nous aviez indiquée !
3. Tu avais déjà lu ce livre quand tu as vu le film ? Moi je ne le connaissais pas !
4. Ils s'étaient rencontrés en voyage. C'était pendant l'été. Puis ils se sont revus à Paris.

5. Vous appreniez le français mais vous n'aviez jamais rencontré de personnes françaises ? Quand avez-vous trouvé ce club de conversation ?
6. Il était tard quand il a fini le livre qu'il avait commencé deux jours plus tôt.

1. passé composé : 3 – imparfait : 2 – plus-que-parfait : 1.
2. passé composé : 1 – imparfait : 2 – plus-que-parfait : 3.
3. passé composé : 2 – imparfait : 3 – plus-que-parfait : 1.
4. passé composé : 3 – imparfait : 2 – plus-que-parfait : 1.
5. passé composé : 3 – imparfait : 1 – plus-que-parfait : 2.
6. passé composé : 2 – imparfait : 1 – plus-que-parfait : 3.

4. il a découvert – ses parents et lui ont reçu – il n'a jamais oublié – qui l'avaient aidé – nous sommes allés – nous lui avons demandé

5. 1. Ils avaient testé – ils ont acheté – qui expliquait 2. mes parents et moi sommes revenus – nous n'étions pas – nous avions profité 3. Elle a appris – elle avait réussi – qui était 4. Tu te promenais – tu as retrouvé – tu avais perdu 5. j'avais lu – mon voyage ne s'est pas passé – C'était 6. vous avez commencé – vous n'aviez pas peur – vous n'aviez rien écrit

6. 1. Ils se sentaient nerveux, car ils avaient envoyé leurs dossiers d'inscription un mois plus tôt. Finalement, ils ont obtenu une réponse positive.
2. Tu avais froid alors tu as acheté un vêtement chaud et tu as bu un thé.
3. J'habitais en Autriche car j'avais décidé d'améliorer mon allemand. Ensuite, je suis allé(e) en Hongrie pour faire du tourisme.
4. Il attendait son ami devant le cinéma quand il a rencontré un acteur célèbre.
5. Vous aviez faim, parce que vous n'aviez pas pris de petit déjeuner avant de partir. Alors vous êtes allé(e)(s) dans une boulangerie et vous avez acheté un croissant.
6. Nous ressentions de l'angoisse, car nous n'avions pas de nouvelles de nos amis. Trois jours plus tard, nous avons reçu un texto.

7. *Exemple de production :*
Bonjour,
Un jour, j'étais très nerveux parce que j'avais déménagé dans une nouvelle ville. J'avais décidé de prendre le métro mais je ne connaissais pas bien le fonctionnement ! J'avais peur d'arriver en retard au travail… Alors j'ai demandé à un jeune homme de m'aider. Il m'a accompagné. Je suis arrivé à l'heure, j'ai compris comment faire. Et surtout j'ai rencontré mon meilleur ami !

8. *Exemple de production :*

– Alors ce stage de vente, ça te plaît ?
– *Oui, ça me plaît.*
– J'ai commencé il y a 3 jours. Et toi, tu as commencé quand ?
– *J'ai commencé il y a deux semaines.*
– Pourquoi tu as choisi de faire ton stage dans cette entreprise ?
– *Pour mes études, je devais faire un stage de vente. C'était la seule entreprise où je pouvais utiliser le français.*
– Tu étais stressé le premier jour ?
– *Oui, très stressé !*
– Pourquoi ?
– *Parce que je n'avais jamais travaillé avant dans une entreprise où on parle français.*

9. *Réponses libres*

LEÇON **2** Bilingues !

1. Je m'appelle Thorsten, je suis allemand. J'ai fait des études en hôtellerie. Je suis passionné de football. Un jour, un ami me dit que je devrais regarder les offres d'emploi sur le site de la FIFA, la Fédération internationale de football. Quand j'ai lu les annonces, j'ai compris que je devais parler français pour faire le job de mes rêves : être responsable des hébergements à la FIFA. Pour ce travail, j'avais

le bon profil. J'ai un diplôme en hôtellerie, je parle allemand, anglais et espagnol, 3 des 4 langues officielles à la FIFA. Le seul problème était que je ne parlais pas français. Pour ce poste, il est nécessaire de maîtriser les 4 langues officielles ! Je me suis donc inscrit à un cours intensif de français. Il m'a fallu quelques mois pour parler couramment. Finalement j'ai eu un niveau suffisant pour répondre à cette offre d'emploi. Je travaille aujourd'hui à la FIFA à Zürich, en Suisse. Je suis chargé de l'hébergement pour les grands événements sportifs que la fédération organise.

a. 1. responsable des hébergements *(1 point)* 2. football *(1 point)* 3. hôtellerie *(1 point)* 4. l'allemand, l'espagnol, le français et l'anglais/ les 4 langues officielles de la FIFA *(1 point)*
b. 1. Le jour où *(1 point)* 2. à l'époque *(1 point)* 3. À partir du moment où *(1 point)* 4. Au début *(1 point)* 5. jusqu'au moment où *(1 point)* 6. désormais *(1 point)*

2. 1b – 2c – 3 e/f – 4 e/f – 5a – 6d

3. 1. À l'époque 2. Au début 3. jusqu'au moment où 4. À partir du jour où 5. pendant 6. désormais

4. 1. À cette époque 2. Désormais 3. Pendant 4 ans 4. Jusqu'à présent 5. Le jour où 6. Je suis devenue interprète à l'ONU en 5 ans.

5. **Le jour où** il a eu 18 ans, il a décidé d'étudier les relations internationales. **Au début**, il a pensé travailler à l'ONU. **À partir du moment où** il a fait un stage au conseil de l'Europe, il a décidé de rester en Europe. **Désormais**, il travaille comme assistant spécialisé en relations internationales à Strasbourg.

6. 1. C'est plutôt utile. Son [o]
2. Il y a trop d'écoles. Sons [o] et [ɔ]
3. On est tous très motivés. Sons [u] et [o]
4. J'aime les personnes comme toi. Sons [ɔ] et [ɔ]
5. Il y a beaucoup de journalistes ici. Sons [o] et [u]
6. C'est la journée des francophones. Sons [u] et [ɔ]
7. J'ai offert des fleurs à mon professeur. Son [ɔ]
8. Mon entretien d'embauche s'est bien passé. Son [o]

7. *Exemple de production :*
Le plus beau jour de ma vie, c'est le jour où ma fille est née. C'était le 12 février 2012. À partir du moment où je suis devenue mère, ma vie a complètement changé. À l'époque, nous habitions à Lyon. Elle est donc née à Lyon, une nuit d'hiver. Au début, c'était difficile parce qu'il fallait se lever plusieurs fois par nuit. J'étais très fatiguée. Désormais, je suis une maman heureuse. Jusqu'à présent, ce n'est que du bonheur !

8. *Exemple de production :*

– Salut, toi aussi tu étudies le français ici ?
– *Oui !*
– Quand as-tu pris la décision d'apprendre le français ?
– *J'ai pris cette décision au moment où j'ai vu une émission sur la francophonie.*
– Pourquoi as-tu choisi cette langue ?
– *Parce que c'est une langue importante pour les relations diplomatiques. J'aimerais travailler dans la politique.*
– Tu avais déjà étudié le français avant ?
– *Oui, au début j'ai étudié dans mon lycée mais seulement 2 heures par semaine. Puis, je me suis inscrit ici en cours intensif.*
– Et aujourd'hui, tu penses que tu as un bon niveau en français ? Tu as bien progressé ?
– *À partir du moment où j'ai été dans cette école, j'ai fait des progrès rapides. Désormais, je peux avoir une conversation avec un francophone sans trop de problèmes.*

9. *Réponses libres*

LEÇON **3** Mémoires

1. a. La Seconde Guerre mondiale : 3 *(1 point)* – La vie professionnelle : 4 *(1 point)* – La retraite : 5 *(1 point)* – L'enfance : 1 *(1 point)* – La vie à la campagne : 2 *(1 point)*

b. 1. Faux : Thérèse a été hospitalisée jusqu'à l'âge de 2 ans. *(1 point)* 2. Vrai : à partir de 1950. *(1 point)* 3. Vrai : cette période a marqué mes années d'enfance de 5 à 11 ans. *(1 point)* 4. Faux : Thérèse s'est arrêtée de travailler à l'âge de 60 ans. *(1 point)*. 5. Faux : Thérèse est installée dans un établissement pour personnes âgées depuis 3 ans. *(1 point)*

2. 1. un enfant 2. un recueil de témoignages 3. aujourd'hui 4. une génération 5. raconter un souvenir 6. les parents

3. 1. volontaire 2. jeunes 3. engager 4. mission 5. général 6. sociaux 7. solidarité 8. éducation

4. *Exemple : Je suis né en 1930 à Bordeaux.*
1. J'ai travaillé pendant 45 ans dans la même société !
2. Je pense que je vais travailler jusqu'à 65 ans.
3. Je vais terminer mon service dans 2 ans.
4. Je suis engagée dans cette association depuis 3 ans.
5. Dès que j'ai eu 21 ans, je suis parti de chez mes parents.
6. J'ai participé à cette mission de 21 à 23 ans.
7. J'ai fait mon service militaire en 1971.

1. Pendant 45 ans (durée complète) 2. Jusqu'à 65 ans (limite d'une action) 3. Dans 2 ans (durée prévue) 4. Depuis 3 ans (origine d'une action) 5. Dès que j'ai eu 21 ans (origine d'une action) 6. De 21 à 23 ans (durée complète) 7. En 1971 (point précis)

5. 1. en 2. jusqu'à 3. de… à… 4. Dès que 5. pour 6. depuis que

6. a. 1. programme – 2. écologie – 3. action – 4. engagement – 5. obligatoire – 6. extrait
b. 1. origine – 2. changement – 3. témoigner – 4. classement – 5. jeunesse – 6. projet
c. 1. témoignage – 2. augmenter – 3. organiser – 4. quitter – 5. guider – 6. discussion

7. *Exemple de production :*

Je m'appelle Livia. Je suis née en 1971 dans une petite ville de l'Ohio. J'ai eu une enfance heureuse avec mes parents et ma grande sœur. J'y ai vécu jusqu'à l'âge de 19 ans. Puis, je suis partie étudier la musique à New York à la Julliard School. À partir de ce moment-là, ma vie a changé. J'ai découvert la grande ville, les sorties, la liberté. Je suis restée à la Julliard School pendant 5 ans, jusqu'en 1996.

8. *Exemple de production :*

– Bonjour et merci à vous d'être venus ici pour participer à notre discussion « l'enfance et la jeunesse, d'hier à aujourd'hui ». Nous allons d'abord faire un tour de table. Comment vous appelez-vous ?
– *Je m'appelle Pietro.*
– Où et quand êtes-vous né(e) ?
– *Je suis né en 1954 dans le centre de Rome.*
– Jusqu'à quel âge avez-vous vécu chez vos parents ?
– *Jusqu'à l'âge de 25 ans.*
– Comment étaient vos relations avec vos parents ?
– *Elles étaient excellentes. La famille, c'est très important en Italie.*
– À votre avis, quelles sont les principales différences entre les jeunes d'avant et les jeunes d'aujourd'hui ?
– *Aujourd'hui, les jeunes ont des difficultés à trouver du travail et ils restent longtemps chez leurs parents. Je pense que la vie est moins facile pour eux qu'à mon époque.*

9. *Réponses libres*

LEÇON **4** Moi, j'y crois !

1. 1. Pour moi, l'enseignement est quelque chose de très important car les enfants trouveront leur place dans la société s'ils sont bien éduqués. Alors c'est le domaine que j'ai choisi pour agir.
2. Je pense que si nous n'agissons pas pour protéger la nature, nous allons à la catastrophe. Alors je me suis engagée dans cette organisation.

3. Comme je suis très triste qu'il y ait des familles qui ne trouvent pas d'hébergement, je me suis inscrite dans cette association.
4. Grâce aux actions que nous menons, des milliers de personnes peuvent manger à leur faim chaque année, c'est pour ça que je suis membre de cette association.
5. Moi, j'aimerais vivre dans un monde avec moins d'inégalités. En effet, la couleur de la peau, le genre ou la religion ne déterminent pas l'intelligence de la personne. C'est pourquoi je me suis engagée dans cette structure.

a. 1 *(0,5 point)* b. DAL : n°3 *(1 point)* – ALD : n°5 *(1 point)* – Les Restos du Cœur : n°4 *(1 point)* – SOS Éducation : n°1 *(1 point)* – Agir pour l'environnement : n°2 *(1 point)* c. J'avais envie de me sentir utile, c'est pourquoi je me suis engagé à la Croix-Rouge. *(1,5 point)* – Comme l'action sociale m'intéresse, j'ai choisi cette association. *(1,5 point)* – Je rencontre des gens très intéressants, c'est pour cette raison que cette expérience est formidable. *(1,5 point)*

2. 1. engager 2. une association/une ONG 3. une ONG/une association 4. les discriminations 5. droits de l'homme 6. la protection

3. 1. racisme 2. ONG 3. s'engager 4. lutte 5. protection 6. membre 7. discrimination

4. 1. Cause 2. Conséquence 3. Cause 4. Cause 5. Conséquence 6. Cause

5. 1. Parce que – 2. Comme – 3. Grâce à – 4. c'est pour cette raison que – 5. En effet – 6. Alors

6. 1. Je suis médecin. Je travaille pour Médecins Sans Frontières.
2. Je veux m'investir dans une association. Je veux être utile pour la société.
3. Tous les enfants du monde devraient aller à l'école. L'éducation est très importante.
4. Il est important de protéger l'environnement. Je vais m'engager à WWF.
5. Il est important d'agir. Devenez volontaire.
6. Il y a beaucoup de personnes seules dans mon quartier. J'ai créé une association.

1. Je suis médecin **c'est pourquoi** je travaille pour Médecins Sans Frontières. 2. Je veux m'investir dans une association **car** je veux être utile pour la société. 3. Tous les enfants du monde devraient aller à l'école, **parce que** l'éducation est très importante. 4. Il est important de protéger l'environnement, **c'est pour cette raison** que je vais m'engager à WWF. 5. Il est important d'agir, **donc** devenez volontaire ! 6. **Comme** il y a beaucoup de personnes seules dans mon quartier, j'ai créé une association.

7. *Exemple de production :*

– Bonjour. Pourquoi êtes-vous venu au Salon des Solidarités ?
– *Comme je veux me sentir utile, je veux m'engager au sein d'une association.*
– Dans quel domaine souhaitez-vous vous engager en particulier ?
– *Moi, c'est dans le domaine de la protection de l'environnement que je veux m'investir.*
– Pour quelles raisons ?
– *Parce que je pense que peu de gens savent que notre planète est fragile. Alors si nous voulons essayer d'améliorer les conditions de vie pour les générations futures, il faut agir dès maintenant !*

8. *Exemple de production :*
Salut,
Je viens de rentrer du Salon des Solidarités. J'ai rencontré des volontaires de différentes associations. Je pense que tu devrais t'engager avec moi pour l'Association « Main dans la main ». C'est une association qui aide les enfants en difficulté à l'école. Comme tu souhaites devenir prof comme moi, ce sera une bonne expérience pour nous. En effet, nous aiderons les enfants à faire leurs devoirs. Alors, tu es d'accord ? On s'inscrit ? Bises
Flavio

9. *Réponses libres*

LEÇON 5 Agir pour la nature

1. a. Problème : Le trop grand nombre de touristes peut représenter un danger pour l'environnement. *(1 point)* – **Solutions** : Limiter le nombre de grands hôtels et développer l'écotourisme. *(1 point)*
b. 1. Faux : il participe à la protection de l'environnement. *(1 point)*
2. Faux : il ne faut surtout pas que nous suivions l'exemple des îles qui ont développé le tourisme de masse. *(1 point)* **3.** Vrai : Il faudrait que nous limitions le nombre de grands hôtels pour économiser l'eau. *(1 point)* **4.** Faux : Cette forme de tourisme est plus chère. *(1 point)*
c. 1. L'île de La Réunion **est connue pour** ses paysages de rêve, ses marchés colorés, la mer, les volcans… *(1 point)* **2.** Les voyageurs **sont heureux de** découvrir la beauté naturelle de l'île. *(1 point)* **3.** Je pense que le gouvernement **n'est pas conscient de** la catastrophe qui se prépare si nous n'agissons pas. *(1 point)* **4.** Je pense que les voyageurs **sont prêts à** payer un peu plus pour découvrir des régions sauvages et préservées. *(1 point)*

2. Protéger la nature, respecter l'environnement, accepter de payer une taxe dès l'achat du billet d'avion pour éviter le tourisme de masse, savoir s'adapter aux traditions locales, jeter les déchets dans une poubelle.

3. *Exemple : Je suis toujours heureuse de pouvoir observer des animaux pendant mes voyages. Je les observe de loin pour ne pas les déranger.*
1. Je suis prêt à payer mon billet d'avion plus cher pour limiter le tourisme de masse.
2. Dans des régions sauvages, je suis content de pouvoir conduire hors des routes. C'est très agréable.
3. Je suis consciente de l'importance de l'eau dans ce pays. En effet, elle est très rare. Alors, je limite ma consommation.
4. Quand je cherche des souvenirs, j'achète toujours de l'artisanat local ou des produits régionaux. C'est bon pour l'économie du pays.
5. Je suis très fier de cette photo que j'ai prise en Islande. J'ai dû m'arrêter au milieu de la route pour pouvoir la prendre. J'aime le danger parfois…
6. Un voyage est agréable à faire quand on essaye de vivre comme les populations locales. J'utilise donc les transports locaux qui sont connus pour être moins chers. En plus, on peut rencontrer des gens.

Comportement responsable : *exemple*, 1, 3, 4 et 6.

4. Le Canada est heureux de recevoir des touristes. – Le gouvernement est prêt à recevoir des touristes./imposer une taxe écologique. – Nous sommes conscients de l'importance de protéger la vie animale. – Nous sommes conscients de l'économie du pays. – La population est fière de ses traditions/de ses paysages magnifiques/de recevoir des touristes/de l'économie du pays. – C'est un pays agréable à visiter. – Le tourisme est bon pour l'économie du pays.

5. 1. de **2.** à **3.** pour **4.** de **5.** de **6.** à

6. 1. Pour quoi est connue l'Italie ?
2. Qu'êtes-vous prêt à faire pour l'environnement ?
3. De quoi les touristes sont-ils contents ?
4. Les règles du tourisme responsable sont faciles ou difficiles à comprendre ?
5. Qu'est-ce qui est bon pour l'économie du pays ?
6. De quoi êtes-vous conscient quand vous voyagez ?

1. L'Italie est connue pour la diversité de ses paysages et sa gastronomie.
2. Je suis prêt à faire du recyclage/Nous sommes prêts à faire du recyclage. **3.** Les touristes sont contents de visiter des lieux authentiques. **4.** Elles sont faciles à comprendre. **5.** Le tourisme est bon pour l'économie du pays. **6.** Je suis conscient/Nous sommes conscients de l'importance de protéger la nature.

7. *Exemple de production :*

– Merci d'être venus à mon exposition et d'avoir accepté de participer à une discussion sur l'environnement. Je vais commencer par vous poser quelques questions. Que faut-il préserver en particulier dans votre pays ?
– Il faut préserver les plages et les animaux marins.
– Quels sont les problèmes que vous observez ?
– Le principal problème, ce sont les sacs plastiques sur les plages et dans la mer. Ce n'est pas bon pour l'environnement.
– Quelles sont vos propositions ? Que faudrait-il faire pour lutter contre ça ?
– Il faudrait interdire les sacs plastiques dans les magasins. Il faut que la police donne une amende aux personnes qui jettent les déchets dans la rue.

8. *Exemple de production :*
Je pense que les gens sont conscients de la nécessité de protéger l'environnement. Mais ils ne savent pas toujours comment faire. Par exemple, les fruits et légumes qui viennent de très loin sont une catastrophe pour l'environnement. Je pense qu'il faudrait qu'on limite le transport des fruits et légumes. On pourrait aussi développer l'agriculture locale. Ce serait bon pour l'économie et pour l'environnement. Personnellement, je suis fier de ne manger que des produits de ma région.

9. *Réponses libres*

LEÇON 6 Vous en pensez quoi ?

1. – Bonjour à toutes et à tous ! Je m'appelle Monica, c'est moi qui ai créé l'événement Facebook pour ce soir. Je suis très contente de vous voir aussi nombreux à ce club de lecture franco-anglais !
– Bravo Monica ! C'est sympa toutes ces nouvelles activités interculturelles dans notre ville ! La semaine dernière, j'étais à un apéro italien !
– Oui, c'est formidable toutes ces initiatives ! Bienvenue à toutes et à tous à ce premier rendez-vous. Donc, comme je vous le disais… […] J'espère que ce premier rendez-vous vous a plu. J'aimerais qu'on se réunisse deux fois par mois mais dans des lieux différents à chaque fois. Oui, cela permettrait de faire la promotion de notre club. Alors, qu'en pensez-vous ? Vous avez des idées pour le prochain rendez-vous ?
– C'est une excellente idée ! Pourquoi pas à la bibliothèque ?
– Oui, j'y avais pensé mais c'est impossible car elle ferme à 18 heures.
– Quel dommage !
– Oui, Isabelle ?
– On peut se réunir le mois prochain dans mon restaurant. Je mettrai des affiches. Peut-être que certains clients seront intéressés. Ça vous va ?
– Ah oui ! Quelle bonne idée !
– Merci beaucoup Isabelle ! Alors, on fixe le prochain rendez-vous du club de lecture. Ce sera donc mercredi 28 octobre de 18 h à 20 h. Et quel est le nom de ton restaurant Isabelle ?
– Le Bistrot Chic, c'est en centre-ville, tu vois la place…

a. 1. Il y a de plus en plus d'activités interculturelles dans la ville. *(1 point)*
2. Monica trouve les nouvelles offres culturelles géniales. *(1 point)*
3. Les participants acceptent avec plaisir la proposition d'Isabelle. *(1 point)*
b. Venez participer à notre ~~apéro italien~~ club de lecture franco-anglais *(1,5 point)* au restaurant Le Bistrot Chic le mercredi 28 octobre ~~jusqu'à 18 heures~~ de 18 heures à 20 heures *(1,5 point)*.
c. Comme j'étais heureux de voir *(1 point)* – Quel succès *(1 point)* – C'est vraiment dommage *(1 point)* – Bravo *(1 point)*

2. 1. Cette proposition, ça vous va ?/Ça vous va, cette proposition ?
2. Qu'en pensez-vous ? **3.** Quelle excellente idée, ce projet !/Ce projet, quelle excellente idée ! **4.** C'est vraiment dommage que vous ne veniez pas ! **5.** Comme ça me fait plaisir de lire ça ! **6.** C'est génial, cette initiative !

3. 1. Cette association organise des apéros internationaux. C'est super !
2. Philippe et toi allez vous marier en août ? C'est formidable !
3. Oh non, il est impossible de voir des films en langue française dans ce cinéma…
4. Ces touristes s'arrêtent au milieu de la route juste pour prendre une photo ! Non mais c'est quoi ce comportement !?
5. Je ne comprends pas, Flavio a vécu 10 ans au Québec mais il ne parle pas français.
6. C'est incroyable de voir une nature aussi préservée !

1. Quelle bonne initiative ! 2. Bravo à vous deux ! 3. Quel dommage !
4. C'est vraiment stupide ! 5. Comme c'est bizarre ! 6. Ça me fait plaisir de voir ça !

4. 1. de moins en moins 2. de plus en plus de 3. de plus en plus 4. de moins en moins de 5. de plus en plus de 6. de moins en moins

5. 1. Les gens ont de moins en moins d'ordinateurs fixes. Les gens ont de plus en plus d'ordinateurs portables. Les ordinateurs fixes sont de moins en moins nombreux. Les ordinateurs portables sont de plus en plus nombreux. 2. Les gens font de moins en moins de sports collectifs. Les gens font de plus en plus de sports individuels. Les sports collectifs sont de moins en moins pratiqués. Les sports individuels sont de plus en plus pratiqués. 3. Il y a de plus en plus de supermarchés. Il y a de moins en moins de petits commerces.

6. 1. C'est une formidable nouvelle ! / phrase exclamative avec enthousiasme
2. C'est une nouvelle agréable. / phrase affirmative avec un ton neutre
3. Cette activité est intéressante. / phrase affirmative avec un ton neutre
4. Je trouve cette activité très intéressante ! / phrase exclamative avec enthousiasme
5. Quelle magnifique initiative ! / phrase exclamative avec enthousiasme
6. J'apprécie votre initiative. / phrase affirmative avec un ton neutre

7. *Exemple de production :*

– Tu as vu, la ville souhaite organiser un festival interculturel. C'est une bonne idée, non ? Qu'est-ce que tu en penses ?
– *C'est formidable cette initiative !*
– On peut envoyer des propositions sur le site internet de la ville. Alors, à ton avis, quand faudrait-il organiser ce festival ?
– *Il faudrait organiser ce festival en été pour pouvoir le faire à l'extérieur.*
– Où pourrait-on le faire ?
– *Je pense qu'on pourrait le faire dans un grand parc.*
– Qu'est-ce qu'on pourrait proposer comme événement ou activités ? Tu as des idées ?
– *On pourrait organiser un apéritif géant avec des spécialités et des groupes de musiques de différents pays.*
– Oui. C'est une bonne idée !

8. *Exemple de production :*
Comme je suis triste d'apprendre son départ, c'est vraiment dommage ! Mais c'est une bonne idée de lui organiser quelque chose. On pourrait faire une petite fête surprise dans un bar près du travail. Ça vous va ?

9. a. changer d'avis facilement. b. *Réponses libres*

BILAN 7

1. 1. Grâce à des dons en ligne. 2. Transmettre un horizon à tous.
3. b. seulement à Paris. 4. Car il n'existait pas d'école gratuite et diplômante. 5. Cours de langues, sorties culturelles, ateliers artistiques comme le dessin, le chant ou le théâtre. 6. Ils passent le DILF ou le DELF.

2. Le 5 décembre, c'est la Journée mondiale du bénévolat. En France, il y a environ 12,7 millions de bénévoles. Mais, pourquoi s'engage-t-on ?
Quand on demande aux jeunes pour quelles raisons ils veulent s'engager, ils sont 53 % à répondre « pour se rendre utile » et 49 % « pour servir une cause ». Pour beaucoup de bénévoles, s'engager rend heureux. Heureux d'aider celui qui souffre, heureux de se sentir utile, heureux de faire progresser la société.
Et les jeunes ne sont pas les seuls à s'engager, les seniors sont aussi très investis dans le bénévolat : 50 % des responsables associatifs sont des retraités. Pour eux aussi, le bénévolat est bon pour le bien-être moral.
Alors, si vous hésitez à vous engager, vérifiez d'abord que le monde associatif est bien fait pour vous et trouvez l'association qui vous convient le mieux grâce au quizz en ligne sur le site www.chacunsonasso.net.

1. La Journée mondiale du bénévolat. 2. 53 % des jeunes : pour se rendre utile ; 49 % des jeunes : pour servir une cause. 3. Cela les rend heureux.
4. a. Faux b. Vrai. 5. Faire le quizz en ligne sur le site www.chacunsonasso.net.

3. *Exemple de production :*
– Salut ! Tu sais, j'ai écouté une émission très intéressante sur l'engagement associatif et j'ai lu un article sur l'école Thot. J'ai appris beaucoup de choses et cela m'a donné envie de m'engager dans une action. Je trouve les fondatrices de l'école formidables, elles ont réussi à ouvrir leur école grâce à des dons en ligne. J'aimerais pouvoir faire la même chose mais pour les enfants. Je pense que l'accès à l'école peut sauver des vies ! Les enfants en difficulté pourraient venir dans cette école pour suivre des cours de soutien scolaire ou encore pour faire leurs devoirs. Tu sais, que certains enfants n'ont pas de chambre, ni même une table pour faire leurs devoirs ?
…

4. *Exemple de production :*
Bonjour,
J'ai fait ma première journée d'engagement hier ! J'ai rencontré des personnes très intéressantes et très professionnelles. J'étais dans une école primaire qui organise des cours après l'école et met à disposition des salles de classe pour les enfants qui n'ont pas d'endroit où faire leurs devoirs. Il y avait des professeurs et des bénévoles. Des jeunes et des personnes à la retraite. J'ai commencé par visiter l'école, puis nous avons fait une réunion pour organiser les tâches de chacun. Il y avait 20 enfants…

DOSSIER 8 Nous nous intéressons à l'actualité

LEÇON 1 Original !

1. – Dis Jacob, tu as lu l'article du *Journal du Net* sur les produits français ?
– Non, de quoi parle-t-il ?
– Le journaliste présente dix produits français qui sont achetés par les étrangers.
– Et alors Delphine, tu as été surprise par cette liste ?
– Oui, un peu ! Par exemple, savais-tu que la limonade française Lorina est très appréciée par les Américains ? Elle est rose et elle a un goût de raisin.
– Ah non, je ne savais pas. C'est très étonnant ! Je ne pensais pas que la France produisait cette boisson.
– Et si ! Et les couteaux de la marque Laguiole sont aussi évoqués par le journaliste.

– Les couteaux qui sont fabriqués dans le Centre de la France ?
– Oui, les étrangers aussi les aiment ! Tu sais combien ils sont vendus ? Et où ils sont vendus ?
– Vas-y, dis-moi !
– Ces couteaux français sont vendus entre 100 et 1 000 €. Et ils sont achetés par des Européens, mais aussi par des Américains et des Japonais.

a. 2. des produits français que les étrangers aiment *(1 point)* 3. la limonade française *(1 point)* 4. des couteaux fabriqués dans le Centre de la France *(1 point)* 5. entre 100 et 1 000 € *(1 point)* 6. en Europe, en Asie et en Amérique *(1 point)*
b. sont appréciés *(1 point)* – ont été surpris *(1 point)* – était fabriquée *(1 point)* – est exportée *(1 point)* – sont vendus *(1 point)*

2. 1. Vintage 2. Marque 3. Inaugurer 4. Publicité 5. Interview 6. Tester

3. *Exemple : Des pluies intenses ont été annoncées dans le nord de l'Italie.*
1. Il y a eu des accidents sur la route entre Venise et Milan.
2. Des personnes ont été bloquées dans leur voiture.
3. Les secours sont arrivés rapidement.
4. Des médecins ont été envoyés sur place.
5. La route sera fermée toute la matinée.
6. On recommande de prendre une autre route.

Forme active : 1, 3 et 6. Forme passive : *exemple,* 2, 4 et 5.

4. a. 1. par des studios français et belges 2. On 3. – 4. les touristes chinois 5. par les États-Unis 6. Le prochain festival de Cannes
b. 1. forme passive/présent 2. forme active/présent 3. forme passive/futur simple 4. forme active/imparfait 5. forme passive/passé composé 6. forme active/futur simple

5. 1. Des studios français et belges produisent la série.
2. Une nouvelle mise en scène à la Comédie française est annoncée.
3. On ouvrira la nouvelle ligne de train au printemps.
4. Avant, moins de produits de luxe français étaient achetés par les touristes chinois.
5. Les États-Unis ont adapté certains films français.
6. Des artistes du monde entier seront célébrés par le prochain festival de Cannes.

6. ont été transmis – a été créée – ont été intéressés – a été diffusée – sont proposés – seront ouverts

7. *Exemple de production :*
Dans ma ville, un grand parc a été ouvert et beaucoup de jeux pour les enfants ont été installés. C'est très beau ! En ce moment, il y a beaucoup de travaux de construction : les transports et les routes sont modifiés. Dans deux ans, le nouveau tramway sera terminé. Je pense que ce sera plus pratique et plus rapide pour tous les habitants !

8. *Exemple de production :*

– Salut, je suis content de te revoir ! Ça va bien ?
– *Oui, très bien, merci !*
– Je voudrais savoir ce que vous avez fait en cours pendant mon absence. Quelles leçons ont été faites en classe de français ?
– *Les leçons sur les temps du passé, la cause et la conséquence ont été faites.*
– Et tous les exercices ont été corrigés ?
– *Non, les exercices du livre ont été corrigés, mais pas tous les exercices du cahier d'activités.*
– Et vous avez fait des activités culturelles ?
– *Une visite au musée a été annoncée par le professeur.*
– Dernière question : tu sais quand le livre A2 sera fini ?
– *Il sera fini dans un mois je crois !*
– Merci beaucoup pour ton aide !

LEÇON 2 Actu du jour

1. a. Rubrique : Faits divers *(1 point)* ; Quoi : Cambriolage d'une maison *(1 point)* ; Où : au domicile d'un particulier *(1 point)* ; Quand : dans la soirée du 16 avril *(1 point)*
b. 1. les cambrioleurs *(0,5 point)*, les suspects *(0,5 point)* 2. le propriétaire *(0,5 point)* 3. les forces de l'ordre *(0,5 point)*, les agents de police *(0,5 point)*, les policiers *(0,5 point)*
c. 1. Arrivée des forces de l'ordre sur place/Arrivée sur place des forces de l'ordre *(1 point)* 2. Arrestation des suspects par la police *(1 point)* 3. Découverte d'un ordinateur et d'une télévision dans les coffres des voitures *(1 point)*

2. 1b – 2f – 3g – 4d – 5c – 6e – 7a

3. 1. Culture 2. Société 3. Politique 4. Faits divers

4. 1. La police a arrêté le suspect.
2. 5 appartements ont été cambriolés.
3. On a livré gratuitement de la nourriture à des associations.
4. Pour économiser l'énergie, on partage les appareils électroménagers.
5. Nous cherchons activement le gorille échappé du zoo.
6. Des documents secrets ont disparu.

1. Arrestation 2. Cambriolage 3. Livraison 4. Partage 5. Recherches 6. Disparition

5. a. 1. une arrestation 2. une fermeture 3. une pratique 4. une création 5. une vente 6. une ouverture
b. 1. Arrestation d'un homme dangereux. 2. Fermeture d'un aéroport lundi. 3. Pratique des langues étrangères à l'école maternelle. 4. Création de nouveaux espaces verts. 5. Vente de 300 livres en une journée. 6. Ouverture d'un nouvel hôpital.

6. a. 1. immeuble – 2. Luxembourg – 3. heureux – 4. mieux – 5. meilleur – 6. un jeu
b. 1. jeune – 2. lecture – 3. auditeur – 4. chauffeur – 5. un peu mieux – 6. informe

7. *Exemple de production :*

– Bonjour, je fais une enquête et je voudrais savoir si les gens lisent les journaux ou s'ils s'informent autrement. J'ai quelques questions à vous poser. Premièrement, comment vous informez-vous habituellement ?
– *Je m'informe surtout par les réseaux sociaux.*
– Pourquoi est-ce votre mode d'information préféré ?
– *C'est pratique et pas cher. Et je peux lire des articles de différents journaux comme ça.*
– Quelles sont vos rubriques préférées dans les journaux ?
– *Je m'intéresse à l'actualité politique, économique et sociale. Les faits divers ne m'intéressent pas.*
– De quoi parlait le dernier article de journal que vous avez lu ?
– *Il parlait de l'engagement des Français pour lutter contre la pauvreté.*

8. *Exemples de production :*
1. Création de 10 nouvelles entreprises
2. Amélioration de la qualité de l'air en ville
3. Échange de services entre les habitants d'un quartier de Lima

LEÇON 3 Nous réagissons !

1. a. 1. Oli Via pense que c'est en multipliant les transports en commun que notre environnement ira mieux. *(1,5 point)* Théo D. écrit qu'il faut développer les transports en commun électriques. *(1,5 point)* 2. Théo D. pense qu'il faut consommer des produits locaux pour diminuer les transports. *(1,5 point)* 3. Louis06 dit que la seule solution, c'est de limiter les voitures en ville. *(1,5 point)*

b. 2. en développant les transports en commun électriques et les vélos gratuits *(1 point)* 3. en encourageant les gens à partager leur voiture *(1 point)* 4. en créant plus de bus à la campagne *(1 point)* 5. en construisant des parkings pas chers à côté des villes. *(1 point)*

2. 1. Lisa fait son jogging et elle écoute de la musique.
2. Vous vous sentez utile car vous êtes bénévole.
3. Tu seras meilleur au tennis si tu changes de club.
4. Nous comprendrons mieux ce problème si nous allons à la conférence.
5. Ils s'engagent dans une association et ils écrivent un blog.
6. J'économise de l'argent car je fais du covoiturage.

1. Lisa fait son jogging en écoutant de la musique. 2. Vous vous sentez utile en étant bénévole. 3. Tu seras meilleur au tennis en changeant de club. 4. Nous comprendrons mieux ce problème en allant à la conférence. 5. Ils s'engagent dans une association en écrivant un blog. 6. J'économise de l'argent en faisant du covoiturage.

3. prendre ; nous prenons ; en prenant – savoir ; nous savons ; en sachant – voyager ; nous voyageons ; en voyageant – être ; nous sommes ; en étant – essayer ; nous essayons ; en essayant – avoir ; nous avons ; en ayant

4. 1. Vous serez meilleur en étant motivé. 2. Vous êtes accueilli par mon assistante en arrivant au club. 3. Vous n'aurez pas mal au ventre en ne mangeant pas juste avant le cours. 4. Pendant les cours, nous gardons le rythme en écoutant de la musique. 5. Vous serez plus à l'aise en ayant une tenue de sport. 6. Vous serez en forme en venant chaque semaine !

5. 1. Je vais m'occuper de ma santé en faisant du sport, en mangeant des légumes, en ne mangeant pas de chocolat.
2. Je serai plus écologiste en n'utilisant pas ma voiture, en achetant des produits biologiques, en économisant l'énergie/en faisant des économies d'énergie.

6. *Exemples de production :*
Comment protèges-tu ta santé ? → Je protège ma santé en faisant du sport, en mangeant de la bonne nourriture, en n'allant pas souvent au restaurant.
Comment choisis-tu tes produits alimentaires ? → Je les choisis en regardant les ingrédients, en étant attentif au prix, en comparant avec les autres.

7. *Exemple de production :*
Bonjour,
Dans ma région, je connais une association, « L'œuvre de la fourmi ». En apportant des vêtements que vous n'utilisez plus ou en donnant de la nourriture, vous pouvez aider d'autres personnes. En organisant des collectes dans les supermarchés, cette association aide beaucoup de monde aussi !

8. *Exemple de production :*

– Salut, j'ai un projet pour améliorer notre communication en français et j'aimerais en parler avec toi. Tu étudies toujours le français ?
– *Oui, j'étudie toujours le français.*
– Super, moi aussi. Mais j'aimerais parler plus souvent français. On pourrait progresser en faisant quoi ?
– *En ayant un correspondant français et en échangeant des messages.*
– Avec une association de francophones, ce serait plus facile ! À ton avis, comment pourrait-on avoir de l'aide ?
– *En demandant à notre professeur peut-être. Ou en contactant le consulat français !*
– Et toi, tu penses qu'on parlerait mieux en faisant quoi ?
– *En faisant un club de conversation toutes les semaines, on pourrait tous partager nos idées !*
– Super, on va en parler aux autres personnes qui parlent français autour de nous !

9. *Réponses libres*

LEÇON **4** Vous en pensez quoi ?

1. – Pourquoi une journée « En ville sans ma voiture » ? L'utilisation de la voiture est la première cause de la pollution en ville. Il est nécessaire de protéger notre environnement. Notre journaliste a recueilli des témoignages de Parisiens.
– Bonjour, vous savez que demain, le 22 septembre, c'est la journée sans voiture ?
– Ah voilà une bonne initiative ! Le gouvernement devrait imposer une journée sans voiture chaque semaine !
– Il me semble qu'on devrait plutôt appeler cette journée « journée des transports et de l'écologie ». L'objectif serait plus clair.
– Moi, je propose de ne pas faire payer les transports en commun ce jour-là.
– Ah ouais, géniale cette idée… Je fais 110 km par jour. Je traverse tout le département des Yvelines pour aller travailler à Paris. Et il n'y a pas de transports en commun là où j'habite ! Alors moi, je n'ai pas le choix !

a. 22 septembre *(1 point)* – sans voiture/en ville sans ma voiture *(1 point)* – protéger l'environnement/lutter contre la pollution *(1 point)*
b. 1er témoignage : rendre cette initiative hebdomadaire *(1 point)* – 2e témoignage : changer le nom de l'événement *(1 point)* – 3e témoignage : permettre aux voyageurs d'utiliser gratuitement le bus, le métro et le tram *(1 point)*
c. il faudrait *(1 point)* – Le gouvernement pourrait *(1 point)* – Je devrais *(1 point)* – je ferais *(1 point)*

2. 1. un passager 2. une rame 3. une station 4. une publicité 5. l'heure de pointe

3. 1. usager 2. station 3. rame 4. affiches 5. publicités 6. l'heure de pointe

4. 1. Avez-vous des suggestions pour améliorer l'enseignement des langues étrangères à l'école ?
2. Comment peut-on encourager les enfants à manger des fruits et des légumes ?
3. Avez-vous des propositions pour développer les relations de voisinage ?
4. Quel projet proposez-vous pour la Journée de la Terre ?
5. Avez-vous une idée pour améliorer le bien-être au travail ?
6. Comment pourrait-on rendre le monde meilleur ?

1. Il faudrait limiter le nombre d'élèves par classe. 2. Je suggère de les informer sur les avantages d'une bonne alimentation. 3. Je propose d'organiser un apéro de quartier une fois par mois. 4. On pourrait planter des arbres. 5. On devrait créer des espaces de repos. 6. Il me semble qu'il faudrait s'engager dans une association.

5. *Exemples de production :*
1. Il faudrait manger plus de fruits et de légumes variés. 2. Il me semble qu'on devrait acheter les produits alimentaires directement aux producteurs. 3. On pourrait échanger nos appartements. 4. Je suggère de partir moins loin. 5. Je propose d'afficher les bons gestes pour une ville propre dans tous les lieux publics. 6. Chaque habitant devrait participer au nettoyage des rues une fois dans l'année.

6. 1. Le mon**de i**déal serait sans pollution. – enchaînement
2. Il y a u**n e**spoir que j'aimerais garder. – liaison
3. Toutes me**s i**dées sont bonnes. – liaison
4. Pou**r o**uvrir tous les magasins le dimanche, il faudrait changer la loi. – enchaînement
5. Le**s u**sagers du métro sont très créatifs. – liaison
6. Quand ce sera nécessaire, nous donnerons no**tre a**vis. – enchaînement

7. *Exemple de production :*

– Tu as lu le post Facebook de l'école ? On nous demande de faire des suggestions pour améliorer l'école. C'est une bonne idée. Alors, d'abord… Que pourrait-on faire pour les salles de classe ?

– On pourrait avoir un ordinateur et un vidéoprojecteur dans chaque classe.

– Ensuite… les espaces communs. Que pourrait-on faire pour les rendre plus accueillants ?

– Je suggère de créer un lieu où les étudiants pourraient se retrouver après la classe. Il y aurait une machine à café et des magazines.

– Enfin, qu'est-ce que tu suggères pour améliorer les activités culturelles ?

– On devrait proposer des sorties dans les musées avec un guide qui explique en français.

8. *Exemple de production :*

Il faudrait des poubelles pour trier les déchets partout dans la ville. Le centre-ville devrait être réservé aux piétons. Les voitures devraient payer une taxe pour circuler en ville. On pourrait créer d'autres espaces verts.

9. *Réponses libres*

LEÇON **5** Pour un monde meilleur

1. – Vous savez qu'il y a une Journée mondiale de la Terre ?
– Non !
– Oui, ma cousine m'en parle chaque année. Elle aimerait bien que je fasse quelque chose avec elle. Elle fait partie d'une association écologiste.
– Ben oui, ce serait super. C'est pour ça que je souhaite en parler ce soir ! Moi, je voudrais soutenir la protection des mers et des océans. Et toi Astrid ?
– J'espère que tu as un projet précis Nelly. Elle est bonne ton idée, mais il y a tellement de problèmes !
– J'aimerais bien qu'on parle sérieusement, s'il vous plaît. Il faudrait déjà collecter les déchets des bateaux de tourisme. On pourrait demander de l'aide à ton père, Nelly ?
– Oui, il a un bateau, c'est une super bonne idée ! J'espère qu'il pourra nous le prêter ! Je vais lui demander.

a. 2. Vrai *(1 point)* 3. Faux *(1 point)* 4. Faux *(1 point)* 5. Vrai *(1 point)*
b. 1. Astrid espère que Nelly a un projet précis. *(2 points)* 2. Les amis aimeraient organiser une collecte des déchets en mer. *(2 points)* 3. Nelly voudrait que ses amis sortent en mer avec elle. *(2 points)*

2. 1. Je voudrais aussi que mes petits-enfants viennent plus souvent.
2. Je souhaite également m'engager dans l'humanitaire.
3. J'aimerais vraiment que les hommes vivent mieux !
4. J'espère que Rita et moi prendrons des vacances au soleil.
5. J'ai l'espoir de lire tous les livres qui m'intéressent !
6. J'espère aussi me reposer !

1. Elle espère que ses petits-enfants viendront plus souvent. 2. Elle a l'espoir de s'engager dans l'humanitaire. 3. Elle a l'espoir que les hommes vivront mieux. 4. Danny souhaite qu'ils prennent des vacances au soleil. 5. Il aimerait lire les livres qui l'intéressent. 6. Il voudrait se reposer.

3. que ta santé soit toujours bonne – que tu sois toujours présente – ils souhaitent pouvoir venir – que tu feras les voyages – nous souhaitons faire tous ensemble – que tu viendras

4. *Exemples de réponses :*
Je souhaite   – connaître d'autres cultures.
        – que mes voisins soient moins bruyants.
        – que ma famille puisse apprendre le français.
J'espère   – que mes voisins respecteront l'environnement.
        – que ma famille aura du temps libre.
        – que je ferai des voyages.

5. *Exemples de production :*
Qu'est-ce que tu souhaites faire après tes études de français ?
Quel cours espères-tu suivre l'année prochaine ?
Qu'est-ce que tu aimerais faire comme métier dans le futur ?

6. 1. Phrase 1 : Il faut qu'il **soit** là demain. Phrase 2 : Il faut qu'ils **soient** là demain. → La prononciation est **identique**.
2. Phrase 1 : Il faut qu'elle **fasse** attention. Phrase 2 : Il faut que tu **fasses** attention. → La prononciation est **identique**.
3. Phrase 1 : Il faut que vous **ayez** de la chance. Phrase 2 : Il faut qu'ils **aient** de la chance. → La prononciation est **différente**.
4. Phrase 1 : Il faut qu'il **puisse** comprendre la situation. Phrase 2 : Il faut qu'ils **puissent** comprendre la situation. → La prononciation est **identique**.

7. *Exemple de production :*
Chers amis,
Pour votre mariage, je souhaite que votre vie soit longue et heureuse et que vous réalisiez tous vos rêves. J'espère que vous aurez de beaux enfants et que vous trouverez une jolie maison !
Félicitations pour ce merveilleux événement !

8. *Exemple de production :*

– Tu sais que c'est l'anniversaire de Micha la semaine prochaine ? Il va avoir 30 ans !!! On va préparer une carte pour lui. Qu'est-ce qu'on peut lui souhaiter pour sa vie personnelle ?
– On peut souhaiter qu'il soit heureux et qu'il rencontre la femme de sa vie !
– Et qu'est-ce que tu souhaites pour sa vie professionnelle ?
– Je souhaite qu'il réussisse tous ses projets !
– Moi, j'espère aussi qu'on restera longtemps amis. Et toi, qu'est-ce que tu espères ?
– Moi, j'espère qu'on continuera à faire du sport ensemble !

9. *Réponses libres*

LEÇON **6** Prix littéraires

1. a. 1. Prix des Libraires *(1 point)* 2. Thomas B. Reverdy, Olivier Adam et Brigitte Giraud *(1 point)* 3. Librairie *L'imagigraphe* *(1 point)* 4. 800 libraires *(1 point)*
b. 1. L'écrivain emmène le lecteur dans la ville américaine de Détroit, en 2008 où il décrit différents parcours de vie. *(1,5 point)* 2. L'histoire n'a rien de joyeux mais on ne s'ennuie jamais grâce au suspens et à l'ambiance. *(1,5 point)*
c. 1. On connaît enfin le nom du lauréat du Prix des Libraires. *(1 point)* 2. On a apprécié le sujet traité par Thomas B. Reverdy. *(1 point)* 3. On a fait un discours avant la remise du prix. *(1 point)*

2. 1. lauréate 2. récompense 3. sujet 4. jury 5. sortie 6. remporter 7. roman

3. 1b – 2a – 3e – 4c – 5d

4. *Exemple : C'est dynamique, il y a du suspens, on ne s'ennuie pas une seule minute.*
1. La police est à la recherche de mystérieux cambrioleurs.
2. Le livre a obtenu trois récompenses l'année dernière dont le prix Goncourt !
3. Les magazines littéraires ont publié des articles assez négatifs.
4. Quelle maîtrise de la langue dans ce roman !
5. Personnellement, j'ai tout aimé dans ce livre : l'histoire, le style…
6. Ce que je préfère, c'est la littérature fantastique.

1. l'histoire 2. le succès 3. la critique 4. l'écriture 5. l'opinion personnelle 6. le genre

5. 1. On félicite Fred Vargas ! 2. On aimerait que les livres soient moins chers. 3. On a été surpris par cet incroyable succès ! 4. On m'a conseillé de lire cette histoire. 5. On lisait plus avant. 6. On fera une présentation de l'auteur.

6. 1. les gens 2. nous 3. nous 4. quelqu'un 5. quelqu'un 6. nous

7. *Exemple de production :*
Mon tour du monde à mobylette
L'histoire : Renée Moulin, 63 ans, secrétaire médicale à la retraite

a toujours rêvé d'évasion et de liberté. Elle décide de réaliser son rêve et part faire le tour du monde à mobylette. Elle décrit ses rencontres avec les différentes populations et la beauté des paysages qu'elle traverse.

8. *Exemple de production :*

> – Je ne sais pas quoi lire en ce moment. Quel livre tu peux me recommander ?
> – *Je te recommande le roman* Pars vite et reviens tard *de Fred Vargas.*
> – C'est quel genre ?
> – *C'est un roman policier.*
> – Tu peux me dire de quoi ça parle en quelques mots ?
> – *La police enquête sur de mystérieux messages écrits sur des portes d'immeuble du 18ᵉ arrondissement.*
> – Tu as aimé quoi en particulier dans ce livre ?
> – *J'adore le style de l'auteur et son écriture très précise.*

9. *Réponses libres*

BILAN 8

1. Et maintenant, plus léger dans l'actualité, ce chien qui retrouve son maître après 2 ans de séparation. L'histoire se déroule aux États-Unis. Il y a deux ans, José perd son travail et se retrouve sans logement. Il dort alors dans sa voiture. C'est à ce moment qu'il trouve un chiot, Chaos. Mais il le laisse à un de ses amis, le temps de trouver un logement où accueillir Chaos.
Malheureusement, deux mois plus tard, l'ami de José ne veut plus lui rendre Chaos. Deux ans ont passé depuis, quand, un jour, José reçoit un appel téléphonique lui annonçant que son chien a été retrouvé ! Eh oui, grâce à la puce électronique de Chaos, un des employés des services animaliers a pu retrouver son maître, José ! Quand le chien revoit son maître, il explose de joie. Regardez la vidéo sur Internet, c'est très émouvant !

1. c. Un maître qui a retrouvé son chien 2 ans plus tard. **2.** Aux États-Unis. **3.** c. s'est retrouvé sans abri. **4.** Le chien de José. **5.** Il ne veut plus lui rendre son chien. **6.** Son chien a été retrouvé. **7.** Grâce à la puce électronique du chien. **8.** La vidéo de José qui retrouve son chien.

2. 1. a. Faux. b. Vrai.
2. 3 points positifs : certains zoos font beaucoup pour la protection des espèces – les zoos permettent de mieux connaître les espèces qui sont sur la Planète – les zoos permettent à certaines espèces de ne pas disparaître.
3 points négatifs : il est difficile pour un animal sauvage de vivre emprisonné dans une cage – les cages et les environnements de vie des animaux ne sont pas toujours respectés et adaptés – le grand public n'est pas assez bien informé sur la fragilité de la biodiversité.
3. Donner mon avis dans un texte de 70 mots environ et l'envoyer par mail à pouroucontreleszoos@internet.com.

3. *Exemple de production :*
– Bonjour, comment vas-tu ?
– Bien, merci et toi ?
– Ça va, merci. En fait, j'aimerais que tu m'aides à écrire un texte. Je voudrais participer à un débat.
– D'accord, mais un débat sur quoi ?
– Pour ou contre les zoos !
– Mais pourquoi tu veux participer à ce débat ?
– Parce que je pense que c'est important, beaucoup de zoos ne respectent pas l'environnement des animaux et ne font pas attention à leur santé. Dans l'article que j'ai lu, il y avait des arguments pour et des arguments contre. Je trouve que les arguments contre les zoos sont graves.
– Alors, je te propose d'abord d'écrire les arguments pour d'un côté et contre de l'autre.
– Oui, Je dois écrire un texte de 70 mots. Je dois donner des exemples.
…

4. *Exemple de production :*
Salut Louison,
Je vais bien merci. C'est une très bonne idée d'offrir un roman francophone à Sidonie. Je te conseille… Ce roman raconte l'histoire de…
J'ai adoré ce roman parce que c'est très bien écrit, la description des personnages et des paysages est très précise, on peut facilement entrer dans l'histoire. C'est un beau roman.
J'espère pouvoir venir à l'anniversaire de Sidonie car j'ai peut-être un rendez-vous avec un vieil ami qui est de passage ici.
Si tu veux, on peut acheter le cadeau de Sidonie ensemble ? On pourrait se retrouver samedi matin vers 11 h devant la librairie l'Accroche-cœur ?
Tu peux m'appeler pour confirmer ?
Bises
Aline

DELF A2
Compréhension de l'oral

Exercice 1   5 points

> C'est Benoît. Bonjour à tous, j'espère que vous allez bien. Je suis ravi de vous retrouver, nous sommes ensemble jusqu'à 18 h. Mais avant d'écouter vos musiques préférées, je voulais vous parler d'un événement culturel, le Salon du Livre. Et oui, la semaine prochaine aura lieu le Salon du Livre, à Paris. Il se déroulera du 24 au 27 mars, à la Porte de Versailles ! Le Salon du livre qu'est-ce que c'est ? Eh bien, c'est 4 jours de rencontres, de conférences. Cette année, il y a des expositions de bandes dessinées pour petits et grands. Vous pourrez demander des dédicaces à vos auteurs préférés ou encore discuter avec des professionnels de l'édition et de la télévision. Moi, j'y serai ! Alors peut-être qu'on s'y retrouvera ? ! En attendant, écoutons le trio suédois E.S.T.

1. Image A *(1 point)* – **2.** B. le 24 mars *(1 point)* – **3.** 4 jours *(1 point)* – **4.** Image C *(1 point)* – **5.** Une réponse parmi : des professionnels de l'édition et des professionnels de la télévision *(1 point)*.

Exercice 2   6 points

> Salut, c'est Rémi ! Je t'appelle parce que j'ai une proposition à te faire. J'ai regardé un peu sur Internet où fêter mon anniversaire et je crois avoir trouvé l'endroit idéal ! Je vais louer un gîte à la campagne. Tous les invités pourront rester dormir parce qu'il y a 5 chambres ! On peut facilement y aller en voiture. Le gîte est près d'un ruisseau. S'il fait beau, on pourra faire un barbecue ! Que penses-tu de mon idée ? Tu peux me rappeler s'il te plaît pour me donner ton avis ? Je te redonne mon numéro de téléphone, c'est le 06.55.64.32.23. À plus !

1. B. Vous proposer un endroit où faire la fête. *(1 point)* – **2.** Image A *(1 point)* – **3.** Parce qu'il y a 5 chambres. *(1 point)* – **4.** Un barbecue. *(1 point)* – **5.** A. Lui donner votre avis sur le gîte. *(1 point)* – **6.** 06.55.64.32.23. *(1 point ; pas de demi-point possible)*.

Exercice 3   6 points

> Vous le savez, demain c'est la Journée mondiale de la Terre. Célébrée pour la première fois le 22 avril 1970, la Journée mondiale de la Terre est aujourd'hui reconnue comme l'événement environnemental populaire le plus important au monde ! Le fondateur de cet événement est le sénateur américain Gaylord Nelson qui a encouragé les étudiants à mettre en place des projets de sensibilisation à l'environnement dans leurs communautés. Aujourd'hui, la Journée mondiale de la Terre est célébrée à travers le monde par plus de 500 millions de personnes dans 184 pays ! Vous retrouverez à 16 h 30 notre émission « Sauvons la Planète ». Pascaline nous parlera des bons gestes à adopter pour préserver notre environnement et être un bon écocitoyen !

1. La Journée mondiale de la Terre. *(1 point)* – **2.** Le 22 avril 1970. *(1 point)* – **3.** B. des États-Unis. *(1 point)* – **4.** 184/cent quatre-vingt-quatre. *(1 point)* – **5.** Image B *(1 point)* – **6.** B. expliquer quoi faire pour protéger l'environnement. *(1 point)*

Corrigés et transcriptions

Exercice 4   8 points

Dialogue 1
– Présentez-vous s'il vous plaît.
– Je m'appelle Simon Ravel, j'ai 35 ans. Après un master obtenu en 2014, je suis parti travailler en Pologne pendant une année. J'ai appris beaucoup sur mon métier. C'était une belle expérience.
– Vous avez travaillé dans quel domaine ?
– La télécommunication.

Dialogue 2
– J'espère qu'il va bientôt retrouver du travail.
– Oui, moi aussi. J'aimerais tellement qu'une entreprise le contacte pour lui donner un poste !
– Il a passé un entretien la semaine dernière. Espérons que la réponse sera positive !

Dialogue 3
– Alors, ces vacances ? – Superbes ! On a loué une petite maison près de la mer. Le temps était magnifique, on a pu faire des balades en forêt.
– Et vous êtes allés à la mer ?
– Oui, les plages sont tellement belles et propres. Le sable est presque blanc et la mer bleu turquoise.

Dialogue 4
– Tu te souviens de tes premiers cours de français ?
– Oui ! Au début je n'osais pas parler, mais après le deuxième cours, j'étais plus confiant ! Et toi ?
– Je parlais un peu français en fait, car tous les étés on allait en Martinique voir mes cousins. Alors, les premiers cours, je me souviens que j'avais l'impression de comprendre tout ce que disait le professeur !

Dialogue 1 – b. Parler de son parcours professionnel *(2 points)*. Dialogue 2 – a. Exprimer un souhait *(2 points)*. Dialogue 3 – c. Décrire un lieu *(2 points)*. Dialogue 4 – d. Raconter un souvenir *(2 points)*.

Compréhension de l'écrit

Exercice 1   5 points
a. 5 *(1 point)* – b. 2 *(1 point)* – c. 1 *(1 point)* – d. 3 *(1 point)* – e. 4 *(1 point)*

Exercice 2   6 points
1. B. au Salon des langues. *(1 point)* – 2. Il est (vraiment) gentil. *(1,5 point)* – 3. B. insolite. *(1 point)* – 4. C'est aussi un magasin de vélos. *(1,5 point)* – 5. C. les pâtisseries sont très bonnes. *(1 point)*.

Exercice 3   6 points
1. B. jusqu'au 30 septembre. *(1 point)* – 2. C. à tout le monde sans exception. *(1 point)* – 3. Aller sur le site www.caf.fr pour imprimer le support de dessin. *(1,5 point)* – 4. Le formulaire complété. *(1,5 point)* – 5. Image A *(1 point)*.

Exercice 4   6 points
1. Faux. « Le Petit perdu est une association ». *(1,5 point si la réponse et la justification sont correctes. Sinon, aucun point.)* – 2. C. une fois par an. *(1 point)* – 3. 0 € / 0 euros / zéro euros / il est gratuit / rien. *(1,5 point)* – 4. C. plus de 300 000 fois. *(1 point)* – 5. Une réponse parmi : trouver des restaurants / organiser des sorties. *(1,5 point)* – 6. Vrai : « Un concours de poésie est prochainement organisé (…), envoyez votre poème avant le 22 juin (…). » *(1,5 point si la réponse et la justification sont correctes. Sinon, aucun point)*.

Production écrite et production orale

Pour évaluer la production écrite et la production orale, nous vous invitons à vous référer aux grilles d'évaluation du DELF, téléchargeables sur les sites internet des centres d'examen.

DOSSIER 1

LEÇON 1

adaptés [adapte]
application [aplikasjɔ̃]
apprécier [apresje]
avoir accès à [avwaraksɛa]
besoins [bəzwɛ̃]
centre universitaire
  [sɑ̃tryniversitɛr]
circuits [sirkɥi]
connecté [kɔnɛkte]
établissement
  [etablis(ə)mɑ̃]
formation [fɔrmasjɔ̃]
formule [fɔrmyl]
idéale [ideal]
logement individuel
  [lɔʒ(ə)mɑ̃ɛ̃dividɥel]
multilingue [myltilɛ̃g]
offre [ɔfr]
perfectionnement
  [pɛrfɛksjɔn(ə)mɑ̃]
progrès [prɔgrɛ]
rapidement [rapid(ə)mɑ̃]
s'intégrer [sɛ̃tegre]
sur mesure [syrməzyr]
tablette [tablɛt]
télécharger [teleʃarʒe]

LEÇON 2

autoriser [otɔrize]
à mi-temps [amitɑ̃]
attestation [atɛstasjɔ̃]
avoir des économies
  [avwardezekɔnɔmi]
banque [bɑ̃k]
bénéficier [benefisje]
consulat [kɔ̃syla]
contacter [kɔ̃takte]
démarche administrative
  [demarʃadministrativ]
dossier [dɔsje]
effectuer [efɛktɥe]
être conscient de [ɛtrəkɔ̃sjɑ̃də]
faire l'expérience de
  [fɛrlɛksperjɑ̃sdə]
financer [finɑ̃se]
job [dʒɔb]
loi [lwa]
mode de vie [mɔd:əvi]
poursuivre [pursɥivr]
procédure [prɔsedyr]
réalité [realite]
s'adapter [sadapte]
s'installer [sɛ̃stale]
se renseigner [s(ə)rɑ̃sɛɲe]
services publics
  [sɛrvispyblik]
stage [staʒ]
visa [viza]

LEÇON 3

avantageux [avɑ̃taʒø]
budget [bydʒɛ]
chronique [krɔnik]
conducteur [kɔ̃dyktœr]
covoiturage [kovwatyraʒ]
diminuer [diminɥe]
embouteillage [ɑ̃butɛjaʒ]
faire de la compagnie
  [fɛrdəlakɔ̃paɲi]
faire des économies
  [fɛrdezekɔnɔmi]
imprimer [ɛ̃prime]
itinéraire [itinerɛr]
passager [pasaʒe]
remplir [rɑ̃plir]
se connaître [s(ə)kɔnɛtr]
se décider [s(ə)deside]
trajet [traʒɛ]
ville d'arrivée [vildarive]
ville de départ [vildədepar]

LEÇON 4

adresser [adrese]
appartement [apartəmɑ̃]
brochure [brɔʃyr]
chambre individuelle
  [ʃɑ̃brɛ̃dividɥel]
chambre simple/double
  [ʃɑ̃brəsɛ̃pl / ʃɑ̃brədubl]
demi-pension [d(ə)mipɑ̃sjɔ̃]
disponibilités [disponibilite]
draps [dra]
famille d'accueil [famijdakœj]
formalités administratives
  [fɔrmaliteadministrativ]
fournir [furnir]
hébergement [ebɛrʒəmɑ̃]
internat [ɛ̃tɛrna]
obligatoire [ɔbligatwar]
partager [partaʒe]
préciser [presize]
rappeler [rap(ə)le]
recommandation
  [rekɔmɑ̃dasjɔ̃]
salle d'eau [saldo]
sanitaires [sanitɛr]
serviettes [sɛrvjɛt]
studio [stydjo]
tarif [tarif]
uniquement [ynik(ə)mɑ̃]

LEÇON 5

à l'intérieur de [alɛterjœrdə]
ambiance [ɑ̃bjɑ̃s]
atypique [atipik]
au milieu de [omiljødə]
auberge [obɛrʒ]
au-dessous de [od(ə)sudə]
authentique [otɑ̃tik]
cabane [kaban]

déguster [degyste]
détente [detɑ̃t]
en bas [ɑ̃ba]
gîte [ʒit]
glace [glas]
hors du commun [ɔrdykɔmɛ̃]
insolite [ɛ̃sɔlit]
lit double [lidubl]
mini-cuisine [minikɥizin]
neige [nɛʒ]
nulle part [nylpar]
partout [partu]
passer une nuit [paseynːɥi]
pied-à-terre [pjetatɛr]
pigeonnier [piʒɔɲje]
piscine [pisin]
plan d'accès [plɑ̃daksɛ]
propriétaire [prɔprijetɛr]
réaménagé [reamenaʒe]
se faire livrer [s(ə)fɛrlivre]
station de sports d'hiver
  [stasjɔ̃dəspɔrdivɛr]
univers naturel [ynivɛrnatyrɛl]

LEÇON 6

accompagner [akɔ̃paɲe]
autrement [otrəmɑ̃]
bistrot [bistro]
canal [kanal]
Chilienne [ʃiljɛn]
comptoir [kɔ̃twar]
connaître comme sa poche
  [kɔnɛtrəkɔmsapɔʃ]
crêpe [krɛp]
discuter [diskyte]
être satisfait [ɛtrəsatisfɛ]
fréquenter [frekɑ̃te]
particularité [partikylarite]
prendre un verre [prɑ̃drɛ̃vɛr]
recommander [rekɔmɑ̃de]
s'installer au comptoir
  [sɛ̃staleokɔ̃twar]
se débrouiller [s(ə)debruje]
typiquement [tipik(ə)mɑ̃]

DOSSIER 2

LEÇON 1

amateurs [amatœr]
balades [balad]
confortablement [kɔ̃fɔrtabl(ə)mɑ̃]
dégustation [degystasjɔ̃]
enfance [ɑ̃fɑ̃s]
exposer [ɛkspoze]
fabrication [fabrikasjɔ̃]
fondue [fɔ̃dy]
laisser [lɛse]
partir à la découverte
  [partiraladekuvɛrt]
produits du terroir
  [prɔdɥidyterwar]

produits locaux [prɔdɥiloko]
rire [rir]
s'asseoir [saswar]
se promener [s(ə)prɔm(ə)ne]
se régaler [s(ə)regale]
surprenant [syrprənɑ̃]
tomber amoureux [tɔ̃beamurø]
traditions culinaires
  [tradisjɔ̃kylinɛr]

LEÇON 2

applaudir [aplodir]
attaquer [atake]
attendre [atɑ̃dr]
consigne de sécurité
  [kɔ̃sinˌdəsekyrite]
courir [kurir]
dangereux [dɑ̃ʒ(ə)rø]
dépasser [depase]
emporter [ɑ̃pɔrte]
être autorisé (à) [ɛtrotɔrizea]
être en bonne condition physique
  [ɛtrɑ̃bɔnkɔ̃disjɔ̃fizik]
être prudent [ɛtrəprydɑ̃]
faire une randonnée
  [fɛrynrɑ̃dɔne]
fumer [fyme]
garde [gard]
gorille [gɔrij]
impressionnant [ɛ̃presjɔnɑ̃]
interdire [ɛ̃tɛrdir]
jeter [ʒəte / ʃte]
patron [patrɔ̃]
précaution [prekosjɔ̃]
prévoir [prevwar]
rapporter vos détritus
  [rapɔrtevodetrity(s)]
respecter les règles
  [rɛspɛktelerɛgl]
rester en groupe [resteɑ̃grup]
rester silencieux [restesilɑ̃sjø]
s'approcher [saprɔʃe]
se baisser [s(ə)bese]
se déplacer [s(ə)deplase]
s'en aller [sɑ̃nale]
suivre l'exemple
  [sɥivrəlɛgzɑ̃pl]

LEÇON 3

appeler quelqu'un par son prénom
  [ap(e)lekɛlkɛ̃parsɔ̃prenɔ̃]
applaudissements
  [aplodis(ə)mɑ̃]
changer d'avis [ʃɑ̃ʒedavi]
cité universitaire
  [siteyniversitɛr]
colloque [kɔlɔk]
enthousiasme [ɑ̃tuzjasm]
étonnement [etɔn(ə)mɑ̃]
être ému [ɛtremy]
être étonné [ɛtretɔne]
être fier [ɛtrəfjɛr]

être inquiet [ɛtrɛ̃kjɛ]
être nerveux [ɛtrənɛrvø]
faire peur [fɛrpœr]
faire signe [fɛrsiɲ]
faire une intervention
  [fɛrynɛ̃tɛrvɑ̃sjɔ̃]
première impression
  [prəmjɛrɛ̃prɛsjɔ̃]
public universitaire
  [pyblikyniversitɛr]
ressentir [resɑ̃tir]
se cacher [s(ə)kaʃe]
violent [vjɔlɑ̃]

LEÇON 4

avoir envie de [avwarɑ̃vidə]
canyoning [kaɲɔniŋ]
char à voile [ʃaravwal]
descente [desɑ̃t]
escalade [ɛskalad]
expérimenté [ɛksperimɑ̃te]
grimpeur [grɛ̃pœr]
immense [imɑ̃s]
initiation [inisjasjɔ̃]
loger [lɔʒe]
magique [maʒik]
moniteur [mɔnitœr]
rafraîchissant [rafrɛʃisɑ̃]
sensation [sɑ̃sasjɔ̃]
sport extrême [spɔrɛkstrɛm]
tenter [tɑ̃te]
tester [tɛste]
truc [tryk]
unique [ynik]

LEÇON 5

chez l'habitant [ʃelabitɑ̃]
dépaysement [depeiz(ə)mɑ̃]
diversité [diversite]
évasion [evazjɔ̃]
expédition [ɛkspedisjɔ̃]
fasciner [fasine]
imaginable [imaʒinabl]
immersion [im:ɛrsjɔ̃]
incroyable [ɛ̃krwajabl]
inspiration [ɛ̃spirasjɔ̃]
intense [ɛ̃tɑ̃s]
mobylette [mɔbilɛt]
motoneige [mɔtonɛʒ]
motorisé [motorize]
nomade [nɔmad]
partir à l'aventure
  [partiralavɑ̃tyr]
pilotage [pilɔtaʒ]
prendre son temps
  [prɑ̃drəsɔ̃tɑ̃]
raid [rɛd]
road-trips [rɔdtrip]
spécialisé [spesjalize]
sublime [syblim]
traversée [travɛrse]
véhicule [veikyl]
véritable [veritabl]
yourte [jurt]

LEÇON 6

avoir du mal [avwardymal]
café des langues [kafedelɑ̃g]
expatrié [ɛkspatrje]
faire le tour du monde
  [fɛrləturdymɔ̃d]
faire un stage [fɛrɛ̃staʒ]
gagner sa vie [gaɲesavi]
intention [ɛ̃tɑ̃sjɔ̃]
originaire [ɔriʒinɛr]
par cœur [parkœr]
se jurer de [səʒyredə]
traducteur [tradyktœr]

DOSSIER 3

LEÇON 1

assistant [asistɑ̃]
autonome [otɔnɔm]
avoir l'esprit d'équipe
  [avwarlɛspridekip]
avoir le sens des responsabilités
  [avwarləsɑ̃sdɛrɛspɔ̃sabilite]
avoir une bonne présentation
  [avwarynbɔnprezɑ̃tasjɔ̃]
brut/net [bryt] [nɛt]
candidat [kɑ̃dida]
capacité [kapasite]
CDD/CDI [sedede] [sedei]
chargé de clientèle
  [ʃarʒedəklijɑ̃tɛl]
compétences [kɔ̃petɑ̃s]
comptabilité [kɔ̃tabilite]
créatif [kreatif]
CV [seve]
énergique [enɛrʒik]
être passionné par
  [ɛtrəpasjɔnepar]
expérience professionnelle
  [ɛksperjɑ̃sprofesjɔnɛl]
faire preuve de [fɛrprœvdə]
gérer [ʒere]
heure supplémentaire
  [œrsyplemɑ̃tɛr]
lettre de motivation
  [lɛtrədəmɔtivasjɔ̃]
maîtrise [metriz]
mensuel [mɑ̃sɥɛl]
négocier [negɔsje]
offre d'emploi [ɔfrədɑ̃plwa]
période d'essai [perjɔd:ɛsɛ]
poste [pɔst]
qualité requise [kaliterəkiz]
réactif [reaktif]
recruter [rəkryte]
rémunération [remynerasjɔ̃]
respecter les délais
  [rɛspɛkteledɛlɛ]
rigoureux [rigurø]
salaire [salɛr]
secteur [sɛktœr]
service comptable
  [sɛrviskɔ̃tabl]

supérieurs [syperjœr]
temps plein/partiel [tɑ̃parsjɛl]
travailler en équipe
  [travajeɑ̃nekip]

LEÇON 2

accorder [akɔrde]
actuellement [aktɥɛl(ə)mɑ̃]
animatrice culturelle
  [animatriskyltyrɛl]
annonce [anɔ̃s]
atout [atu]
attentive [atɑ̃tiv]
baccalauréat [bakalorea]
candidature spontanée
  [kɑ̃didatyrspɔ̃tane]
clientèle [klijɑ̃tɛl]
conclure [kɔ̃klyr]
couramment [kuramɑ̃]
cursus [kyrsys]
deuxièmement
  [døzjɛm(ə)mɑ̃]
domaine [dɔmɛn]
entretien [ɑ̃trətjɛ̃]
être à la recherche d'un emploi/
  d'un travail [ɛtralarəʃɛrʃ(ə)
  dɛ̃nɑ̃plwa] [dɛ̃travaj]
être pris en charge
  [ɛtrəpriɑ̃ʃarʒ]
exprimer son intérêt
  [ɛksprimesɔ̃nɛtɛrɛ]
faire preuve de qualités humaines
  [fɛrprœvdəkaliteymɛn]
formation continue
  [fɔrmasjɔ̃kɔ̃tiny]
maison de retraite
  [mezɔ̃dərətrɛt]
mentionner [mɑ̃sjɔne]
obtenir un BTS
  [ɔptənirɛ̃betɛɛs]
parcours scolaire
  [parkurskɔlɛr]
patiente [pasjɑ̃t]
personne âgée [pɛrsɔnaʒe]
premièrement
  [prəmjɛr(ə)mɑ̃]
retenir l'attention
  [rətənirlatɑ̃sjɔ̃]
suite à [sɥita]
suivre des études/une formation
  [sɥivrədezetyd] [ynfɔrmasjɔ̃]
tout d'abord [tudabɔr]
travailler en qualité de
  [travajeɑ̃kalitedə]

LEÇON 3

artisan [artizɑ̃]
auto-entrepreneur
  [otoɑ̃trəprənœr]
avoir besoin de quelqu'un
  [avwarbəzwɛ̃dəkelkɛ̃]
bricolage [brikɔlaʒ]
chantiers [ʃɑ̃tje]
contribuer [kɔ̃tribɥe]

évidemment [evidamɑ̃]
facilement [fasil(ə)mɑ̃]
faire de la concurrence
  [fɛrdəlakɔ̃kyrɑ̃s]
faire une offre [fɛrynɔfr]
financièrement
  [finɑ̃sjɛr(ə)mɑ̃]
fréquemment [frekamɑ̃]
garder des enfants
  [gardedezɑ̃fɑ̃]
généralement
  [ʒeneral(ə)mɑ̃]
immédiatement
  [imedjat(ə)mɑ̃]
mettre en relation
  [mɛtrɑ̃rəlasjɔ̃]
monde du travail [mɔ̃d:ytravaj]
particuliers [partikylje]
petit boulot [p(ə)tibulo]
plateforme [platfɔrm]
poster votre annonce
  [pɔstevɔtranɔ̃s]
proposer ses services
  [prɔpozesesɛrvis]
publier une annonce
  [pyblijeynanɔ̃s]
régulièrement
  [regyljɛr(ə)mɑ̃]
réparation [reparasjɔ̃]
travailler à son rythme
  [travajeasɔ̃ritm]
travaux [travo]
trouver quelqu'un [truvekelkɛ̃]
utilement [ytil(ə)mɑ̃]

LEÇON 4

chercher un emploi
  [ʃɛrʃeɛ̃nɑ̃plwa]
construire [kɔ̃strɥir]
contenir [kɔ̃t(ə)nir]
correspondre [kɔrɛspɔ̃dr]
employeur [ɑ̃plwajœr]
état civil [etasivil]
être remarqué [ɛtrərəmarke]
faire le buzz [fɛrləbœz]
impressionner [ɛ̃presjɔne]
interactif [ɛ̃tɛraktif]
malin [malɛ̃]
oser [oze]
pénible [penibl]
personnalisé [pɛrsɔnalize]
publicité mensongère
  [pyblisitemɑ̃sɔ̃ʒɛr]
secteur d'activité
  [sɛktœrdaktivite]
séduire [sedɥir]
se faire remarquer
  [s(ə)fɛrərəmarke]

LEÇON 5

bourse d'études [bursədetyd]
consacrer [kɔ̃sakre]
crédit universitaire
  [krediyniversitɛr]

demande d'inscription [dəmãd:ɛ̃skripsjɔ̃]
différence culturelle [diferãskyltyrɛl]
doctorat [dɔktɔra]
échange linguistique [eʃãʒlɛ̃gwistik]
éditeur [editœr]
faire une demande d'inscription [fɛryndəmãd:ɛ̃skripsjɔ̃]
graphiste [grafist]
Master [mastœr]
mettre en place [mɛtrãplas]
obtenir un diplôme/un crédit universitaire/un emploi [ɔptənirɛ̃diplom] [ɛ̃krediyniversitɛr] [ɛ̃nãplwa]
œuvre littéraire [œvrəliterɛr]
parcours professionnel [parkurprɔfesjɔnɛl]
poser sa candidature [pozesakãdidatyr]
programme d'échanges [prɔgramdeʃãʒ]
programme d'été [prɔgramdete]
promotion [prɔmɔsjɔ̃]
proposer une candidature [prɔpozeynkãdidatyr]
publication [pyblikasjɔ̃]
sciences de l'éducation [sjãsdəledykasjɔ̃]
se familiariser [s(ə)familjarize]
suivre un cursus/un programme [sɥivrɛ̃kyrsys] [ɛ̃prɔgram]
vice-recteur [visrɛktœr]

LEÇON 6

concevoir [kɔ̃səvwar]
création d'entreprise [kreasjɔ̃dãtrəpriz]
la retraite [larətrɛt]
matière [matjɛr]
particulièrement [partikyljɛr(ə)mã]
rater [rate]
recherche de partenariat [rəʃɛrʃdəpartənarja]
recruteur [rəkrytœr]
révéler ses secrets [revelesesəkrɛ]
saisir une occasion [sezirynɔkazjɔ̃]
se spécialiser [səspesjalize]
variable [varjabl]

DOSSIER 4

LEÇON 1

absolument [absɔlymã]
adaptation [adaptasjɔ̃]
avant-première [avãprəmjɛr]
bobo [bobo]

caméra [kamera]
capitaine de police [kapitɛndəpɔlis]
cartonner [kartɔne]
cercle polaire [sɛrkləpɔlɛr]
citoyen [sitwajɛ̃]
comédie [kɔmedi]
concurrent [kɔ̃kyrã]
considérablement [kɔ̃siderabləmã]
également [egal(ə)mã]
enquêter [ãkɛte]
épisode [epizɔd]
être au même niveau [ɛtromɛmnivo]
être diffusé [ɛtrədifyze]
exportation [ɛkspɔrtasjɔ̃]
extrêmement [ɛkstrɛməmã]
fantastique [fãtastik]
fiction historique [fiksjɔ̃istɔrik]
genre [ʒãr]
inspirer [ɛ̃spire]
jouer un rôle [ʒweɛ̃rol]
largement [larʒəmã]
mettre en scène [mɛtrãsɛn]
meurtre [mœrtr]
mort [mɔr]
mystérieux [misterjø]
personnage [persɔnaʒ]
procureur [prɔkyrœr]
profondément [prɔfɔ̃demã]
progressivement [prɔgresiv(ə)mã]
réalisation [realizasjɔ̃]
renouveau [rənuvo]
revenir à la vie [rəv(ə)niralavi]
rôle [rol]
s'exporter [sɛkspɔrte]
scénario [senarjo]
scène comique [sɛnkɔmik]
se dérouler [s(ə)derule]
série [seri]
sous-titres [sutitr]
tournage [turnaʒ]
tourner [turne]

LEÇON 2

avoir un talent fou [avwarɛ̃talãfu]
célébration [selebrasjɔ̃]
célébrer [selebre]
chouette [ʃwɛt]
fêtard [fɛtar]
invité d'honneur [ɛ̃vitedɔnœr]
marquer [marke]
salle de spectacles [saldəspɛktakl]
splendide [splãdid]
universel [yniversɛl]
webzine [wɛbzin]

LEÇON 3

bande dessinée [bãd:esine]
chouchou [ʃuʃu]

classe d'âge [clasdaʒ]
consommateur [kɔ̃sɔmatœr]
dépendre [depãdr]
équipement [ekip(ə)mã]
être fan de [ɛtrəfandə]
exposition temporaire [ɛkspozisjɔ̃tãpɔrɛr]
fréquentation [frekãtasjɔ̃]
graphique [grafik]
jeu vidéo [ʒøvideo]
lieu d'exposition [ljødɛkspozisjɔ̃]
majorité [maʒɔrite]
manifestation culturelle [manifɛstasjɔ̃kyltyrɛl]
mesurer [məzure]
minorité [minɔrite]
moitié de [mwatjedə]
opéra [ɔpera]
pourcentage [pursãtaʒ]
pratique culturelle [pratik:yltyrɛl]
produit culturel [prɔdɥikyltyrɛl]
s'évader [sevade]
se cultiver [s(ə)kyltive]
se divertir [s(ə)divertir]
senior [senjɔr]
spectacle vivant [spɛktacləvivã]
télévision [televizjɔ̃]
tranche d'âge [trãʃdaʒ]

LEÇON 4

assister à un concert [asisteaɛ̃kɔ̃sɛr]
attirer [atire]
avoir l'impression de [avwarlɛ̃presjɔ̃də]
charmer [ʃarme]
chorégraphe [kɔregraf]
cirque [sirk]
correspondant [kɔrɛspɔ̃dã]
donner envie de [dɔneãvidə]
étonnant [etɔnã]
évoquer [evɔke]
export [ɛkspɔr]
faire partie de [fɛrpartidə]
faire une tournée [fɛrynturne]
fondateur [fɔ̃datœr]
garder un souvenir [gardeɛ̃suv(ə)nir]
hip-hop [ipɔp]
inoubliable [inublijabl]
marché de la musique [marʃedəlamyzik]
originaire [ɔriʒinɛr]
peuplé [pœple]
planète [planɛt]
art de la scène/art visuel/ art plastique [ardəlasɛn] [arvizɥɛl] [arplastik]
rencontrer un succès [rãkɔ̃treɛ̃syksɛ]
romantisme [rɔmãtism]

scène [sɛn]
spectateur [spɛktatœr]
zoom [zum]

LEÇON 5

avoir le monopole [avwarləmɔnɔpɔl]
démarche [demarʃ]
dessinateur [desinatœr]
dessiner [desine]
diriger [diriʒe]
état d'esprit [etadɛspri]
faire collaborer [fɛrkɔlabore]
faire découvrir [fɛrdekuvrir]
forcément [fɔrsemã]
gagner un concours [gaɲeɛ̃kɔ̃kur]
génération [ʒenerasjɔ̃]
reconnaître [rəkɔnɛtr]
réussite [reysit]
scénariste [senarist]
se présenter à un concours [səprezãteaɛ̃kɔ̃kur]
séance de dédicace [seãsdədedikas]
style [stil]
terre d'accueil [tɛrdakœj]
western [wɛstɛrn]

LEÇON 6

chaleur [ʃalœr]
chargé(e) des relations publiques [ʃarʒederəlasjɔ̃pyblik]
cliché [kliʃe]
connaître un grand succès [kɔnɛtrɛ̃grãsyksɛ]
coutume [kutym]
décevoir [desəvwar]
être chargé de [ɛtrəʃarʒedə]
guide créatif [gidkreatif]
inspirant [ɛ̃spirã]
préparer une tournée [prepareynturne]
relation publique [rəlasjɔ̃pyblik]
souhait [swɛ]
troupe [trup]

DOSSIER 5

LEÇON 1

argentin [arʒãtɛ̃]
campus [kãpys]
comparé [kɔ̃pare]
confortable [kɔ̃fɔrtabl]
critiquer [kritike]
danois [danwa]
débat [deba]
discours [diskur]
dramatique [dramatik]
élevé [eleve]

Lexique

faire des efforts [fɛrdezefɔr]
mal [mal]
mauvaise humeur [movɛzymœr]
mécontentement [mekɔ̃tɑ̃t(ə)mɑ̃]
négativement [negativ(ə)mɑ̃]
pessimiste [pesimist]
plainte [plɛ̃t]
positivement [pozitiv(ə)mɑ̃]
râler [rale]
râleur [ralœr]
se plaindre [səplɛ̃dr]

LEÇON 2

avoir l'habitude de [avwarlabityd:ə]
défaut [defo]
donner des nouvelles [dɔnedenuvɛl]
être d'accord [ɛtrədakɔr]
évaluation [evalɥasjɔ̃]
examen [ɛgzamɛ̃]
examinateur [ɛgzaminatœr]
exposer un problème [ɛkspozeɛ̃prɔblɛm]
insister [ɛ̃siste]
intégrer [ɛ̃tegre]
niveau [nivo]
passer un diplôme [paseɛ̃diplom]
production orale [prɔdyksjɔ̃ɔral]
rapporter [rapɔrte]
rendre visite à [rɑ̃drəvizita]
reprendre les études [rəprɑ̃drəlezetyd]
reprocher [rəprɔʃe]
résoudre un problème [rezudrɛ̃prɔblɛm]
revoir [rəvwar]
se présenter à un examen [səprezɑ̃teaɛ̃ɛgzamɛ̃]
simulation [simylasjɔ̃]
stressant [strɛsɑ̃]
surprendre [syrprɑ̃dr]

LEÇON 3

à mon avis [amɔnavi]
améliorer [ameljɔre]
animer [anime]
avoir besoin de [avwarbəzwɛ̃də]
avoir raison [avwar:ɛzɔ̃]
bénévole [benevɔl]
café associatif [cafeasɔsjatif]
concret [kɔ̃krɛ]
conflit [kɔ̃fli]
conseil de quartier [kɔ̃sɛjdəkartje]
conseiller de quartier [kɔ̃sejedəkartje]
désaccord [dezakɔr]
donner de son temps

[dɔnedəsɔ̃tɑ̃]
donner son accord [dɔnesɔnakɔr]
en partie [ɑ̃parti]
être à l'heure [ɛtralœr]
être du même avis [ɛtrədymemavi]
être en désaccord [ɛtrɑ̃dezakɔr]
exprimer son désaccord [ɛksprimesɔ̃dezakɔr]
groupe de réflexion [grupdəreflɛksjɔ̃]
hôtel de ville [otɛldəvil]
immeuble [im:œbl]
installer [ɛ̃stale]
intermédiaire [ɛ̃tɛrmedjɛr]
kiosque à musique [kjɔskamyzik]
mairie [meri]
médiateur [medjatœr]
municipalité [mynisipalite]
prendre la parole [prɑ̃drəlaparɔl]
se mettre au service des autres [səmɛtroservisdezotr]
se rendre utile pour [sərɑ̃drytilpur]
se réunir [səreynir]
statut [staty]
transformation [trɑ̃sfɔrmasjɔ̃]

LEÇON 4

cohabitation [kɔabitasjɔ̃]
colocation [kɔlɔkasjɔ̃]
colocs [kɔlɔk]
contraintes [kɔ̃trɛ̃t]
déception [desɛpsjɔ̃]
dépenses communes [depɑ̃skɔmyn]
différence culturelle [diferɑ̃skyltyrɛl]
égoïsme [egoism]
évident [evidɑ̃]
faire un planning [fɛrɛ̃planiŋ]
fixer des règles [fiksedɛrɛgl]
individualisme [ɛ̃dividɥalism]
ménage [menaʒ]
partager les dépenses [partaʒeledepɑ̃s]
passer du temps ensemble [pasedytɑ̃ɑ̃sɑ̃bl]
ponctualité [pɔ̃ktɥalite]
radin [radɛ̃]
ranger ses affaires [rɑ̃ʒesezafɛr]
respecter les besoins [rɛspɛktelebəzwɛ̃]
s'organiser [sɔrganize]
sport d'équipe [spɔrdekip]
vie de famille/vie privée [vidəfamij] [viprive]
vivre en colocation [vivrɑ̃kɔlɔkasjɔ̃]
vivre ensemble [vivrɑ̃sɑ̃bl]

LEÇON 5

amitié [amitje]
avoir pour objectif/pour but [avwarɛ̃pɔbʒɛktif]
compétition [kɔ̃petisjɔ̃]
convaincre [kɔ̃vɛ̃kr]
échange interculturel [eʃɑ̃ʒɛ̃tɛrkyltyrɛl]
émission culturelle [emisjɔ̃kyltyrɛl]
être animé [ɛtranime]
être d'un autre avis [ɛtrədɛ̃notravi]
grand classique [grɑ̃klasik]
partager des valeurs [partaʒedevalœr]
promotion [prɔmosjɔ̃]
promouvoir [prɔmuvwar]
regretter [rəgrete]
se rendre compte [sərɑ̃drəkɔ̃t]
sociabilité [sɔsjabilite]
soutenir [sut(ə)nir]
spécialité culinaire [spesjalitekylinɛr]

LEÇON 6

accueillant [akœjɑ̃]
bénévolat [benevɔla]
centre d'accueil [sɑ̃trədakœl]
coopération internationale [kooperasjɔ̃ɛ̃tɛrnasjɔnal]
difficulté psychologique [difikyltepsikɔlɔʒik]
diffuser [difyze]
être en difficulté [ɛtrɑ̃difikylte]
être en sécurité [ɛtrɑ̃sekyrite]
excitation [ɛksitasjɔ̃]
exclusion [ɛksklyzjɔ̃]
lancer un appel [lɑ̃seɛ̃napɛl]
lutter contre [lytekɔ̃tr]
originalité [ɔriʒinalite]
personne en difficulté [pɛrsɔnɑ̃difikylte]
rassurer [rasyre]
s'arranger [sarɑ̃ʒe]
se familiariser avec [səfamiljarize]
se rendre [sərɑ̃dr]
stage d'initiation [staʒdinisjasjɔ̃]
tristesse [tristɛs]

DOSSIER 6

LEÇON 1

aide cuisinier [ɛdkɥizinje]
apprenti [aprɑ̃ti]
aptitude [aptityd]
assister [asiste]
aubergine [obɛrʒin]
avoir des responsabilités [avwarderɛspɔ̃sabilite]

balayer [baleje]
chef cuisinier [ʃɛfkɥizinje]
complexe [kɔ̃plɛks]
contrat d'apprentissage [kɔ̃tradaprɑ̃tisaʒ]
couper [kupe]
courgette [kurʒɛt]
crabe [krab]
découper [dekupe]
donner une instruction [dɔneynɛ̃stryksjɔ̃]
épluchage [eplyʃaʒ]
éplucher [eplyʃe]
essuyer [esɥije]
exécuter des tâches [ɛgzekytedetaʃ]
faire bouillir [fɛrbujir]
faire cuire [fɛrkɥir]
faire la vaisselle [fɛrlavɛsɛl]
laver [lave]
livraison [livrɛzɔ̃]
mélanger [melɑ̃ʒe]
nettoyage [netwajaʒ]
nettoyer [netwaje]
parfaitement [parfɛt(ə)mɑ̃]
participer à des tâches [partisipeadetaʃ]
placer dans un plat [plasedɑ̃zɛ̃pla]
plonger [plɔ̃ʒe]
poivron [pwavrɔ̃]
préparatif [preparatif]
produit alimentaire [prɔdɥialimɑ̃tɛr]
ranger [rɑ̃ʒe]
ratatouille [ratatuj]
rincer [rɛ̃se]
saladier [saladje]
service [sɛrvis]

LEÇON 2

beurre [bœr]
centilitre [sɑ̃tilitr]
centimètre [sɑ̃timɛtr]
cuillère / cuiller [kɥijɛr]
dorer [dɔre]
escalope de dinde [ɛskalɔpdədɛ̃d]
exotique [ɛgzɔtik]
faire (ré)chauffer [fɛr:eʃofe]
faire des tests [fɛrdetɛst]
faire dorer [fɛrdɔre]
faire revenir [fɛr:əv(ə)nir]
finement [fin(ə)mɑ̃]
gramme [gram]
influence [ɛ̃flyɑ̃s]
légèrement [leʒɛr(ə)mɑ̃]
mesure [məzyr]
mode de cuisson [mɔdəkɥisɔ̃]
pincée [pɛ̃se]
plancha [plɑ̃tʃa]
poêle [pwal]
poids [pwa]
poivre [pwavr]
poivrer [pwavre]

préparer une surprise [prepareynsyrpriz]
réchauffer [reʃofe]
remettre sur le feu [rəmɛtr(ə)syrləfø]
remuer [rəmɥe]
saler [sale]
sauce barbecue [sosbarbəkju]
se mettre en cuisine [səmɛtrãkɥizin]
sel [sɛl]
servir [sɛrvir]
spatule en bois [spatylãbwa]
sushi [suʃi]
tajine [taʒin]
ustensile [ystãsil]
varier [varje]
wok [wɔk]

LEÇON 3

appareil électronique [aparɛlelɛktrik]
armoire [armwar]
aspirateur [aspiratœr]
avoir de la valeur [avwardəlavalœr]
avoir lieu [avwarljø]
bricoleur [brikɔlœr]]
cafetière [kaf(ə)tjɛr]
calculer [kalkyle]
électroménager [elɛktromenaʒe]
faire la queue [fɛrlakø]
faire réparer [fɛrepare]
gaspiller [gaspije]
inciter à agir [ɛ̃siteaaʒir]
jouet [ʒwɛ]
local associatif [lɔkalasɔsjatif]
mode de fonctionnement [mɔdəfɔ̃ksjɔn(ə)mã]
ne pas être la peine [nəpazɛtrəlapɛn]
neuf [nœf]
participatif [partisipatif]
patienter [pasjãte]
peser [pəze]
prendre un ticket [prãdrɛ̃tikɛ]
racheter [raʃ(ə)te]
rare [rar]
réflexe [reflɛks]
réparateur [reparatœr]
réparer [repare]
revendre [rəvãdr]
se déchirer [s(ə)deʃire]
sonner [sɔne]
table de chevet [tabledəʃəvɛ]
tomber en panne [tɔ̃beãpan]
vaisselle [vɛsɛl]

LEÇON 4

adopter [adɔpte]
avoir du succès [avwardysyksɛ]
chaise [ʃɛz]

chef de projet [ʃɛfdəprɔʒɛ]
commander [kɔmãde]
conquérir [kɔ̃kerir]
crayon à papier [krɛjɔ̃apapje]
énormément [enɔrmemã]
équiper [ekipe]
évoquer une réussite [evɔkeynreysit]
fabriquer [fabrike]
investir [ɛ̃vɛstir]
marquer des points [markedepwɛ̃]
milieu urbain [miljøyrbɛ̃]
parfum [parfɛ̃]
PME [peɛmə]
responsable export [rɛspɔ̃sablɛkspɔr]
restauration [rɛstorasjɔ̃]
robot [robo]
sac de luxe [sakdəlyks]
société [sɔsjete]

LEÇON 5

clé [kle]
coffret cadeau [kɔfrɛkado]
cosmétique [kɔsmetik]
crème [krɛm]
eau de toilette [odətwalɛt]
gel douche [ʒɛlduʃ]
huile de douche [ɥildəduʃ]
lait parfumé [lɛparfyme]
paquet cadeau [pakɛkado]
parapharmacie [parafarmasi]
prendre soin de soi [prãdrəswɛ̃dəswa]
produit d'hygiène [prɔdɥidiʒjɛn]
rayon [rɛjɔ̃]
savon [savɔ̃]
shampoing [ʃãpwɛ̃]
soin naturel [swɛ̃natyrɛl]
trousse beauté [trusdəbote]
visage [vizaʒ]

LEÇON 6

autobiographie [otɔbjɔgrafi]
brocante [brɔkãt]
déménager [demenaʒe]
emporter [ãpɔrte]
excessif [ɛksesif]
historique [istɔrik]
imaginaire [imaʒinɛr]
jeu de société [ʒødəsɔsjete]
marché aux puces [marʃeopys]
nostalgique [nɔstalʒik]
objet d'occasion [ɔbʒedɔkazjɔ̃]
obtenir une place [ɔptənirynplas]
se lancer [s(ə)lãse]
travaux [travo]
vintage [vintɛdʒ]

DOSSIER 7

LEÇON 1

abandonner [abãdɔne]
affectif [afɛktif]
afghan [afgã]
alterner [altɛrne]
dictionnaire [diksjɔnɛr]
imposé [ɛ̃poze]
inventer [ɛ̃vãte]
langue natale [lãgnatal]
mémoriser [memɔrize]
nouvelle (une nouvelle : un texte) [nuvɛl] [yn:uvɛl - ɛ̃tɛkst]
passage [pasaʒ]
passer l'épreuve de français [paseleprœvdəfrãsɛ]
persan [pɛrsã]
poème [pɔɛm]
poétique [pɔetik]
polyglotte [pɔliglɔt]
précieux [presjø]
province [prɔvɛ̃s]
récit [resi]
rédacteur en chef [redaktœrãʃef]
revue [rəvy]
se transformer [sətrãsfɔrme]
sens [sãs]
territoires [tɛritwar]

LEÇON 2

affaire [afɛr]
approuver [apruve]
autorité éducative [ɔtɔriteedykativ]
conduire à [kɔ̃dɥira]
décision [desizjɔ̃]
désormais [dezɔrmɛ]
diversité culturelle [diversitekyltyrɛl]
encourager [ãkuraʒe]
époque [epɔk]
être affecté [ɛtrafɛkte]
être chargé des relations [ɛtrəʃarʒederəlasjɔ̃]
évoluer [evɔlɥe]
héritage [eritaʒ]
interprétation [ɛ̃tɛrpretasjɔ̃]
maintien de la paix [mɛ̃tjɛ̃dəlapɛ]
manifestation officielle [manifɛstasjɔ̃ɔfisjɛl]
motiver un choix [mɔtiveɛ̃ʃwa]
occuper un poste [ɔkypeɛ̃pɔst]
ONG [oɛnʒe]
partenariat [partənarja]
participer aux programmes [partisipeoprɔgram]
prendre la décision [prãdrəladesizjɔ̃]
préoccupation [preɔkypasjɔ̃]
réagir [reaʒir]
se tromper [sətrɔ̃pe]

statut [staty]
success story [syksɛstɔri]
suffisant [syfizã]
trilingue [trilɛ̃g]
vivement [viv(ə)mã]

LEÇON 3

agriculteur [agrikyltœr]
autoritaire [ɔtɔritɛr]
besoin social [bəzwɛ̃sɔsjal]
citoyenneté [sitwajɛn(ə)te]
discipliné [disipline]
école primaire [ekɔlprimɛr]
faire des plans [fɛrdeplã]
franchement [frãʃ(ə)mã]
géomètre [ʒeɔmɛtr]
intervention [ɛ̃tɛrvãsjɔ̃]
jeunesse [ʒœnɛs]
mathématiques [matematik]
maximum [maksimɔm]
mémoire [memwar]
mettre en ligne [mɛtrãliɲ]
milieu social [miljøsɔsjal]
mission d'intérêt général [misjɔ̃dɛ̃terɛʒeneral]
obéir [ɔbeir]
passer un concours [paseɛ̃kɔ̃kur]
passeur [pasœr]
raconter un souvenir [rakɔ̃teɛ̃suv(ə)nir]
rapprocher [raprɔʃe]
recueil de témoignages [rəkœjdətemwaɲaʒ]
recueillir [rəkœjir]
retranscrire [rətrãskrir]
s'engager [sãgaʒe]
sensible [sãsibl]
service civique [sɛrvis:ivik]
service militaire [sɛrvis:militɛr]
solidarité [sɔlidarite]
valoriser [valɔrize]
volontaire [vɔlɔ̃tɛr]

LEÇON 4

adhérer [adere]
appartenir [apartənir]
catastrophe [katastrɔf]
cause [koz]
club sportif [klœbspɔrtif]
combat [kɔ̃ba]
comportement [kɔ̃pɔrtəmã]
couleur de peau [kulœrdəpo]
croire [krwar]
défendre [defãdr]
déterminer [detɛrmine]
discrimination [discriminasjɔ̃]
donner envie [dɔneãvi]
droit [drwa]
éduquer [edyke]
égal [egal]
environnement [ãvirɔn(ə)mã]

fondation [fɔ̃dasjɔ̃]
footballeur [futbɔlœr]
hommage [ɔmaʒ]
intelligence [ɛ̃tɛliʒɑ̃s]
logo [logo]
lutte [lyt]
médiateur [medjatœr]
priorité [priɔrite]
protection [prɔtɛksjɔ̃]
racisme [rasism]
religion [rəliʒjɔ̃]
s'améliorer [sameljɔre]
s'inspirer de [sɛ̃spiredə]
s'investir [sɛ̃vɛstir]

LEÇON 5

agir [aʒir]
campagne [kɑ̃paɲ]
conserver [kɔ̃sɛrve]
constater [kɔ̃state]
critique [kritik]
davantage [davɑ̃taʒ]
dépenser [depɑ̃se]
être prêt [ɛtrəprɛ]
faire attention [fɛratɑ̃sjɔ̃]
hivernal [ivɛrnal]
hors-piste [ɔrpist]
imposer [ɛ̃poze]
investir [ɛ̃vɛstir]
limiter [limite]
malheureusement
  [malœrøz(ə)mɑ̃]
protéger [prɔteʒe]
respectueux [rɛspɛktɥø]
sauvage [sovaʒ]
sous-titrer [sutitre]
stupide [stypid]
taxe [taks]
tourisme de masse
  [turismədəmas]

LEÇON 6

apéritif [aperetif]
avocat [avɔka]
compliqué [kɔ̃plike]
formidable [fɔrmidabl]
grandir [grɑ̃dir]
initiative [inisjativ]
prendre les choses en main
  [prɑ̃drəleʃozɑ̃mɛ̃]
projeter [prɔʒəte]

DOSSIER 8

LEÇON 1

australien [ostraljɛ̃]
bout du monde [budymɔ̃d]
compter [kɔ̃te]
contemporain [kɔ̃tɑ̃pɔrɛ̃]
créateur [kreatœr]
décorer [dekɔre]
drôle [drol]

élargir [elarʒir]
entièrement [ɑ̃tjɛr(ə)mɑ̃]
faire le tour [fɛrlətur]
fait d'actualité [fɛdaktɥalite]
héroïne [erɔin]
honorer [ɔnɔre]
inaugurer [inogyre]
lancer un défi [lɑ̃seɛ̃defi]
marque automobile
  [markotomɔbil]
modèle [mɔdɛl]
pari [pari]
pièce [pjɛs]
profiter [prɔfite]
rétrospective [retrospɛktiv]
salon de coiffure
  [salɔ̃dəkwafyr]
se lancer un défi [səlɑ̃seɛ̃defi]
slogan publicitaire
  [slɔgɑ̃pyblisitɛr]
surtitrer [syrtitre]

LEÇON 2

agent de police [aʒɑ̃dəpɔlis]
arrestation [arɛstasjɔ̃]
aux alentours de [ozalɑ̃turdə]
cambriolage [kɑ̃brjɔlaʒ]
cambrioler [kɑ̃brjɔle]
chapeau / chapô [ʃapo]
chauffeur [ʃofœr]
conduire [kɔ̃dɥir]
contrôle [kɔ̃trol]
député [depyte]
directeur adjoint
  [dirɛktœradʒwɛ̃]
disparaître [disparɛtr]
disparition [disparisjɔ̃]
écran plat [ekrɑ̃pla]
enquête de voisinage
  [ɑ̃kɛtdəvwazinaʒ]
être blessé [ɛtrəblese]
être évacué [ɛtrevakɥe]
être soulagé [ɛtrəsulaʒe]
fait divers [fɛdivɛr]
incendie [ɛ̃sɑ̃di]
jour de congé [ʒurdəkɔ̃ʒe]
luxembourgeois [lyksɑ̃burʒwa]
maître [mɛtr]
maîtriser [metrize]
matériel médical
  [materjɛlmedikal]
occupant [ɔkypɑ̃]
policier [pɔlisje]
prendre en charge [prɑ̃drɑ̃ʃarʒ]
prendre la fuite [prɑ̃drəlafɥit]
regagner son domicile
  [rəgaɲesɔ̃dɔmisil]
résident [rezidɑ̃]
s'échapper [seʃape]
sain et sauf [sɛ̃esof]
se déclarer [sədeklare]
se perdre en forêt
  [səpɛrdɑ̃fɔre]
se porter volontaire
  [səpɔrtevɔlɔ̃tɛr]

se produire [səprɔdɥir]
se réfugier [sərefyʒje]
soulagement [sulaʒ(ə)mɑ̃]
suspect [syspɛ]

LEÇON 3

AMAP [amap]
animal de compagnie
  [animaldəkɔ̃paɲi]
astuce [astys]
attaquer en justice
  [atakeɑ̃ʒystis]
baisser le chauffage
  [beseləʃofaʒ]
changement d'heure
  [ʃɑ̃ʒ(ə)mɑ̃dœr]
courrier des lecteurs
  [kurjedelɛktœr]
éclairer [eklere]
économie d'énergie
  [ekɔnɔmidenɛrʒi]
économiser [ekɔnɔmize]
électricité [elɛtrisite]
énergie [enɛrʒi]
éteindre [etɛ̃dr]
facture d'électricité
  [faktyrdelɛktrisite]
faire correspondre
  [fɛrkɔrɛspɔ̃dr]
faire le bon geste [fɛrləbɔ̃ʒɛst]
faire nuit [fɛrnɥi]
faire un don [fɛrɛ̃dɔ̃]
faire un effort [fɛrɛ̃nefɔr]
faire une bonne action
  [fɛrynbɔnaksjɔ̃]
formuler une critique
  [fɔrmyleynkritik]
heure d'hiver [œrdivɛr]
lettre ouverte [lɛtruvɛrt]
lumière [lymjɛr]
plein jour [plɛ̃ʒur]
réduire [redɥir]
renverser [rɑ̃vɛrse]
responsabilité [rɛspɔ̃sabilite]
signer une pétition
  [siɲeynpetisjɔ̃]
société protectrice
  [sɔsjeteprotɛktris]
usine [yzin]

LEÇON 4

consulter [kɔ̃sylte]
dépendance [depɑ̃dɑ̃s]
dépendant [depɑ̃dɑ̃]
discothèque [diskɔtɛk]
écran de publicité
  [ekrɑ̃dəpyblisite]
en permanence [ɑ̃pɛrmanɑ̃s]
être accro à [ɛtrakroa]
être équipé [ɛtrekipe]
heure de pointe [œrdəpwɛ̃t]
massage [masaʒ]
mélodie [melɔdi]
passant [pasɑ̃]

proche [prɔʃ]
rame de métro [ramdəmetro]
s'engager à [sɑ̃gaʒea]
se passer de [səpasedə]
souterrain [sutrɛ̃]
suggérer [syɡʒere]
suggestion [syɡʒɛstjɔ̃]
supprimer [syprime]
usager [yzaʒe]
wagon [vagɔ̃]

LEÇON 5

accident de la route
  [aksidɑ̃dəlarut]
argent [arʒɑ̃]
attirer l'attention sur
  [atirelatɑ̃sjɔ̃syr]
campagne de sensibilisation
  [kɑ̃paɲdəsɑ̃sibilizasjɔ̃]
coordinateur [kɔɔrdinatœr]
corail [kɔraj]
espoir [ɛspwar]
être en bonne santé
  [ɛtrɑ̃bɔnsɑ̃te]
fond marin [fɔ̃marɛ̃]
indispensable [ɛ̃dispɑ̃sabl]
inquiétant [ɛ̃kjetɑ̃]
lagon [lagɔ̃]
prise de conscience
  [prizdəkɔ̃sjɑ̃s]
récif corallien [resifkɔraljɛ̃]
réussir dans la vie
  [reɥsirdɑ̃lavi]
s'améliorer [sameljɔre]
sauver [sove]
situation financière
  [sitɥasjɔ̃finɑ̃sjɛr]
vœu [vø]

LEÇON 6

annoncer la nouvelle
  [anɔ̃selanuvɛl]
attribution d'un prix
  [atribysjɔ̃dɛ̃pri]
avec impatience [avɛkɛ̃pasjɑ̃s]
carrière littéraire [karjɛrliterɛr]
drame [dram]
encourageant [ɑ̃kuraʒɑ̃]
équilibre [ekilibr]
exil [ɛgzil]
féliciter [felisite]
lauréat [lorea]
nostalgie [nɔstalʒi]
prix littéraire [priliterɛr]
rappeur [rapœr]
récompensé [rekɔ̃pɑ̃se]
récompense [rekɔ̃pɑ̃s]
reconnaissance [rəkɔnɛsɑ̃s]
remporter un prix [rɑ̃pɔrteɛ̃pri]
s'attendre [satɑ̃dr]
s'ennuyer [sɑ̃nɥije]
slameur [slamœr]

1. Vrai ou faux ? Dites si l'affirmation est vraie (V) ou fausse (F) et recopiez la phrase qui justifie votre réponse. *(1,5 point)*

Le *Petit perdu* est le nom d'une école de management. ☐ V ☐ F

Justification : ....

2. Le guide de la ville de Nantes est publié… *(1 point)*

   A. ☐ chaque semaine.

   B. ☐ deux fois par mois.

   C. ☐ une fois par an.

3. Combien coûte le guide de la ville de Nantes ? *(1,5 point)*

....

4. Par mois, le site internet du *Petit perdu* est consulté… *(1 point)*

   A. ☐ environ 90 000 fois.

   B. ☐ presque 250 000 fois.

   C. ☐ plus de 300 000 fois.

5. D'après l'article, que permet l'application mobile du *Petit perdu* ? *(1,5 point)*
(Deux réponses possibles, une seule attendue)

....

6. Vrai ou faux ? Dites si l'affirmation est vraie (V) ou fausse (F) et recopiez la phrase qui justifie votre réponse. *(1,5 point)*

Le *Petit perdu* organise un concours au mois de juin. ☐ V ☐ F

Justification : ....

III   Production écrite   25 points

Exercice 1   13 points

Vous venez de découvrir un nouvel endroit dans votre ville. Vous y avez passé la journée.
Vous écrivez à un de vos amis francophones pour lui décrire cet endroit, donner vos impressions et pour lui dire pourquoi vous l'avez aimé. Vous lui proposez, enfin, de lui faire visiter cet endroit un jour dans la semaine. (60 mots minimum)

De :

Exercice 2

12 points

Vous avez reçu ce mail :

De :   loulou80@yahoo.fr
Objet : Ce week-end

Salut,
Ce week-end, il y a un festival de salsa.
Ça commence vendredi après-midi et
ça finit dimanche soir. On peut faire des
cours avec des professionnels la journée
et, le soir, il y a des dîners-spectacles.
Tu viens avec moi ? Ça va être génial !
Bises
Loredana

Vous répondez à Loredana. Vous la remerciez et acceptez son invitation.
Vous lui demandez des précisions sur l'organisation de ce festival
(lieu, horaires, prix, moyen de transport pour y aller…).
Vous lui proposez d'inviter un(e) autre ami(e) et dites pourquoi.
(60 mots minimum)

....

....

....

....

IV Production orale

25 points

Cette épreuve de production orale comporte 3 parties.
Elle dure 6 à 8 minutes. La première partie se déroule sans préparation. Vous avez 10 minutes pour préparer
les parties 2 et 3 (monologue suivi et exercice en interaction). Les 3 parties s'enchaînent.

Exercice 1 : entretien dirigé sans préparation

1 minute 30 environ

Après avoir salué votre examinateur, vous vous présentez (vous parlez de vous, de votre famille,
de vos amis, de vos études, de vos goûts, des animaux que vous aimez, etc.). L'examinateur vous posera
des questions complémentaires.

Exercice 2 : monologue suivi avec préparation

2 minutes environ

Vous tirez au sort 2 sujets et vous en choisissez 1. Vous vous exprimez sur le sujet.
L'examinateur peut ensuite vous poser des questions pour vous aider.

SUJET 1 : Mon lieu préféré

Quel est votre lieu préféré ? Décrivez-le et dites
pourquoi vous l'aimez. Dans quelle autre ville
aimeriez-vous vivre ? Pourquoi.

SUJET 2 : Vacances préférées

Quel est le type de vacances que vous préférez ? Pourquoi ?
Qu'aimez-vous faire pendant vos vacances ? Quelles sont
pour vous les vacances idéales ?

Exercice 3 : exercice en interaction avec préparation

3 ou 4 minutes environ

Vous tirez au sort 2 sujets et vous en choisissez 1.
Vous devez simuler un dialogue avec l'examinateur afin de résoudre une situation de la vie quotidienne.
Vous montrez que vous êtes capable de saluer et d'utiliser des règles de politesse. Dans certains sujets,
le genre masculin est utilisé pour alléger le texte. Vous pouvez naturellement adapter la situation en
adoptant le genre féminin.

SUJET 1 : Visite guidée

Vous êtes à Toulouse. Vous proposez à un de vos
amis francophones de faire une visite guidée
de la ville. Vous vous mettez d'accord sur l'organisation de cette journée : type de visite guidée (à pied,
en bateau ou à vélo), jour et heure.
L'examinateur joue le rôle de l'ami francophone.

SUJET 2 : Vacances en France

Avec un de vos amis francophones, vous avez décidé
de passer une semaine de vacances en France. Vous
choisissez ensemble la période et la durée de votre séjour.
Vous vous mettez d'accord sur le lieu (campagne, ville
ou mer), le type d'hébergement (hôtel, chez l'habitant,
logement insolite) et les activités (sportives, culturelles,
de détente).
L'examinateur joue le rôle de l'ami francophone.

Achevé d'imprimer en Italie en janvier 2020 par L.E.G.O. S.p.A. Lavis
Dépôt légal : Juillet 2017 - Édition 05
64/3394/9